MAX BROD / DER PRAGER KREIS

MAX BROD

Der Prager Kreis

W. KOHLHAMMER VERLAG
STUTTGART BERLIN KÖLN MAINZ

 Umschlag: Gerhard M. Hotop. Druck: Stuttgarter Nachrichten.
Printed in Germany. Nr. 87043

Der Geist des Wirklichen ist das wahre Ideelle

GOETHE ZU RIEMER 1827

INHALT

ERSTES KAPITEL

Ahnensaal
Versuch einer historischen Einordnung

Man spricht seit einiger Zeit viel von einer »Prager Schule«. Ich finde diesen Begriff nicht recht zutreffend. Denn zu einer Schule gehört doch wohl ein Lehrer und auch so etwas wie ein Schulprogramm. Wir hatten weder den einen noch das andere. Ich habe daher absichtlich eine Bezeichnung gewählt, die lockerer, schwankender, verschwimmender ist. Ich spreche lieber von einem »Prager Kreis«.

Die zeitliche Ausdehnung dieses Kreises ist schwer zu bestimmen, ebenso wie sich die quasi-räumliche Ausdehnung der Gruppe, der Personenstand, den sie umfaßte, der exakten Abgrenzung zu entziehen scheint.

Man kann füglich bis 1830 zurückgehen, dem Jahr, in dem Marie von Ebner-Eschenbach geboren wurde. Ihr Vater war der Baron Franz Dubsky, der noch gegen Napoleon gekämpft hat. Geboren wurde sie auf Schloß Zdislavic bei Ungarisch-Hradisch in Mähren. Dubsky, Zdislavic – slawische Namen. Und der Prager Kreis steht plötzlich seiner Ahnenschaft nach als böhmisch-mährisch-österreichischer im Licht der Historie. – Marie wird, da die Mutter sehr bald stirbt, nachdem sie ihr das Leben gegeben hat, von der Amme Anitschka und der Bäuerin Pepinka gepflegt. Im tschechischen Milieu aufgewachsen, beherrscht die Dichterin, die immer nur in deutscher Sprache schreibt, doch auch das Tschechische durchaus. Es ist kein Zufall, daß der repräsentative Roman dieser tapferen Adeligen *Božena* heißt, von einer starkgemuten Dienstmagd handelt und in einem Geständnis vor aller Öffentlichkeit kulminiert, wie es bei Tolstoi oder in Ostrowskis *Gewitter* (Katja Kabanová) vorkommt. – Das zweite Meisterwerk der Ebner-Eschenbach, *Das Gemeindekind*, handelt von Pavel, dem Kind des proletarischen Mörders Holub und seiner Frau Barbara, dem Bruder der ins Kloster gesperrten Milada. – Es wirkt wie eine ins Tschechisch-Mährische übersetzte *Macht der Finsternis*. Die Finsternis über dem armen Bauernland. – Pavel ist die tschechische Form von »Paul«, »holub« heißt im Tschechischen die Taube. Schon in den Namen verdichtet sich die slawische Welt. Und mehr als das. Die Ebner-Eschenbach, achtzigjährig, schreibt: »Daß Tolstoi gelebt hat, ist ein Ehrentitel für die ganze Menschheit.« Und über Tolstois *Zwei Greise* (die Erzählung, die Kafka aufs innigste geliebt und mir wundervoll vorgelesen hat): »Über alle Beschreibung schön. Man kann vor lauter Bewunderung traurig werden, süß und angenehm traurig.« – So dicht ist diese deutsche Erzählerin mit dem breiten, guten, mütterlichen, slawischen Gesicht, eine der bedeutendsten Künstlerinnen der alten habsburgischen Monarchie, von *slawischen* Einflüssen umspielt. Es scheint, daß dies auf uns alle nachgewirkt hat, obwohl (beispielsweise) ich ihre beiden obengenannten hochrealistischen Bücher nur in frühester Jugend gelesen und fast ganz vergessen habe. Erst jetzt habe ich sie wieder durchgeblättert und war überrascht. Aber Beeinflussungen pflanzen sich ja auch indirekt, atmosphärisch, nicht bloß im Wachbewußtsein fort. »In früheren Zeiten«, heißt es im *Gemeindekind*, »konnte einer ruhig vor seinem vollen Teller sitzen und sich's schmecken lassen, ohne sich darum zu kümmern, daß der Teller seines Nachbarn leer war. Das geht jetzt nicht mehr, außer bei den geistig völlig Blinden.« – Josef Mühlberger, der 1930 eine tieflotende Studie über die Ebner-Eschenbach veröffentlicht hat (Verlag der Literarischen Adalbert Stifter-Gesellschaft in Eger), findet in solchen und ähnlichen Stellen eine Parallele zu meinem Werk. Er schreibt: »Besessenheit bleibt (sc. in den Romanen der Ebner-Eschenbach) außerhalb der Diskussion; Trägheit des Herzens muß überwunden werden, sonst ist der Mensch sündhaft und schuldig. Erhellend mag hier auf Brods Trennung von edlem und unedlem Unglück in der Welt (sc. unbehebbarem und behebbarem Leid) hingewiesen werden.«

Es gibt noch andere, ähnliche Parallelen. Eine Standesgenossin der Ebner-Eschenbach war Bertha von Suttner, die 1843 als Tochter des Feldmarschalleutnants Graf Kinsky in *Prag* geboren wurde. *Die Waffen nieder!* hieß ihr Roman, dessen Titel als kühner fanfarenhafter Aufruf die Welt durchhallte. Ich möchte diese Fanfare umfassender machen: Nieder mit dem unedlen behebbaren Unglück, mit dem Hunger und mit sozialer Ausbeutung! – Dieser Kampf hat leider vorläufig zu einer Niederlage des guten Willens geführt. Bertha von Suttner starb 1914, symbolischerweise im Jahr, da der erste Weltkrieg ausbrach; die großartige, künstlerisch weit gestaltungsmächtigere Ebner-Eschenbach im Jahr, da dieses Weltunglück, in dem wir noch heute mittendrin stecken, zu einer seiner ersten grauenhaften Eskalationen ansetzte, den Schlachten um Verdun (1916). Die beiden adeligen Frauen stimmten darin überein, daß sie sich gegen Standesvorurteile, gegen Unhumanität jeglicher Art energisch zur Wehr setzten.

Marie von Ebner-Eschenbach verkehrte in ihrem Heimatdorf Zdislavic höchst vertraulich und mitmenschlich (wofür ihre Werke zeugen) mit den armen Bauernfamilien, immer zu Rat und Hilfe bereit; nur im Winter lebte sie in Wien, beobachtete mit Mißtrauen und unablässig wacher Kritik die »hohen Gesellschaftskreise«, denen sie selbst angehörte. Ich glaube mich (ganz undeutlich) daran zu erinnern, daß ich als ganz junger Mensch in dem Eckhaus Spiegelgasse 1 – Graben, als ich dort klopfenden Herzens meinen ersten Besuch bei Richard Schaukal machte, in einem tieferen Stockwerk an einem metallglänzenden Türschildchen vorübergeschritten bin, das ganz unglaubhafterweise, aber doch wirklich den Namen »Marie von Ebner-Eschenbach« trug. Mein ehrfürchtiges Vorbeigehn kam mir wie ein Traumausflug ins Land der klassischen Dichtung vor und erhöhte damals das Prestige Schaukals und Wiens in meinen Augen ganz gewaltig. – Bei Frau von Suttner kam der Widerstand gegen alle Konvention mächtig zum Ausbruch, als sie gegen den Willen ihrer hocharistokratischen Eltern einen Schriftsteller (sei es auch ein Freiherr) heiratete. Das junge Paar lebte dann neun Jahre in Tiflis im Kaukasus, ehe es nach Österreich zurückkehrte. »Es gibt nur einen obersten Grundsatz der Moral: Wahrheit«, schrieb sie 1883 in der Münchener revolutionär hervorbrechenden Zeitschrift »Gesellschaft«, und legte die Leitsätze ihres Schaffens und Lebens dar, eine Geistesverwandte Ibsens. – Beide Frauen, sympathisch, kämpferisch, aufrichtig und aufrecht, haben in ihrem Wesen manches, was an die großen tschechischen Dichterinnen gemahnt, an Božena Němcová (1820 bis 1862), die Dichterin des aus reinstem Herzen geschaffenen Erinnerungsbuches von der *Großmutter*, an Eliška Krásnohorská, der wir das wundervolle Textbuch zu Smetanas *Kuß* verdanken, einer Oper, die ebenso schön, ebenso eigenartig, ebenso lustig ist wie die *Verkaufte Braut* (wie ich immer wiederholen werde, bis man die ganz unbegreifliche Vernachlässigung dieses so erfreulichen Hauptwerkes auf der deutschen und internationalen Opernbühne korrigieren wird), und der leidenschaftlichen Gabriela Preissová, deren Drama *Ihre Ziehtochter* (Jenufa) Janáček zu seinem Meisterwerk hinriß. Ich habe die letztere in ihrer schönen Wohnung auf dem Prager Franzensquai oft besucht. Sie war damals schon eine alte Dame, schön, radikale Tschechin, freundlich und, wie ich mich wohl entsinne, nicht undiplomatisch in ihrem sehr ruhigen Benehmen. Über nationale Fragen konnten wir zu keinem Übereinkommen gelangen. Auf künstlerischem Gebiet verstanden wir einander sofort.

Wie alles Große wird die Ebner-Eschenbach simplifiziert, ihre durchsichtige Herzensnoblesse wird (ähnlich wie bei Adalbert Stifter) als

Naivität, als eine Art Manko an höherer Kompliziertheit dargestellt. Die entscheidenden Worte hat auch in diesem Punkt Josef Mühlberger geschrieben, indem er in dem oben zitierten Buche über sie ein Kapitel dem oft übersehenen »Dämonischen« dieser gar nicht einfachen Dichtergestalt widmet. Er findet in vielem, was die Ebner-Eschenbach geschrieben, vor allem in ihrer Erzählung *Das Schädliche*, ihre dämonische Unterströmung auskristallisiert. Das Dämonische, so analysiert er, ist da als das »nicht durch menschliche Einsicht und menschlichen Willen Leitbare, in seiner vollen Unerbittlichkeit dargestellt. Hier handelt es sich nicht nur um Augenblicke, da der Mensch überschwemmt und fortgeschwemmt wird von den Untergründigkeiten (›Es gibt seltsame Dinge in der Menschenseele, die klarste hat ihre dunklen Stunden‹); hier ist die Besessenheit des Menschen vom Bösen, der darum weiß, darunter leidet, sich ihrer aber nicht erwehren, sich nicht davon befreien kann. Nichts ist Edith, der Trägerin des Schändlichen, ›heilig auf dieser unheiligen Erde‹. ›Das einzige, was sie wohl je wirklich geliebt hat, war das Böse. Weil sie aber nicht treu sein konnte, war sie auch dem Bösen manchmal untreu.‹ Dabei ist sie von Anmut, kräftiger Leidenschaft, Hingabe und Zärtlichkeit gegen ihren Gatten; in lichten Augenblicken weiß sie um ihre Verworfenheit, ohne sich davon loslösen zu können. In dieser Erzählung erreicht der vielfach nur geheim und im heftigen Kampfe mit dem Optimismus stehende Pessimismus der Dichterin seinen klarsten Ausdruck. Wie alle ihre Erzählungen ist auch diese ein ›Vernichtungskampf gegen das Böse‹, diesmal aber aus einem Wissen um Unwidersetzlichkeit und Unbezwingbarkeit mit der Vernichtung des Menschen durch das Böse endend. Das Böse in der Welt: Es ist ein Grundklang in ihrem Gesamtwerk, ein Zug, der ihr Denken und Dichten – wie auch in allen Erscheinungsformen ihres Denkens – mit dem Religiösen verknüpft. Es wird noch da und dort darauf hingewiesen werden, wie sehr die Ebner ostdeutscher Geistigkeit verbunden ist. Auf die Ähnlichkeit ihres metaphysischen Weltbildes mit dem Max Brods, wie es sich besonders in seinen letzten Romanen entfaltet, sei hier schon hingedeutet. Aus einer elegischen Grundstimmung heraus wird der Kampf gegen das Böse in der Welt unternommen, mit tausend Schmerzen und Zweifeln in der Brust wird das Gutsein und Guttun gefordert. Der Ausspruch der Dichterin: ›Man muß das Gute tun, damit es in der Welt sei‹, wie oft ist er leichtfertig angeführt worden, ohne das Wissen um den metaphysischen Schmerz, dem er entspringt: Die Welt ist ungut, das ist das ruhende Wissen dieser Worte; ruhendes Wissen ist zugleich das Glück darüber, daß Gutes getan werden kann. Dieser kleine Hinweis mag schon die Ahnung wecken, daß das Wesen der Dichterin nicht so rund und geschlossen, so billig optimistisch (›Die adelige Dame mit dem gütigen Herzen‹) gesehen werden darf, wie es bisher fast immer geschah. Auch Stifter ist eine Zeitlang so registriert worden. Bis, da seine Zeit kam, die Unruhe seines Lebens erkannt worden ist und aus ihr heraus sein Werk erst in die wahre Verklärung gerückt werden konnte. Erst bei dieser Deutung und Erkenntnis wird auch das Werk der Ebner aus der verbrauchten Luft von Volkslesehallen, dahin es verbannt zu sein scheint, seine Auferstehung in unsere lebendige Gegenwart feiern.«

Gern gibt man dem Blick das ganze Panorama der lieblichen böhmischen Landschaft frei, aus deren geschichtlichen Tiefen so viel Deutsches und Tschechisches herüberblinkt, das uns noch heute herzensnah ist. Goethe von 1806 bis 1822 fast jährlich zum Kuraufenthalt in Karlsbad, Teplitz, Franzensbad, worüber Johannes Urzidil ein aufschlußreiches Buch geschrieben hat. Goethes freundschaftliche Beziehung zum gelehrten Grafen Kaspar Maria von Sternberg, der zu den tschechischen »Patrioten« im maßvollen Adelsmilieu, zu den Mitgründern des »Böhmischen Nationalmuseums« zählte. Goethes Begeisterung für die von Václav Hanka aufgefundene (richtiger: gefälschte, aber genial-schöpferisch gefälschte) *Königinhofer Handschrift*. Seine treffsicher versumstellende Bearbeitung »aus dem Altböhmischen«, das anmutig-düstere Gedicht *Das Sträußchen*. Kleist, die Rahel Varnhagen, Clemens Brentano und andere während der napoleonischen Kriegswirren Zuflucht in Prag suchend. So schien sich eine viel innigere Symbiose zwischen Deutschen und Tschechen anzubahnen, als sie später je Wirklichkeit geworden ist. Es liegt ja ein grundsätzlicher Irrtum in Varnhagens allzu glättendem, allzu leicht eine Friedensillusion bengalisch anstrahlendem Ausspruch, den Wolkan in seiner Literaturgeschichte der Sudetenländer (siehe Bibliographie) anführt, mit dem richtigen Hinweis darauf, daß man »damals die grundsätzlichen Gegensätze zwischen Deutschen und Tschechen (das heißt die Gegensätze in ihrer Politik) noch nicht erkannt hatte«. Varnhagen sagt: »Wenn die böhmischen Dichter, selbst indem sie alten Mustern folgen, nicht umhin können, durch Sinnesart, Ausdrucksweise und Gedichtformen doch auch in heutiger Bildung Deutsche zu sein, so sind hinwieder die deutschen Dichter in Böhmen durch entschiedene Neigung und stetes Zurückgehen zum Altnationalen ihrerseits recht eigentlich böhmisch.« – Zu der eben erwähnten Literaturgeschichte Wolkans, aus der ich später auch noch die Spartakus-Verszeilen Alfred Meißners zitiere, sei hier noch bemerkt, daß sie für die ältere Geschichte der deutschen Literatur in Böhmen, namentlich für die Zeit des grandiosen Streitgesprächs des Bauern mit dem Tode, der ihm seine liebe Frau geraubt hat (*Der Ackermann aus Böhmen,* Saaz, 15. Jahrhundert), aber auch für die Zeit der Reformation, dann für das Groteske des 17. und 18. Jahrhunderts viel Erhellendes heranträgt, in der Darstellung der damaligen (1925!) Gegenwart aber allzu chauvinistisch wird und manches Wesentliche falsch sieht. Es genügt wohl der Hinweis, daß in dem ein Jahr *nach* Kafkas Tod erschienenen Bericht der Name »Kafka« überhaupt nicht erwähnt wird. Ebenso fällt auch über Paul Leppin kein einziges Wort. Stifter wird wohl in seiner überragenden Bedeutung erkannt, sein grausiges Krebsleiden und sein ebenso grausiger Selbstmord jedoch mit folgenden Worten übertüncht: »Aber seit langem schon war er leidend gewesen; jetzt artete seine Krankheit in eine Leberschwindsucht aus; am 28. Jänner 1868 verschied Stifter.«

Von den Männern des Jahres 1848 waren wir wohl politisch, nicht aber literarisch beeindruckt. Ich glaube, im Namen meiner Freunde zu sprechen, nicht bloß im eigenen Namen, wenn ich, meinem Gedächtnis, sei es auch nur ungefähr, vertrauend, heute annehme, daß die »Achtundvierziger« in Deutschland, zu denen ja in gewissem Sinne auch Heine, auch Freiligrath u. a. gehörten, sowie die originaltschechischen Dichter (Čelakowský, Karel Jaromír Erben, Neruda, die Němcová u. a.) eine weit stärkere Wirkung auf uns übten als die auf böhmischem Boden gewachsenen deutschen Dichter jener um das Jahr 1848 als Kulminationspunkt kreisenden Zeit, die wie Moritz Hartmann *(Kelch und Schwert)* oder Karl Egon Ebert *(Wlasta)* tschechische Historie und Legende pathetisch mit einigermaßen hohlen Untertönen besangen. Nur das philosophische Hauptwerk (nicht die erzählenden Schriften) von Hieronymus Lorm (Heinrich Landesmann) möchte ich von dem Fluch der Mittelmäßigkeit ausnehmen. Sein »grundloser Optimismus« zeigt Ansätze, die in der »Vertrauensentscheidung« von Felix Weltsch nachmals schärfere Kontur gewannen. Es liegt hier wohl keine direkte Beeinflussung vor, aber der Mutterboden, das Judentum, hat mitgewirkt.

Von jener ganzen revolutionären und hochachtbaren, doch künstlerisch sterilen Generation sind uns unter den Deutschen aber doch zwei Namen wirklich lebendig geworden, die, deutlich sichtbar und in exaktester Darbietung ihrer Welt und Umwelt, als die ersten »romantischen Realisten« (über diese Terminologie später) nach Stifter und der Ebner-Eschenbach, alle ihre Zeitgenossen überragten: Alfred Meißner und Karl Postl. Dieser (1793 bis 1864), der unter dem Namen Charles Sealsfield weltberühmt wurde, war aus dem Prager Kreuzherrenstift auf bis heute noch nicht klargestellte Art entwichen, lebte und schrieb dann als Metternichgegner in Nordamerika, London, Paris und in der Schweiz; ein politischer Emigrant also, Ahnherr der Emigrantenscharen des nächsten Jahrhunderts. Seine atemlos glühende, unheimlich stille Schilderung der »Jacintoprärie«, in deren schauerlichen, unermeßlichen Weiten man die Orientierung verliert und nach Tagen todmüde, verhungert an den Anfangspunkt der Irrfahrt zurückgelangt – man ist im Kreise gegangen –, diese Meisterschilderung schien mir unser ganzes Mittelschul-Lehrbuch für deutsche Prosa zu überstrahlen. Später las ich wie im Rausch, doch auch um seines verwegen-plastischen Stils willen, sein ganzes *Kajütenbuch;* das Abenteuer der Jacintoprärie steht da an seinem richtigen Platz, daneben viele andere exotische Sitten- und Naturschilderungen, die hinter denen Chateaubriands nicht zurücktreten müssen. Da und dort stören antisemitische Anwandlungen. Vor ihnen schloß ich (zusammenzuckend) gern die Augen. Und ich glaube auch heute noch, daß man den großen Schriftsteller und Eigenbrötler Sealsfield eines schönen Tages richtig entdecken wird. Ich sehe das Kajütenbuch als vielgekauftes Taschenbuch vor meinen Augen schweben.

Welch ein merkwürdiges Leben, welche Reihe leidenschaftlich merkwürdiger Bücher! – Eduard Castle hat die bisher umfassendste Darstellung des Lebens von Postl-Sealsfield gegeben (siehe Bibliographie). Doch auch die mehr als 700 Seiten lösen das Rätsel des »großen Unbekannten« nicht, den man auch den »Dichter beider Hemisphären« genannt hat. Gespannt folgt man dem Aufstieg des jungen Klosterbruders, der nur seiner bäurisch-frommen Mutter zuliebe, nicht aus eigenem Antrieb in das Prager Kreuzherrenstift eintritt, verfolgt seine Karriere bis zum Sekretär des General-Großmeisters in diesem Orden, seine Beziehungen zu den höchsten Adelskreisen Prags, die Ausweitung seines kulturellen Gesichtskreises, über die Castle einen farbenreichen zeitgenössischen Bericht beibringt.

»Dem Besuch des adeligen Liebhabertheaters im Palaste des Grafen Clam-Gallas benahm der wohltätige Zweck alles Ärgerliche. Postl sah eine Aufführung von Schillers *Maria Stuart*. Die Gräfin Schlick schien ihm den stolzen, egoistisch-spröden, aber immer noch großen Charakter der Königin Elisabeth ganz unvergleichlich gut darzustellen. Wir besitzen ein Album der für die Vorstellung im März 1816 angefertigten historischen ›Costumes‹, vierundzwanzig kolorierte Blätter nach den Originalhandzeichnungen der Frau Gräfin von Schönborn, geborenen Freyinn von Kerpen (Wien bei Heinrich Friedrich Müller): es läßt uns den äußeren Aufwand, die Pracht und den Anstand dieser Vorstellung ahnen. Die Aufführung mag bei dem großen Beifall, den sie fand, und bei dem Hunger des gebildeten Publikums nach hoher dramatischer Dichtung und Darstellung auch noch in späteren Jahren wiederholt worden sein. Übrigens war sie nur ein schwaches Vorspiel zu der eine Woche später gegebenen Darstellung von Goethes *Torquato Tasso,* dem unnachahmbaren Gemälde des vornehmen Lebens. ›Es ist beinahe unmöglich, die Grenzlinie genauer zu ziehen, die feinen Nuancen einer durch höfischen Stolz und höhnische Verachtung gehemmten Liebe, welche der deutsche Dichterfürst so meisterhaft im *Tasso* zeichnet, besser zu malen als Prinz Thurn und Taxis und Graf Thun es getan haben. Sie bewegten sich in ihrer eigenen Sphäre, und ihr Spiel war naturwahr.‹« (Der Schluß dieses Berichts stammt aus Sealsfields Buch *Austria as it is.*) – Dann tritt der Kampf der Aufklärungspartei – oder wie man es damals nannte, der »Bewegungspartei«, die noch aus der Zeit Kaiser Josefs II. überdauerte, mit dem starren System des Kaisers Franz II. und Metternichs nach den napoleonischen Kriegen bestimmend ins Leben Postls. Ein großer Teil des Prager Hochadels, ja sogar der höheren Geistlichkeit in Prag war »josephinisch« gesinnt. Es war Modesache, in eine Freimaurerloge einzutreten oder die aufklärerischen Vorträge des katholischen Priesters und Universitätsprofessors Bolzano zu hören. Bolzano (sein Vater stammte aus Italien, vom Comer See, die Mutter war eine Deutsche) ist wahrscheinlich der genialste Geist, der je in Prag zur Welt gekommen ist. Seine Moraltheorie, seine mathematischen Forschungen, z. B. seine Stetigkeitslehre, und die *Paradoxien des Unendlichen* wie auch seine sozialpolitischen Maximen gehören der Unsterblichkeit an. – Postl hat sich zeitlebens als dankbarer Schüler dieses wahrhaft freisinnigen Geistlichen gefühlt. Bolzano wurde durch kaiserliches Amtsschreiben 1820 seines Lehramtes enthoben, für jede Erziehungsaufgabe unfähig erklärt, dem Erzbischof zur Korrektion übergeben (siehe die Schriften von Eduard Winter und Bibliographie). Noch schlimmer erging es seinem Lieblingsschüler, dem Präses und Professor am Leitmeritzer Priesterseminar, Michael Joseph Fesl. Dieser wurde verhaftet, als Gefangener wie ein Hochverräter unter strenger polizeilicher Eskorte in strengste Wiener Klosterhaft gebracht. Fesl, nach Bolzanos Zeugnis (so zitiert Castle), »ein junger Mann von den unbescholtensten Sitten und von einer glühenden Liebe für alles Gute beseelt, der eine überaus lebhafte Einbildungskraft und eine hinreißende Beredsamkeit, aber nur wenig Menschenkenntnis und noch weniger Besonnenheit hatte«. Der Fall erregte ungeheures Aufsehen. Der Adel sympathisierte mit dem gemaßregelten Bolzano. Ein Teil der Geistlichkeit unterstützte die erzreaktionäre Regierung. Die Studenten protestierten mit einem Gedicht an der schwarzen Tafel der philosophischen Fakultät, das mit den Zeilen begann:

> Hat gleich der Staat mit schwachem Sinn
> Des Böhmerlandes größten Patrioten unterdrückt ...

In Postl regten sich Zweifel an diesem »schwachsinnigen Staat« wie an der katholischen Religion. »Denn wenn eine Religion nicht wahr ist«, schrieb er später, als er in einem ganz persönlichen biblischen Monotheismus ohne kirchliche Zeremonien sein Ideal sah, »nicht wahr in den Personen, die sie vertreten, wenn ihre wissenschaftlichen und moralischen Schildträger hinter diesem Schilde ganz andere Musik machen, wo soll dann die Religion noch wahr sein?« Am meisten empörte ihn, daß Angehörige der Geistlichkeit »aus von Eigensucht nicht freien Beweggründen« (Castle) materielle Vorteile aus der Absetzung Bolzanos, Fesls und ihrer Anhänger zogen. – Allmählich reifte in ihm der Plan, sich durch die Flucht ins Ausland dem Klosterzwang, der geistigen Bevormundung zu entziehen.

Die Geschichte der abenteuerlichen, schwierigen, durch manchen Zufall verzögerten Flucht, deren genauer Weg bis heute nicht aufgedeckt ist (sie wurde am Anfang durch einen Kuraufenthalt in Karlsbad und Franzensbad vertuscht, führte dann ins Unbekannte), diese Geschichte gehört zu den spannendsten Episoden der literarischen Biographik, fast wie Casanovas Flucht aus den Bleikammern Venedigs. Eine wichtige Rolle in diesem ganzen Spiel »hatte Franz Joseph Graf Saurau inne, Meister der Loge ›Zur wahren Eintracht‹ in Wien, bei seiner Anstellung als Gubernialrat in Prag an die gleiche Loge ›Wahrheit und Einigkeit zu drei gekrönten Säulen im Orient zu Prag‹ angewiesen und affiliiert«. »Ein liberaler Despot nach josephinischem und ein sachkundiger und arbeitsamer Staatsbeamter nach bonapartistischem Zuschnitt, hatte er den Mut, sich freisinnig zu äußern, die Zeit Kaiser Josephs zu preisen, das System Metternichs zu tadeln. Als ein Verächter des Kastengeistes und der Standesvorurteile sah er in der Fortführung der josephinischen Agrarreformen das Mittel, die Monarchie blühend und den Thron stabil zu machen. Für Galizien wünschte er die Bauernbefreiung, für Böhmen schlug er die Möglichkeit des Freikaufs wie im Schlesischen und in Preußen vor.«

Von ihm erhoffte Postl Hilfe, eine Anstellung. Er schlich sich in Wien ein, wie der damalige Konfidentenausdruck lautete. Das heißt: Er kam nach Wien, ohne sich amtlich melden zu lassen. Mit Mühe entging er der Wiener Polizei und ihren zahllosen Spitzeln, den sogenannten »Naderern«. Endlich taucht er nach Monaten in Stuttgart auf. Es wurde das Gerücht ausgestreut, daß er mit einer Komtesse durchgegangen sei, sich an der Kassa des Ordens vergriffen habe. Es war Lüge. Aber seine Heimat, seine heißgeliebten Eltern und Geschwister in dem deutschen Wein- und Obstdorf bei Znaim (Südmähren) hat Postl nie mehr wiedergesehen, österreichischen Boden sein Leben lang nicht mehr betreten, mit keinem seiner Angehörigen je korrespondiert. Er blieb verschollen. Kafkas Roman vom *Verschollenen* wurde 100 Jahre, ehe er geschrieben war, zur Wirklichkeit, ohne daß Kafka je von Sealsfield Kenntnis gehabt hätte. Erst nach Sealsfields Tode kam Postls Identität mit dem berühmten »amerikanischen« Autor Charles Sealsfield allmählich ans Licht. Auf seinem Grabstein steht nichts als ein Psalmzitat und die Aufschrift »Charles Sealsfield Bürger von Nord Amerika«. Vor seinem Tod traf Sealsfield die Anordnung (die niemand verstand und die daher unausgeführt blieb), es sollten auf seinem Grabstein »vor allem ober dem Namen Charles Sealsfield die Buchstaben C. P. angebracht werden«. Es sind die Anfangsbuchstaben seines wirklichen Namens Carl Postl. Als ihn der reformierte Geistliche Hemmann (in Solothurn), der dem Vereinsamten in seinem letzten Lebensjahr am nächsten stand und ihn häufig besuchte, nach der Bedeutung dieser Buchstaben fragte, die Postl übrigens englisch (Si – Pi) aussprach, wurde der auch sonst wortkarge Dichter unwirsch und sagte nur: »Das ist meine Signatur.« So wahrte er bis zum Letzten das Geheimnis. – Das Petschaft, mit dem er sein Testament siegelte, zeigt (nach Castle) ein S mit darübergeschlungenem C – diese Verbindung kann zur Not auch für ein P gelten. Meißner war der erste, der dann behauptete, Sealsfield habe verordnet, »daß man ihm auf seinem Grabstein eine Chiffre setze, eine nur hieroglyphische Andeutung seines wahren Namens, wie sie zu seinem vom Geheimnis umgebenen Dasein stimmte. Ein C und S in lateinischer Kursivschrift sollten so gestellt werden, daß das ganze ein P ergebe; es sollte nämlich das C, mit seiner Wölbung auf dem S liegend, dieses umschlingen.« – Die Angabe Meißners ist verworren. Richtigerweise ist sie auf Sealsfields Petschaft, nicht auf seinen Grabstein zu beziehen.

All die Maßnahmen der halben oder ganzen Geheimhaltung führt Castle in seinem umfangreichen Buche darauf zurück, daß freimaurerische Logen Sealsfield bei seiner Entweichung aus dem Kreuzherrenkloster unterstützt und ihm dafür eine Schweige- und Pseudonymitäts-Verpflichtung auferlegt hätten, die er streng, ja über den Tod hinaus einhielt. Da ich auf dem ebenso umfangreichen wie kompliziert gegliederten Gebiet der Freimaurerei weder Erfahrungen noch theoretische Kenntnisse besitze, muß ich die Verantwortung für diese These völlig Herrn Professor Castle überlassen. Einen zwingenden Beweis für die das ganze Buch durchziehende Behauptung hat Castle meines Erachtens nicht erbracht, obwohl er in seinem höchst interessanten und detailliert untermalten, das ganze Zeitalter der Restauration und der vielen Revolutionen umfassenden Tatsachenbericht immer wieder zu solchen Beweisen ansetzt. Mit zwingenden Schlüssen bis ans Ende geführt hat er keinen; er muß sich immer wieder mit Argumenten ad hominem, mit Indizien begnügen, wobei er sich freilich darauf berufen kann, daß Geheimnis und Stillschweigen mit zur Freimaurerei gehören. So wird ihm in Variation des klassischen Kretenser-Schlusses das Geheimnis gleichsam zum Beweis des Geheimnisses.

Beginnen wir in den Spuren von Professor Castle mit Stuttgart, der ersten Station auf dem Weg Postls nach Amerika. Hier findet er den »ersten hilfreichen Freund«, Hofrat Christian Carl André, einen »sehr tätigen Freimaurer, der in wichtigen Verbindungen mit merkwürdigen Mitgliedern der Brüderschaft stand«. In Brünn als Freimaurer verdächtigt und von der Zensur schikaniert, übersiedelte André 1821 nach Stuttgart, wo er bei Cotta den »Hesperus« erscheinen ließ. »Diese ›enzyklopädische Zeitschrift für gebildete Leser‹ kam den österreichischen Aufklärern in ihrem Kampf gegen das System Metternich nach besten Kräften zu Hilfe.« – André führt Postl in Cottas Haus ein, der ihn zur Mitarbeit an seinen Zeitschriften einlädt. – Die Schweizer Logenbrüder spielen dann in Castles Hypothesen eine große Rolle. Die Zürcher Loge »Modestia cum libertate« soll ihm die Überfahrt nach Amerika ermöglicht haben. Doch der Gewährsmann, den Castle anführt (Pfarrer Hemmann), schreibt wörtlich: »Meine Erwartungen, in der Richtung der Loge Licht zu bekommen, haben sich noch nicht erfüllt. Auf der einen Seite bewegt sich Sealsfield in Zürich durchaus unter Freimaurern, auf der andern Seite erklärt mir Dr. (Leonhard) von Muralt, ein Haupt der damaligen Loge, Sealsfield sei nie in der Loge gewesen, dagegen sei es möglich, daß einzelne Mitglieder derselben, die er mir nannte, ihm auf eigene Faust geholfen haben. Im Mitgliederverzeichnis schweizerischer Freimaurer-Logen findet sich sein Name ebensowenig als in demjenigen der Gäste, welche ins Lesezimmer eingeführt wurden.« – Dieses eine Beispiel für viele.

Es ist wahrscheinlich, so resümiert Castle die ganze Situation, daß die Hilfe der Loge Postl nur gegen das feierliche Gelöbnis zuteil wurde, »als Postl spurlos zu verschwinden und als ein ganz anderer Mensch unter fremdem Namen so fern wie möglich wieder aufzutreten, stets ein anderer, ein Fremder, ein Unbekannter zu bleiben. Viele werden geneigt sein, ein Versprechen dieser Art für eine phantastische Erfindung zu halten. Doch sei an ähnliche Fälle eines solchen erzwungenen Untertauchens eines Menschen auf Lebenszeit erinnert: So an jene unglückliche Prinzessin Stéphanie-Louise von Bourbon-Conti, die das Urbild für Goethes *Natürliche Tochter* abgegeben hat. Daß Postl seinen Namen und seine Herkunft bis über den Tod hinaus verhehlt, kann vernünftigerweise weder mit der Furcht erklärt werden, ›daß man ihn weniger ästimiere und daß er ein Geistlicher war, der das Kloster verlassen‹ (Alfred Meißner), noch mit der Scheu, ›vom interessanten Amerikaner zum simplen Österreicher herabzusinken und damit auf den Vorsprung zu verzichten, den ihm der bloße Name verlieh‹ (Hemmann) – solche Erwägungen konnten doch nur den Lebenden bestimmen, sein Inkognito zu wahren. Das Versteckspiel im Testament ließ sich zur Not noch aus der Besorgnis begreifen, daß der österreichische Staat den ohne Erlaubnis Ausgewanderten als einen Untertanen reklamieren und sein Vermögen für den Fiskus einziehen könnte, da er als Ordensperson nach dem bürgerlichen Gesetzbuch (§ 573) nicht testierfähig war. Gar nicht erklären läßt sich aber die Vernichtung aller Papiere – ob er sie nun selbst vernichtet hat oder ob sie nachträglich von einem Dritten vernichtet beziehungsweise der Öffentlichkeit entzogen worden sind.«

Also letzten Endes: ein non liquet. Was dagegen unbezweifelhaft feststeht, sind die abenteuerlichen Zickzackfahrten des unerhört bewegten äußeren Lebens und der seltsamen, stufenweise aufwärtsführenden literarischen Entwicklung Sealsfields sowie sein plötzliches Verstummen in den letzten Jahren. Er landet 1823 in Louisiana, fährt den Mississippi aufwärts nach New Orleans, wo er fünf Monate lang bleibt. Dann tritt er eine neue Fahrt an, die ihn in 10 Tagen an die Mündung des Ohio bringt. Immer beobachtend, soziologisch interessiert, durchstreift er die Gebiete von Pittsburg, Philadelphia, hat allerlei Geschäfte zu erledigen, bekommt einen Paß auf den Namen Charles Sealsfield (unbekannt auf welche Art), schreibt aber auch unter dem Pseudonym Sidons, manchmal verwendet er beide Namen als Doppelnamen, ist in Kentucky, dann wieder in New

Orleans. Von da wird er als »politischer Emissär« nach Europa gesandt und versucht als Gegenspion (gegen die »Heilige Allianz« und Reaktion), Fühlung mit Metternich aufzunehmen. Metternichs Kreaturen sind schlau, durchschauen seine wahre Absicht, wimmeln ihn ab. Offenbar sah Postl selbst »den Fehlschlag ein; sein Versuch war denn doch zu plump angelegt gewesen, als daß er hätte gelingen können. Er gab daher eine Sache, der er noch nicht gewachsen war, vernünftigerweise auf«. – Das zweite Ziel seiner Europareise ist: ein Vertrag mit dem freisinnigen Verleger Cotta. Dieser Teil seiner Mission gelingt. Das Buch *Die Vereinigten Staaten von Nordamerika, nach ihren politischen, religiösen und gesellschaftlichen Verhältnissen betrachtet,* erscheint. Der Autor nennt sich C. Sidons. Es ist eine Tendenzschrift für die Demokraten des Südens, gegen die Yankees des Nordens. – Der Weg des Autors führt nach London, zu Murray, dem Verleger Byrons. Das Buch ist voll von grandiosen Landschaftsbildern und politischer Agitation für die Sache des Fortschritts; merkwürdigerweise wird auch die Sklaverei der Schwarzen als Werk der Nächstenliebe und des Fortschritts angesehen, ohne das die Neger den Unbilden der Natur ausgeliefert wären. Es folgt das scharf satirische Werk *Austria as it is.* Rückreise von Le Havre nach den Vereinigten Staaten. Sensationserfolg des Buches gegen die österreichische Reaktion. Neue Arbeiten (Artikel und Novellen) für Cottas Zeitschriften. Die antireaktionäre Linie führt Postl schließlich zu dem millionenreichen Bruder Napoleons, Joseph, Exkönig von Spanien, der seine in der Schweiz vergrabenen Diamanten ins amerikanische Exil gerettet hat. Die Napoleoniden erscheinen nun Postl als Retter der Freiheit gegen Österreich. Postl schreibt seinen ersten großen Roman *Tokeah or the White Rose,* wobei er sich die *Corinne ou L'Italie* der Madame Staël zum Vorbild nimmt. Er will nicht private Schicksale geben; ein ganzes Volk soll der Held sein. Er schildert, was er gesehen hat. Er behauptet die Priorität gegenüber Chateaubriand und Cooper, dessen *Letzter Mohikaner* damals ein Welterfolg wurde. Der bei Orell und Füßli in Zürich 1833 erschienenen deutschen Ausgabe seines Romans stellt Sealsfield ein Wort des Präsidenten Jefferson an die Spitze: »Ich zittere für mein Volk, wenn ich der Ungerechtigkeiten gedenke, deren es sich gegen die Ureinwohner (sc. die Indianer) schuldig gemacht hat.« Mit den Indianern hat Postl alles Mitgefühl, auch mit den Kreolen, mit den Negern weniger. Deutsch hieß der Roman *Der Legitime und die Republikaner.* Sein zweiter Roman, *Süden und Norden,* behandelt die Wirren in Mexiko, die Postl wohl miterlebt hat. Der eigentliche »rasende Reporter«, ein Jahrhundert vor Egon Erwin Kisch, nimmt in Postl immer deutlicher Gestalt an. »Beweisbar ist der Aufenthalt in Mexiko mit den uns zur Verfügung stehenden Mitteln allerdings nicht. Dagegen ist eine andere Sache über alle Zweifel erhaben: Wir sehen Postl auf einmal im Besitz von etlichen tausend Dollar.« Dann ist Postl Farmer am Red River, verliert große Teile seines Kapitals durch den Bankrott seines Geschäftsfreundes, wirft sich wieder auf die Schriftstellerei, wird in New York Mitarbeiter des Hauptorgans der Franzosen in Amerika, »Le Courrier des Etats Unis«. Nach der Julirevolution 1830 betritt er wieder europäischen Boden, jetzt als Agent des Napeoleonbruders Joseph Bonaparte. Er arbeitet von Paris aus. Dann in der Schweiz; besucht da die Königin Hortense in Arenenberg, wo sie dem künftigen Thronprätendenten (Napoleon III.) eine gute Mutter ist und sich überhaupt von der besten Seite zeigt. Die Stieftochter des Ur-Napoleon ist noch immer eine schöne Blondine, geistreich und von humanitären Reden überfließend; es gelingt ihr, Postl davon zu überzeugen, daß nur die Monarchie der Bourbonen und der Orléans volksfeindlich, feudal ist, die eventuelle Volks-Monarchie der Bonapartisten dagegen eigentlich demokratisch, volkstümlich und gerecht wäre, eine »imperiale Republik«. »Man hat oft darin einen Widerspruch sehen wollen, daß Sealsfield, der seine unentwegt republikanische Gesinnung gern bis in sein Alter betonte, den Napoleoniden lange Jahre willig Dienste geleistet habe. Wir dürfen aber an seiner Gläubigkeit nicht zweifeln, Joseph, Louis-Napoléon und Achille Murat für echte Republikaner und die imperiale Republik nach ihrer Fasson für möglich gehalten zu haben. Er hegte zu ihnen das volle Vertrauen, daß sie das morsche Gebäude der gesellschaftlichen Einrichtungen vom Grunde aus erneuern würden. Als das Kaisertum Napoleons III. von der Volksherrschaft zur Säbelherrschaft überging, machte er ohnedies entschlossen einen Trennungsstrich zwischen sich und dem neuen Gewaltherrn.«

Um seine Aktionen zu vernebeln, behauptet Postl, der jetzt in Aarau, dann in Zürich lebt, daß er, ein waschechter Amerikaner, erst bei seinem ersten Besuch in der Schweiz nur mühsam und radebrechend sich in der deutschen Sprache zurechtgefunden, daß ein Bekannter aus Straßburg seine aus dem Englischen übersetzten deutschen Bücher durchgesehen und korrigiert habe usf. Seine nächsten Bücher, eine ganze Reihe, erschienen anonym *(Lebensbilder aus beiden Hemisphären)*. Sie hatten Erfolg, wurden über Cooper gestellt. Nun war Sealsfield – oder wie ihn ein Druckfehler zur Dauererscheinung in den angelsächsischen Ländern stempelte: Seatsfield – zum »großen Unbekannten« aufgerückt. Ein fruchtloses Rätselraten begann. Er fährt mehrmals nach Amerika, verfügt über viel Geld, die Zeiten der extremen Armut liegen weit hinter ihm. Er schreibt seine Meisterwerke: *Lebensbilder aus der westlichen Hemisphäre, Neue Land- und Seebilder, Das Kajütenbuch (Erzählungen aus dem Krieg um Texas).* Johannes Scherr, einer der fundiertesten Kritiker seiner Zeit, bezeugt ihm die »Magie der Sprache«, stellt seine Figur des Squatter-Regulators Nathan neben Immermanns Hofschulzen im *Münchhausen* als die beiden eigenwüchsigsten Typen hin, die seit 50 oder 60 Jahren in die europäische Literatur eingeführt wurden. – In der sehr guten Einleitung zum *Kajütenbuch* (Wien 1894) bemerkt Friedrich M. Fels, daß Sealsfield stets das, »was Beobachtung in seinen Werken ist, viel höher angeschlagen hat als die freie Erfindung und dichterische Gestaltung«. Er ist also fast ein »Dichter wider Willen«, was den Wert seines Dichtertums nur steigert. Er antizipiert in vielem das moderne Sachbuch. Die streckenweise Auflösung der Handlung in knappe Dialoge wirkt auf mich wie eine Vorwegnahme des Hemingway-Stils. In der Einleitung zum *Kajütenbuch,* das den Untertitel »Nationale Charakteristiken« trägt, schreibt er: »Obwohl dieses Buch keine Prätention auf eigentlich geschichtlichen Wert erhebt, dürfte der Tieferblikkende doch bald finden, wie der dichterischen Hülle etwas sehr wesentlich Geschichtliches zu Grund liegt.« – Ich gestehe allerdings, daß unvergeßlicheren Eindruck als die mexikanische Lokalgeschichte die Beschreibung auf mich gemacht hat, wie man die wilden Mustangs auf barbarische Art mit dem Lasso fängt und dann bändigt, wobei man sie zu »tückischen Teufeln« verdirbt. Seltsamerweise wurde in jenem viktorianischen Zeitalter das Wort »Teufel« nur mit Anfangs- und Endbuchstaben gedruckt: T – l. Ebenso schrieb Sealsfield verd – t, d – d. Eine tugendhafte Zeit.

Er siedelt sich in Solothurn an. Die Schweiz ist das einzige Land, in dem er frei von Spionageangst leben kann; sein letztes Asyl ist die Villa »Unter den Tannen«, die er kauft. Seltsamste aller menschlichen Tragödien: Das vereinsamte Leben, ohne alles und jedes Familienband, seine Verlassenheit. Nun fünfundsechzig Jahre alt, sehnte er sich nach Kindern, nach einer Frau, für die er sorgen wollte, die ihn umsorgen sollten, denen er sein Vermögen hinterlassen konnte. Aber überall erfuhr er Abweisung. »Es war etwas in ihm, das kein Vertrauen aufkommen ließ. Man konnte zur Wahrheit seiner Aussagen nie recht Glauben fassen. Jetzt rächte es sich, daß er sich verpflichtet hatte, mit einer Maske durchs Leben zu gehen.« (Castle und Meißner.) Er lebt noch sechs Jahre lang, wird vergessen. Im Testament hinterläßt er alles seinen Verwandten, der Familie Postl in

Poppitz (Mähren), von denen kein Mensch in seiner Umgebung etwas ahnte, die er nie erwähnt hatte. Indem Postl das Testament als »Charles Sealsfield, Bürger der U.S. von Amerika« unterschrieb, gleichlautend mit der Inschrift auf seinem Grabstein, und jede Andeutung über seine Zugehörigkeit zur Familie Postl und seine Vergangenheit vermied, machte er eine Anfechtung von seiten des österreichischen Staates oder des Prager Kreuzherrenklosters so gut wie unmöglich. Es lag in seiner Erben Interesse, daß der Nachweis der Identität des amerikanischen Bürgers Charles Sealsfield mit dem Prager Kreuzherrn Carl Postl gerichtlich nie zu erbringen war. – Nach österreichischem Zivilrecht war nämlich damals ein Ordensgeistlicher, der das Gelübde der Armut abgelegt hatte, nicht fähig, über sein Vermögen zu testieren. Und der Satz des Kirchenrechts, daß dieses Gelübde unaufhebbar sei, einen »Charakter indelebilis« habe, war nach mancher Ansicht ins Zivilrecht rezipiert worden. (Die einzige juristische Abhandlung, die ich je geschrieben habe, handelt von diesem komplizierten und strittigen Problem.)

Es scheint mir, daß dieser eine Grund, die Nicht-Anfechtbarkeit des Testaments betreffend, den Castle selbst anführt, durchaus genügt, um Postls lebenslange Geheimhaltungsmanöver zu erklären, daß es also der Legende von dem Versprechen an die Freimaurer zur Erklärung nicht bedarf. – Eine ganze Schar von sorgfältig forschenden Gelehrten in Amerika wie in Deutschland bleibt seither bemüht (seit Postls überraschender testamentarischer Selbstenthüllung, die auf verschmitzte Art eine halbe Enthüllung blieb), die im Dunkeln liegenden Partien dieses einzigartigen Lebens zu erforschen. – Wir halten uns mit stärkerer Sicherheit an den großen Dichter.

Der ganze Nachlaß Postls, auch seine Korrespondenz, alles ist (mit ganz geringen Ausnahmen) verschwunden. Verbrannt, angeblich. Warum? Das ist wohl das letzte seiner Geheimnisse. Vielleicht geht auch dieses auf seinen Wunsch zurück, sein Testament unanfechtbar zu machen, sein Vermögen mit bäurischem Sinn seiner Familie zu erhalten. – Stifter hat die Novelle vom »Hagestolzen« geschrieben. Postl hat sie gelebt. Im übrigen wird kaum jemand zweifeln, daß die beiden größten Dichter des Sudetenlandes (Stifter und Postl) fast diametrale Gegensätze darstellen: der kristallklar fromme Mensch Stifter und der Abenteurer Postl, auf dessen Gestalt mancher Flecken (Gewinnsucht, Spekulationsfieber, Sklavenhalterei) sich ausbreitet. Die Gerüchte um ihn wollten nicht verstummen. Ironischerweise galt er, der mit antisemitischen Floskeln nicht sparte, mitunter auch als Jude, da man sich sein fremdartiges Sonderlingsgebaren nicht anders zu erklären vermochte. »Faßten die guten Schaffhausener ihr Endurteil über den geheimnisvollen Amerikaner in die eigentümlich betonten Worte: ›'s ist eben ein Jud!‹, so tuschelten gewisse Zürcher, er sei gar nicht der Verfasser der Sealsfieldschen Schriften, sondern vielmehr der Mörder des wahren und wirklichen Autors, der sich der Handschriften seines Opfers bemächtigt und dieselben zu seinem eigenen Vorteil und Ruhm unter dem Namen Sealsfield hüben in Europa veröffentlicht habe. Das richtige Seldwyler Märchen mag auf übergescheit tuende Buchhandlungskommis zurückgehn, die etwas davon wußten, da Sealsfield die Verlagsverträge nur als ›Herausgeber‹ jener Schriften abschloß. Die Spitzen der Gesellschaft fühlten sich, so wenig sie sich auch in seiner Persönlichkeit zurechtfanden, von seinem faszinierenden Einfluß gefesselt und setzten sich über die Stimme des gemeinen Volkes vornehm hinweg.«

Es gibt kein einziges Porträt von Postl. Wie von Reuchlin. Die Motive sind verschieden. Bei Reuchlin: echte Bescheidenheit. Postl wollte vermutlich nicht erkannt werden. Er wünschte in diesem Sinne keine allzu große Publizität. – »In Sealsfield ist etwas vorgebildet«, sagt Hofmannsthal, dem es gegeben war, in den einfachsten Worten darzulegen, was an einem großen Dichter und großen Manne groß war, »und nichts Geringes: der deutsche Amerikaner. Die Seele ist deutsch, aber durch eine fremde große Schule durchgegangen. Er reiht sich an die andern und ist doch besonders. Haben sie ihn drüben vergessen, so ist es traurig, hier durfte er nicht fehlen, er erzählt in einer Weise, daß keiner ihn vergißt, der ihm einmal zugehört hat.«

Kein grellerer Kontrast als der zwischen dem verbissenen, schrullenhaften, bäuerlich klugen, halb autodidaktischen, abergläubischen, mißtrauischen, irrlichtelierend genialen Postl – und dem charmanten Weltmann Alfred Meißner, dem andern Stern über meinen Anfängen.

Mein Jugendfreund Max Bäuml brachte mir Meißners Memoiren *Geschichte meines Lebens*, zwei dicke Bände. Dieser Freund von der untersten Klasse des Gymnasiums an, klein, aber physisch sehr stark, was mir damals besonders imponierte, verstand es, durch seine Kraft und unglaubliche Geschicklichkeit die längsten Lakel der Klasse zu werfen – doch bediente er sich seiner Überlegenheit nur, wenn die Sache der Gerechtigkeit verletzt erschien. Er war von sauberstem Charakter und feinster Geistigkeit; ich will hier mit ein paar Zeilen seiner gedenken, da Meißner der erste Autor war, der uns zu gemeinsamer Liebe verband. Mein Freund Max Bäuml geleitete mich durch das ganze Gymnasium. In jungen Jahren starb er, während ich an der Universität, er bereits (notgedrungen) in einem Beruf tätig war. Das ging nicht ohne Konflikte ab. Ich habe nie wieder einen Freund gehabt, der mich so rückhaltslos liebte und bewunderte wie er. Er merkte sich jedes Wort, das ich sprach. Manchmal scherzte ich: »Du kommst mir vor wie einer, dem man das Garn zu halten gibt, das man abspult. Will man es dann weiterordnen, so übernimmt man es aus deinen ausgespreizten Händen.« Er wußte besser als ich, welche Gedankengänge ich am Tag zuvor entwickelt hatte, und half mir weiter, mit einer geistigen Uneigennützigkeit, die ich später nie mehr angetroffen habe. Er war (bei all seiner physischen Robustheit) eine zarte künstlerische Natur, doch nur passiver, aufnehmender, nicht produktiver Art. Auf seinem Grabstein auf dem Prager jüdischen Friedhof (in Straschnitz) stehen vermutlich noch heute die Worte eingemeißelt und mit Gold berieselt, die ich in tiefstem Schmerz für diesen Stein gedichtet habe und deren wilde Skepsis wohl kaum für Friedhofspoesie geeignet ist – aber das hat damals niemand bemerkt. (In meiner Selbstbiographie ist diese Inschrift fehlerhaft wiedergegeben.)

Schöner Spiegel einer höhern Welt,
Bist in Scherben ohne Glanz zerschellt.
Dein Abglanz blieb in unsern Herzen stehn,
Erfreulich richtig, wie wir uns in dir gesehn.

Wir lasen wohl zehn Jahre lang alles gemeinsam. Wir liebten Hamsun, den ich auch heute noch und gerade heute mit äußerster Ergriffenheit lese (trotz seiner schmählichen politischen Verirrungen), wir entdeckten für uns Heinrich Mann und waren von den neuartigen südlichen Schönheiten dieses Großen ebenso hingerissen wie von den rätselhaft dunklen Stimmungen in Ibsens *Wildente*, die wir etwa gleichzeitig kennenlernten. Ebenso von Schnitzlers Einakterzyklus *Lebendige Stunden*, den wir von der höchsten Stehgalerie im Neuen Deutschen Theater fast ungläubig, staunend zur Kenntnis nahmen. Mit dem noch unbekannten Moissi in der Rolle des sterbenden Mimen. Es war Moissis Debut in Prag; er, der Triestiner, sprach ein verzweifeltes Deutsch. Wir aber waren einträchtig begeistert, gegen ein unwilliges Publikum. An unsere Gespräche über die *Wildente* und den verschlüsselt geistreichen Aufbau dieses Stückes erinnere ich mich seltsamerweise besonders genau. Eines fand auf der abendlichen Heimkehr von einem Ausflug nach Koschirsch statt, im Prager Vorort Smichov. Erhitzt und hochsommerlich war's. Damals enthüllten sich uns in der Diskussion Geheimnisse der Kunst. Und bald nachher starb Max Bäuml. Eine Herzaffektion – »Herzfehler« nannte man es. Ich blieb allein. Er stammte aus Deutschböhmen, aus Theusing bei Karlsbad. Niemand klagte um den einsamen Jüngling, nur ich und sein alter Vater, für den er sich (in einem höchstgesteigerten Begriff von Pflichterfüllung) geopfert hatte. – Max Bäuml ist es, den Kafka in erster Reihe meint, wenn er in seinem »Wolfsschlucht«-Brief (1903 oder 1904) gegen die Gesellschaft meiner Freunde polemisiert: »Sie steht um Dich wie empfindliches Bergland mit bereitem Echo« – und das übrige, das man in den Kafka-Briefen (Seite 24, 25) nachlesen kann. So viel über diesen treuen Freund Max Bäuml, den ich frühzeitig verloren habe.

Meißners *Geschichte meines Lebens* wurde zunächst unser Lieblingsbuch. Das Buch war genauso alt wie wir, es ist 1884 erschienen. Wir sahen eine Zeitlang die Welt mit Meißners Augen. Er war in Teplitz geboren, also Deutschböhme wie Bäuml, hatte in Prag studiert wie ich. Sogar, wie ich später feststellte, am berühmten Altstädter Gymnasium Kafkas, in dessen Klassen die Schülerzahl klein, daher die Prüfungsangst imminenter war als an den andern Mittelschulen Prags. – Sein Leben dauerte von 1822 bis 1885. Besonders entzückt waren wir von der Anschaulichkeit, mit der er uns Heines Existenz in Paris, die Jahre der schreckensreichen Krankheit und den unfaßbar vitalen Witz nahebrachte, mit dem Heine seinem jahrelangen Hinsterben trotzte. Wir suchten gierig uns auch alle die andern Bücher zu beschaffen, in denen Meißner sein düster-helles Lieblingsbild »Heine« auf die Staffelei nahm, die *Revolutionären Studien aus Paris* (1849), *Heinrich Heines Erinnerungen* (1856), *Schattentanz* (1881). Heinrich Laubes Erinnerungen bringen Widersprüche, Meißner bleibt immer sich selbst treu oder rektifiziert sich ausdrücklich. Er hat seit Anfang des Jahres 1847 Heine sehr oft besucht, wie er selbst erzählt, über Monate hin »vergingen selten mehr als ein paar Tage, an welchen ich nicht in sein Haus gekommen wäre«. Viermal war Meißner in Paris, einer dieser Aufenthalte dauerte fast ein Jahr. Die Schilderungen, die er gibt, sind unerreichbar lebendig und schlagen mit dem echten Ausdruck der Wahrheit Funken aus dem flüchtig vorbeigleitenden Augenblick. Von Heine sagt er: »Der Gesamtausdruck seines Gesichtes war schwärmerische Schwermut, doch wenn er sprach oder sich bewegte, brach eine ungeahnte Energie und ein überraschendes, fast dämonisches Lächeln hervor.« Das sieht man vor sich, man tastet es beinahe. Oder jene anderen Sätze: »Der Platz an seinem Bette und die Unterhaltung mit ihm ward mir allmählich lieber als ein

Spaziergang über die lachenden Boulevards und der Verkehr mit den meisten Gesunden. Im Gespräch mit dem alten kranken Zauberer vergaß ich die Krankenstube. Der Reiz, den seine Bücher auf mich übten, setzte sich hier fort, und es war mir, als lese ich manches Kapitel, von dem die übrige Welt nichts erfahren würde. Aber auch den Menschen gewann ich lieb; die Güte seines Herzens, von allen in Frage gestellt, wurde für mich über jeden Zweifel erhoben.« – (Nebenbei: Diese Güte wird auch von andern Besuchern gerühmt. Sie bildete wohl, gemeinsam mit seiner Spottlust, ein seltsames, unwiederholsames Gespann.) – Oder man lese die Geschichte von Mathildens Stammbuch und der geschmacklosen Eintragung, mit der ein französischer Besucherstar dieses Stammbuch verunzierte. Oder Heines Ausspruch gegen seine Feinde: »Je kleiner das Insekt ist, um so weniger kann man ihm beikommen. Das ist's: Flöhe kann man nicht brandmarken!« Oder die Episode des »getauften und geadelten Juden Baron Ferdinand von Eckstein«. Den Auftritt eines Mannes mit blauer Brille – es ist Proudhon, der Altkommunist und Aristokrat. (Interessanterweise liest Kafka 1918 in der Hausbibliothek der Pension Stüdl in Schelesen Meißners *Geschichte meines Lebens* und empfiehlt mir in den stärksten Ausdrücken das von mir fast vergessene Buch meiner jungen Jahre. Er charakterisiert es als »ein außerordentlich lebendiges und aufrichtiges Buch mit unaufhörlichen selbsterlebten Charakteristiken und Anekdoten der ganzen politischen und literarischen böhmisch-deutsch-französisch-englischen Welt um die Mitte des vorigen Jahrhunderts und in politischer Hinsicht von einer geradezu blendenden Aktualität«.)

Oder man empfinde, um Atem zu schöpfen, die entzückende Idylle vor dem verderbenbringenden Ansturm der Krankheit: die Sommerwohnung, die Heine eine Zeitlang Trost brachte. Meißner schreibt: »Als der Mai herankam, verließ Heine seine Wohnung in der Rue Poissonnière und bezog ein Landhaus in Montmorency. Die engen Gassen, der Wagenlärm, das Menschengewühl waren seinen überreizten Nerven unerträglich geworden, er brauchte frische Luft, Ruhe und Stille. Frau Mathilde hatte in der Chataignerée ein hübsches Haus mit einem schattigen Garten gefunden, und rasch ging die Übersiedlung vor sich ... Fast an jedem Sonntage mußte der Omnibus, der von Enghien nach Montmorency fährt, am Hause in der Chataignerée anhalten und dort einen Trupp von Gästen absetzen. Alexander Weill, Heinrich Seuffert von der ›Augsburger Allgemeinen Zeitung‹, Alphonse Royer und seine Frau waren häufige Besucher. Wir fanden Heine ins Grüne gelagert, die Mappe und den Bleistift in der Hand, entwerfend und dichtend. Frau Mathildens Papagei war nicht in der Stadt vergessen worden, sein Käfig stand am Fenster, und sooft die Klingel an der Gartentür schellte, begrüßte er die Ankommenden mit lautem Bon jour! Das große Zimmer im Erdgeschosse wurde als Speisesaal benutzt; auf dem zierlich gedeckten Tisch fehlte nie ein riesiges Bukett von Blumen, jedes Kuvert hatte sein kleines Arsenal von Gläsern für den Madeira, den Medoc und den Sauternes, der Spitzkelch für den Champagner überragte die Genossen. Welch ein Fest im kühlen, beschatteten Gartenhause, von blühenden Akazien umduftet, sich zu Tische zu setzen, schönen Augen von Französinnen gegenüber und Heine zum Gesellschafter! Wenn die Anwesenheit von Freunden, die er liebte, Heine auf Augenblicke vom Gefühl seiner Leiden abzog und das Geplauder hübscher Frauen ihn anregte, war er unerschöpflich in drolligen Einfällen, und sie schossen raketenartig nach allen Seiten ... Als sich das Gelächter gelegt hatte, fragte Heine: ›Was wollen Sie denn zuerst besuchen?‹ ›Es ist noch nichts bestimmt‹, erwiderte die Dame, ›Aber Madame K – (Kalergis?) wollte mich gegen zwölf Uhr mit ihrer Equipage abholen.‹ ›Madame K –?‹ rief Heine. ›Oh, liebe Freundin, lassen Sie sich warnen, zeigen Sie sich nicht in der Equipage dieser Dame, wahrlich, das hieße Spießruten fahren.‹ ›Ich erinnere mich eben‹, gab Frau F – (Fould?) ein wenig betroffen zur Antwort, ›Madame K – schlug vor, wir sollten uns das Pantheon ansehen.‹ ›Das Pantheon‹, rief Heine. ›Ach, was will Frau K – im Pantheon? Frau K – ist ja selbst ein Pantheon, wo große Männer ruhten.‹ ... Wenn das Essen vorbei und das dritte und vierte Glas des goldenen Sauternes geleert ist, das aus einem Keller kommt, ist der Abend schon herangekommen, und die silbernen Sterne treten am tiefblauen Himmel hervor. Von fern tönt ein Klingen und Singen der Geigen, denn es ist Sonntag, und die Bewohner von Montmorency, wie die Gäste, die aus Paris herübergekommen, haben sich unter freiem Himmel auf dem Tanzplatz zu einem bal champêtre versammelt. Leidend, wie Heine ist, hat er noch immer Herz und Sinn für die Schönheit des Lebens und mag nicht fehlen, wo der holdeste und beglückendste Gott der Erde, der Leichtsinn, den Menschen Feste gibt. So kommt es denn, daß er es nie versäumt, seinen sonntäglichen Gästen den bal champêtre zu zeigen und ihnen noch Gelegenheit gibt, den heitern Abend heiter zu schließen.« Die anmutige Präzision dieser Schilderung ist nur mit der Präzision Flauberts vergleichbar. Sie gehört in jedes Lesebuch vorzüglichster Prosa.

Von Meißners Lyrik erwähne ich nur die atemberaubenden Zeilen, mit dem Symbol der viel späteren »Spartakisten«, eine seltsame Vorausspiegelung der Ereignisse, eine Prophetie, wie sie sich dann auch bei Kafka findet:

> Ich bin gewandert, hab' geseh'n,
> Es steigt empor in bösen Zeichen,
> Ein Kampf liegt in den ersten Wehn,
> Ein Kampf der Armen und der Reichen.
> Wie, wenn aus armer, dunkler Wiege
> Ein Racheengel, stark und groß,
> Der Zukunft Spartakus entstiege?

Ich habe diese Zeilen allerdings erst in viel späteren Jahren, aus der erwähnten Literaturgeschichte Wolkans, kennengelernt.

Seltsamerweise wird Meißner oft für einen Juden gehalten, vielleicht in Mißdeutung seiner intimen Freundschaft mit Heine. Aber schon sein Großvater August Gottlieb Meißner (geboren 1753 in Bautzen) war Professor »der schönen Wissenschaften« an der Prager deutschen Universität, zu einer Zeit, in der den Juden jede Spur von bürgerlicher Gleichberechtigung verwehrt war. – Von den mit Böhmen-Mähren zusammenhängenden Autoren, die ich bisher behandelt habe, sind nur Moritz Hartmann und Lorm Juden. Hier sei noch eine Episode zu dem Thema »Jude oder Nichtjude« eingefügt, weil sie von Meißner so entzückend-graziös erzählt wird, ein wundervolles Vorlesungsstück, mit dem ich gern liebe Gäste bewirte. Da heißt es: »Frau Mathilde fuhr fort, sich über Unbilden zu beklagen, die sie ›von den Deutschen‹ zu erleiden gehabt und noch erleide. Es handelte sich um allerlei durch die sogenannten Freunde verursachten Tratsch, gesprochenen und gedruckten, um Angriffe seitens der Börneschen Partei usw. ›Ach, diese Deutschen!‹, darauf kam sie immer wieder zurück, ›sie sind allerdings witzig, aber so maliziös, so boshaft! Einer, das ist das Merkwürdige, sucht den andern etwas anzuhängen! Der einzige, Seuffert, von allen, die ich kenne, macht eine Ausnahme; der ist ganz anders, der ist gut und treu! Nein, ich könnte nie unter Deutschen leben – – nie! nie!‹ Es wurde mir zu viel, diese Anklagen immer anzuhören; ich mußte ihnen endlich einmal entgegentreten. ›Von einem halben oder ganzen Dutzend Literaten, die hier leben‹, bemerkte ich, ›ist doch kein Schluß auf den Charakter einer Nation zu ziehen. Besondere Anlage zum Witzigen und Neigung zur Malice gehört auch wahrlich nicht zu den Eigenschaften der Deutschen. Ich will Ihnen aber ein Rätsel lösen, und Sie werden dann zu Ihrer größten Verwunderung sehen, daß, wenn Sie Seufferts Eigenschaften im

Gegensatze zu den Eigenschaften der übrigen preisen, Sie den Deutschen, unbeabsichtigt, ein großes Kompliment machen. Seuffert nämlich ist unter allen, die Sie da im Auge haben, der einzige richtige Germane –. Die andern sind wohl auch Deutsche, aber auch – – nun ja, die Juden leben seit Jahrhunderten mit uns und sind im bürgerlichen und politischen Leben der betreffenden Nation aufgegangen – dennoch – dennoch muß ein Komplex von Eigenschaften, guten oder bösen, in ihnen erhalten geblieben sein, der sie unterscheidet – und so sage ich: Die, über die Sie sich beklagen, sind allerdings Deutsche, aber auch Juden – – –‹ ›Was?‹ rief Frau Mathilde ganz frappiert. ›Juden wären sie? Juden –, ja, allerdings, Alexander Weill ist ein Jude, er hat mir selbst gestanden, daß er Rabbiner hat werden wollen – aber die übrigen – da ist zum Beispiel Jeiteles – Jeiteles – der Name klingt doch so urdeutsch, so echt deutsch – –‹ ›Sagen Sie vielmehr griechisch, altgriechisch‹, erwiderte ich, ›dennoch glaube ich behaupten zu können, daß unser Freund Jeiteles ebensowenig altgriechischem wie altgermanischem Blute entsprossen ist.‹ ›Nun gut. Aber Abeles – Bamberg – –‹ ›Sind in gleichem Falle.‹ ›O nein, Sie irren sich, das sind alles keine Juden!‹ rief Frau Mathilde. ›Das machen Sie mir nimmermehr weis. Sie werden vielleicht gar behaupten wollen, daß Kohn (Cohen) ein Jude sei? Aber Kohn ist verwandt mit Henri, und Henri ist ja Protestant –.‹ Ich hielt plötzlich stille. Ganz wie ein Mensch, der, auf einem gefrorenen See daherschreitend, unverhofft das Wasser durch einen Spalt aufbrodeln sieht, stockte ich und zog das nächste Wort zurück. Auf das zufälligste hatte ich etwas scheinbar Unglaubliches entdeckt, nämlich, daß Heine in betreff seiner Abstammung seiner Frau keine Mitteilung gemacht habe und daß sie, naiv wie ein Kind, von dieser gar nichts wisse. Seine Ballade von der spanischen Judenfeindin, die plötzlich erfährt, ihr Geliebter sei ein Sohn des ›schriftgelehrten Rabbi von Saragossa‹, flog mir durch den Kopf. ›Sie haben recht‹, erwiderte ich ernsthaft. ›In bezug auf Kohn habe ich mich wohl geirrt.‹ ›Nun, da sehen Sie‹, triumphierte Mathilde. ›Kohn ist keinesfalls ein Jude, und doch hat er die scharfe Zunge der übrigen Deutschen! Er wird wohl auch ein Protestant sein wie Henri – denn Henri, hahaha, Henri ist Protestant, glaubt an Lütheer! Wenn ich ihm sage, daß Lütheer ein abscheulicher Ketzer war, wird er ordentlich böse und behauptet, er sei ein großer Mann gewesen, der größte Deutsche, der je gelebt, der Lütheer! Oh, wie man doch in vielen Dingen gescheit sein und dabei doch so dumm reden kann! Und Sie, Monsieur – was halten Sie von Lütheer?‹ ›Ich halte ihn nicht nur für den größten Deutschen, sondern auch für einen größeren

Mann, als irgendeiner der Apostel gewesen.‹ ›Oh, mon Dieu! mon Dieu! Da muß ich mir die Ohren zuhalten und fortlaufen! Der Himmel verzeihe Ihnen die Sünde, so etwas geredet zu haben.‹« – –

Am Schluß eines arbeitsreichen und oft unsteten Lebens wurde Meißner von den Angriffen eines undankbaren Schützlings in Depressionen und in einen Selbstmordversuch gejagt. – Undankbarkeit ist ja ein Unkraut, das auf allen Ebenen des Seins gedeiht; auf der Ebene der Literatur aber scheint es besonders üppig zu wuchern. – 1861 hatte Meißner einen jungen Dichter namens Franz Hedrich entdeckt und dessen erste Erzählungen veröffentlicht. In der Vorrede bezeichnet er ihn als ein »Talent, das sich in stolzer, sich selbst genügender Zurückgezogenheit vielleicht noch lange dem Publikum vorenthalten hätte« (Wolkan). Paul Wiegler stellt diesen Hedrich in seiner Literaturgeschichte als Tschechen vor, was wohl ein Irrtum ist, denn der Name klingt ganz deutsch, bringt sogar den fatalen Namen des Nazidespoten Heydrich, der eine Zeitlang Herr Böhmens, Gauleiter oder so etwas war, in traurige Erinnerung. Auch hat ja Hedrich in deutscher Sprache gedichtet. Allerdings waren zur Zeit Meißners die beiden Nationen und ihre Sprachen noch nicht so scharf geschieden wie später. (Beispiel: Smetana, der musikalische Heros der Tschechen und durchaus nationale Mann, führte ein Tagebuch in deutscher Sprache.) Wie dem auch sei, Meißner verfaßte gemeinsam mit Hedrich Zeitromane, die Titel wie *Schwarzgelb, Sansara* usw. trugen. Wie die beiden ihre Arbeit aufteilten, ist nicht bekannt geworden; vielleicht überhaupt nicht exakt erforschbar. Meißner förderte ja auch sonst, wo er konnte, Mitdichter und Mitstrebende, interessierte sich nicht etwa egozentrisch nur für seine eigene Arbeit, sondern schrieb (beispielsweise) eine *Wallfahrt nach Solothurn* zur einstigen Wohnung und zum Grab Sealsfields (Castle, Seite 649), gab ferner den ersten Versuch einer vollständigen Lebensgeschichte dieses großen Dichters und veröffentlichte 1872 aus dem einzigen Manuskriptheft Sealsfields, das aus dem Nachlaß gerettet wurde, Fragmente sowie eine mit großer Mühe entzifferte Erzählung, für die er den Titel *Die Grabesschuld* erfand. Man hat ihm auch das übelgenommen. Am ärgsten aber tobte sich in der Person Hedrichs der Undank aus, der eines schönen Tages behauptete, *alle* oder doch die meisten Werke Meißners *allein* geschrieben zu haben. Hedrich bedrohte Meißner in erpresserischer Art mit peinlichen »Enthüllungen«, trieb ihn in die Enge, denn offenbar hatte Meißner doch einiges über den Umfang der Mitarbeit Hedrichs absichtlich geheimgehalten. Und zu allem Unglück war Hedrich ein Spieler geworden. Meißner schrieb ihm (laut der

Alfred Meißner-Biographie von Fedor Wehl): »Aber, mein Gott, und hätten Sie mir auch die größten Dienste geleistet, endlich müßte doch der Dank dafür abgetragen sein. Dafür soll ich Sie doch nicht mitsamt Ihrer Frau am Spieltisch von Monaco unterhalten?« Hedrichs Ansprüche scheinen immer größer, immer dringender geworden zu sein, besonders als Meißner 1868 ein ziemlich bedeutendes Vermögen nach seinem Vater geerbt hatte und nun behaglich mit seiner jungen Frau in Bregenz lebte. Meißner besaß nicht die Nerven der beiden Dumas, aus deren Leben der genannte Fedor Wehl zum Vergleich das folgende beibringt: Ein gewisser Maquet hatte ausgestreut, er habe die Mehrzahl von Dumas' Romanen allein geschrieben. »Als man dem Sohne Dumas' diese Reden erzählte, lachte er und sagte: Am Ende wird der Narr noch behaupten wollen, nicht mein Vater, sondern er habe mich ins Leben gesetzt.« – Über das Ende der Tragödie berichtet Wehl, der Meißner jahrelang persönlich nahestand: »Zuletzt hatte Hedrich ohne alle Beihilfe einen Roman *Die Schätze von Sennwald* verfaßt. Meißner wollte ihn als sein Werk unterbringen und dazu eine Erklärung als Vorwort schreiben, worin er Hedrich gerecht zu werden versprach. Die Unterhandlungen scheiterten, das Verhältnis zwischen den Verbündeten wurde immer bitterer und gereizter und endete schließlich mit Meißners Tode. Zur Verzweiflung gehetzt, setzte er das Rasiermesser an seine Kehle, aber nicht tief genug, um am Schnitt zu verbluten. Durch rechtzeitige Hilfe gerettet, erlag er wenige Tage danach einem Fieber mit wilden Wahnvorstellungen (1885). Vier Jahre nach seinem Tode ließ Hedrich sein Buch *Alfred Meißner – Franz Hedrich* erscheinen, weil Meißners Familie seinen Ansprüchen nicht gerecht werden wollte. Es ist ein häßliches, feindseliges Buch, ein Buch, das wahrscheinlich nur eine Reklame für den noch nicht gedruckten Roman *Die Schätze von Sennwald* abgeben soll.« – So spricht der Freund. – Hedrich suchte seine Anklage gegen Meißner mit Auszügen aus Briefen Meißners zu stützen. Es gab einen richtigen Literaturskandal, dabei fehlte es aber nicht an Kritikern, die für Meißner Partei nahmen. Es wäre ja auch ganz unwahrscheinlich, daß eine so reiche, in so vielen zweifellos selbständigen Werken erprobte Schöpfernatur wie Meißner Anleihen bei einem andern Autor hätte aufnehmen müssen. Man könnte vielleicht eher an eine Beziehung wie die Berninis oder Tizians zu den Heeren ihrer Schüler denken – oder an die Scribes zu seiner »Dramenfabrik« mit den vielen Mitarbeitern. Oder an die Mohren des ältern Dumas, die das, was der Meister ersann und skizzierte, in seiner Art ausführten. Nur daß es sich bei Meißner um einen einzigen Mitarbeiter gehandelt hat.

Die ganze dunkle Affäre, wie auch das Leben und Wirken Sealsfields (ich staune, daß diese beiden Themen bisher den leichten Federn unserer Sensationsschriftsteller in den verschiedenen »Illustrierten« entgangen sind), beide werfen seltsame Schlagschatten auf die Stimmungen der »Biedermeierzeit« und die Dezennien nach ihr. Es spielte sich alles doch weit weniger satt und behaglich ab, weit weniger »gartenlaubenhaft«, als das historische Cliché es überliefert. Es war, wie eigentlich jedes Zeitalter, eine Periode schwerster Kämpfe, privater Katastrophen wie auch ideologischen Suchens bis zur völligen Zerrüttung. Der einzelne ging vereinsamt und verloren unter, wenn er seine Seele nicht zu behüten wußte. Wie heute galt auch damals Goethes Spruchgedicht in seinem *Buch des Unmuths:*

Übers Niederträchtige
Niemand sich beklage;
Denn es ist das Mächtige,
Was man dir auch sage.

In dem Schlechten waltet es
Sich zu Hochgewinne,
Und mit Rechtem schaltet es
Ganz nach seinem Sinne.

Man hat diese Zeilen oft als Servilismus, ja Liebedienerei und Waffenstreckung mißdeutet, sie wurden weidlich gegen den Erhabensten ausgenützt. Man zitiert eben falsch. Man vergißt den Schluß des Gedichtes:

Wandrer! – Gegen solche Not
Wolltest du dich sträuben?
Wirbelwind und trocknen Kot,
Laß sie drehn und stäuben.

Man muß dieses Gedicht auch mit dem unmittelbar vorangehenden (sehr stolzen) zusammenhalten. Dann erst versteht man es richtig. »Wenn der Hörer kein Schiefohr ist« – notabene!

ZWEITES KAPITEL

Die drittletzte Generation vor dem »engeren Prager Kreis«

Als engeren Prager Kreis bezeichne ich die innige freundschaftliche Verbindung von vier Autoren, zu der dann später noch ein fünfter trat. Diese vier waren: Franz Kafka, Felix Weltsch, Oskar Baum und ich. Nach Kafkas Tod kam Ludwig Winder hinzu.

Zwischen Felix Weltsch und mir bestand eine Kinder- und Schulfreundschaft. Wir waren von unserem sechsten bis einschließlich zum neunten Lebensjahr in die berühmte Piaristen-Volksschule in der Herrengasse (jetzt Panská) gegangen, wo wir von Klostergeistlichen vorzüglich und sehr geduldig unterrichtet wurden, ohne jede missionarische Nebenabsicht und mit separatem jüdischem Religionsunterricht bei einem Rabbi (im Schulhaus). – Felix und ich hatten manche Rauferei gemeinsam bestanden, manchen harmlosen Jungenstreich gemeinsam ausgeheckt und ausgeführt, viel miteinander gestritten und gelacht. Wären wir nicht so wohlerzogene Knaben aus »guten Familien« gewesen, so wäre es manchmal wohl schlimmer ausgefallen. – Es handelt sich um dieselbe Piaristenschule, die Franz Werfel sechs Jahre später bezog. Werfel war uns damals natürlich unbekannt geblieben. Die Jahrgänge sind ja Welten für sich – und gar Jahrgänge, die um die damals jahrhundertlange Zeit von sechs Jahren voneinander entfernt liegen. – Nebenbei bemerkt: Auch Max Steiner, dem Theodor Lessing in seinem Buche *Der jüdische Selbsthaß* ein aufregendes Kapitel widmet, war unser Mitschüler in der Piaristenschule. Er war der beste Schüler der Klasse. Man soll ihn nicht vergessen, wenn vom weiteren Prager Kreis die Rede ist. Er veröffentlichte zwei Bücher: *Die Rückständigkeit des modernen Freidenkertums* (1905) und *Die Lehre Darwins in ihren letzten Folgen* (1908); ein drittes gab Kurt Hiller aus seinem Nachlaß heraus. Er konvertierte zum Katholizismus und tötete sich. Er war genau um sechs Tage älter als ich. –

Im Gymnasium hatten Felix und ich einander aus den Augen verloren, da Felix Schüler des k. k. deutschen Altstädter Gymnasiums wurde, desselben im Hinterhaus des Kinskypalais auf dem Großen Altstädter Ring beheimateten Instituts, das im Jahrgang, der um ein

Jahr älter war, u. a. Franz Kafka, Hugo Bergmann, Emil Utitz, Oskar Pollak, Paul Kisch erfaßte. Ich dagegen wurde »Stefanese«, d. h. Schüler des k. k. deutschen Stefansgymnasiums in der Oberen Neustadt, Stefansgasse. Zwischen den deutschen Gymnasien (es gab noch zwei oder drei andere in Prag) bestand keinerlei Kontakt, außer etwa dem sehr losen bei den »Jugendspielen« auf dem Invalidenplatz (Exerzierplatz), wo das unbeliebte Handballspiel gepflegt wurde, weil es laut Disziplinarordnung gepflegt werden mußte, während das Fußballspiel als »roh« noch streng verboten war. Doch private Fußballklubs kamen bereits da und dort auf. – Als Jusstudent im ersten Jahrgang der Hochschule traf ich wieder mit Felix zusammen; die alte Freundschaft lebte bald auf, zunächst auf Grundlage gemeinsamer philosophischer und musikalischer Interessen; dann bereiteten wir uns gemeinsam zur ersten Staatsprüfung, dem Romanum, vor. Mit Kafka kam ich (1902) in der »Lese- und Redehalle der deutschen Studenten« zusammen, als er 19 Jahre, ich 18 Jahre alt war. Unsere Freundschaft dauerte im Crescendo ohne Störung bis zu seinem Tod 1924. Analoges kann ich von meiner Freundschaft mit Felix sagen. Nur Krankheit veranlaßte zeitweise Unterbrechungen, d. h. Kafkas Abwesenheit von Prag, in Sanatorien oder bei seiner Schwester in Zürau, in Planá, zuletzt in Berlin. In diesen Zeiten seiner Absenz gab es dann einen lebhaften Briefwechsel zwischen uns; der naturgemäß erst dann, wenn auch meine Briefe veröffentlicht wären, nicht bloß die seinen an mich, in seiner vollen Bedeutung verstanden werden könnte. – Ich machte meine beiden Freunde miteinander bekannt. Das Triumvirat Kafka, Weltsch, Brod wurde geschlossen. Es beruhte auf äußerster Wahrhaftigkeit der drei gegeneinander, es war eine seltene, ja einmalige Kristallbildung, zu der drei tiefgehende Zweierfreundschaften zusammengeschossen waren. Denn jeder mit jedem der drei bildete eine intime, einzigartige, auch noch für sich weiterbestehende Verbindung, ohne Trübung, ohne Snobismus, rückhaltlos wie eine große leidenschaftliche Liebe. Und alle drei Bünde wuchsen zu einer gemeinsamen Einheit zusammen.

Ein wenig anders stand es mit dem vierten der Freunde, mit Oskar Baum. Ich werde das im vierten Kapitel genauer darzulegen suchen. Hier soll zunächst nur die allgemeine Struktur des ganzen Bündnisses und so etwas wie sein literarischer Standort angedeutet sein. – Dieser »engere Prager Kreis« trat in mehr oder minder nähere Beziehung zu andern Gruppen oder Einzelgestalten des Prager geistigen Lebens. So etwa zum (jüngeren) Kreise um Werfel und Willy Haas. Zum zionistischen Kreis um Hugo Bergmann, Robert Weltsch, Hans Kohn,

Siegmund Kaznelson, Viktor Kellner, Oskar Epstein u. a. Zu den Dichtern aus Mähren wie Ernst Weiß. Zu den Gruppen um die zwei großen deutschen Prager Tageszeitungen, das liberale »Prager Tagblatt«, die »Bohemia« (ebenso, doch mit stärkerer Betonung des Nationaldeutschen), zu denen später als dritte die regierungsoffizielle, also tschechisch orientierte, sei es auch deutsch geschriebene »Prager Presse« kam. Oder zu Einzelgängern wie dem Erzähler Walther Seidl, wie zu Hermann Grab, Camill Hoffmann, Auguste Hauschner, wie zu meinem Bruder Otto Brod, der (siehe Zeittafel in meiner Kafka-Biographie) die Ferienreisen 1909 und 1910 mit Kafka und mir als lieber Gefährte mitgemacht hat und dessen literarisches Werk bisher nicht richtig gesehen worden ist. Ich will dies gleichfalls im übernächsten Kapitel nachholen. Ferner bestanden sehr wesentliche Freundschaftsstrahlungen zu tschechischen Dichtern hin, zu Musikern, Malern und zu tschechischen Menschen aller Stände, aller Klassen – ebenso zu deutschen und deutschjüdischen Gruppen in Wien, Berlin und andern Städten, auch solchen in Böhmen. Ich lehne jene Theorie ganz entschieden ab (die namentlich Paul Eisner entwickelt hat), die den Prager Kreis als unnatürlich isoliert, als von einer »dreifachen Ghettomauer« gegen die Welt hin abgesperrt darstellt. Diese Theorie ist durchaus unfundiert und sachlich unrichtig, ja irreführend; sie mag auf das überskeptische Prag der deutschen Juden passen, wie es in den Romanen Auguste Hauschners geschildert ist (hiervon bald mehr!), das Prag zwischen 1870 und 1890, jedoch keinesfalls auf die viel freiere, hoffende und wenn auch nicht geradezu naive, so doch kindhafte Stimmung des »Prager Kreises« (etwa von 1904 bis 1939). Diese Theorie ist ebenso falsch wie die von Peter Demetz in seinem auch sonst äußerst anfechtbaren Buch *René Rilkes Prager Jahre* formulierte These, daß der Prager Dichtung als »Stadtliteratur par excellence jede Kommunikation mit der Natur mangelte«. Man braucht nur zu lesen, was Kafka über Wälder, über die Schmetterlinge im Böhmerwald und an unzähligen andern Stellen über die Schönheit, die gesegnete Frische und Gesundheit der Natur schreibt, man braucht sich nur an die vielen ländlichen Landschaften in meinen Gedichtbüchern oder meine von Hofmannsthal geliebte *Szene im Dorfe* zu erinnern, um die *gar nicht scharf genug zu verurteilende Grundverfehltheit solcher und ähnlicher Thesen* einzusehen. Man lese etwa die Briefzeilen Kafkas in meiner Kafka-Biographie (Seite 144 der 3. Auflage): »In den Wäldern sind Dinge, über die nachzudenken man jahrelang im Moos liegen könnte.« Ferner Seite 145 ebenda, mein Sonett Seite 100 usf. Es ist viel zuviel, um in extenso angeführt zu werden.

Hier haben wir ein klares Beispiel dafür, daß abstrakt denkende Köpfe wie Eisner oder P. Demetz ihre eigene professoral-pedantische Naturferne in die Darstellung von Dichter- und Philosophentypen projizieren, deren ganze Sehnsucht und Freude (gerade im Gegenteil) in der Verbindung mit der Natur, dem Natürlichen und dem unergründlichen Geheimnis aller Kreatur liegt. Ich werde auf diese seltsame Fehldeutung der *Naturaufgeschlossenheit* und der oft geradezu zum *Kosmopolitismus* tendierenden Weltoffenheit der Prager Gruppe in diesem Buche noch öfters und mit ganz konkreten Beispielen zu sprechen kommen. Die Wahrheit liegt selbstverständlich darin, daß mit derartig massiven und noch dazu vieldeutigen Begriffen wie Isolierung und Naturflucht den wirklichen Differenzierungen und spielenden Nuancen einer lebendigen schöpferischen Potenz nicht nahezukommen ist. »Natur« – geheimnisvollstes Wort! Man kann sie mit Nietzsche als machtgierig, mit Theokrit als idyllisch und auf wer weiß wie viele andere Arten interpretieren. Ist schon im Individuum das »Natürliche« begrifflich kaum faßbar – wieviel weniger in einer Gruppe, in der widersprechende, einander überschneidende Strebungen durcheinanderwirren.

Neben der Tatsache der sozusagen horizontalen Zusammenhänge des Prager Kreises mit Natur und Menschen (Zeitgenossen) sei hier der vertikale, d. h. zeitliche Zusammenhang mit den nächst vorangegangenen Strömungen und Bestrebungen zumindest andeutend skizziert. – Dem engeren Prager Kreis vorangegangen war die Wirksamkeit jener Gruppe, die sich »Jung-Prag« oder auch »neoromantisch« nannte, also: Hadwiger, Leppin, Oskar Wiener, Teschner, Wilfert, denen der junge Rilke in seinen sofort wesentlichen Anfängen und späterhin der geniale Gustav Meyrink nahestand. Vor den Meistern jener Jahresringe wirkten Epigonen der Klassik, die sich zum Prager Verein Concordia zusammenschlossen: Friedrich Adler, Hugo Salus, der Lyriker und Kritiker Emil Faktor, Willomitzer, Teweles u. a. Alle diese habe ich noch persönlich gekannt oder doch gesehen, manche allerdings nur von fern und ganz schattenhaft wie den genannten Humoristen und Redakteur der »Bohemia«, Josef Willomitzer, dessen vielgesungenes Studentenlied »Stoß an, du blasser Junge« antiösterreichisch, alldeutsch gemeint war: »Wir schielen nicht, wir schauen – hinüber frank und frei.« Ob die vortreffliche deutsche Schulgrammatik, die ich im Gymnasium mit Eifer studierte und als deren Autor gleichfalls ein Professor Dr. F. Willomitzer zeichnete, von einem Autor derselben Familie herstammt, weiß ich nicht.

Tiefer ins Dunkel der Zeiten verlieren sich Namen aus einer noch früheren Generation der »Concordia«. Damals dominierte im deutschen Prag Alfred Klaar, der berühmte Theaterkritiker, der dann nach Berlin ging; der hervorragende Musikologe Richard Batka, der für Leo Blech das sehr schöne Libretto zur Oper *Alpenkönig und Menschenfeind* (nach Raimund) schuf, dessen »Bunte Abende« im Deutschen Landestheater hell aufstrahlten, in dem geweihten Hause, das die Uraufführung von Mozarts *Don Giovanni* gesehen hatte – er wollte dem damals aufkommenden »Überbrettl« ein Paroli mit bühnenmäßig dargebotener, guter klassischer und neuer Musik bieten, und in einigen Szenen, z. B. dem lustig-beherzten *Epiphaniasfest* von Goethe – Hugo Wolf, gelang es ihm auch. – Er war Mitarbeiter des »Kunstwart« (Avenarius). Seine Musikkritiken gehörten zur zauberhaftesten Lektüre meiner Kinder- und Jugendjahre. Einmal hatte ich mit ihm ein mir unvergeßliches kurzes Gespräch, in der Nacht, auf dem Bahnhof in Komotau – er am Fenster des Expreßzuges Wien–Prag–Karlsbad, ich verzweifelt, erdrückt, ja erwürgt von der provinziellen Enge, in die mein Staatsbeamtenschicksal mich plötzlich geschleudert hatte. Er zitierte mir, auf meine haltlosen Klagen antwortend, mit breitem behaglichen Lächeln: »Dem Tüchtigen ist diese Welt nicht stumm.« Und schon fuhr der erleuchtete Zug ab. Enttäuscht, von Batkas ungewollter Herzlosigkeit wie von einem Peitschenschlag getroffen, blieb ich auf dem sich rasch verdunkelnden und entlärmenden Bahnsteig zurück. Ich war dem Weinen nahe, ratlos, gänzlich verlassen. – Nicht im Zusammenhang mit diesem Gespräch, wie es nicht sein soll, floh ich bald nachher aus der Kleinstadt, ließ meinen mühsam eroberten Staatsposten im Stich, machte meinen ersten »Schritt ins praktische Leben« ungeschehen, kehrte in das heißgeliebte Prag und zu meiner schönen Freundin zurück.

Zu den beherrschenden Figuren Prags gehörte damals auch Fritz Mauthner (1849 bis 1923). Indem ich diesen Verfasser der einst aufsehenerregenden *Beiträge zu einer Kritik der Sprache* und des *Atheismus und seiner Geschichte im Abendlande* nenne, ist der Anschluß an die hier im ersten Kapitel (»Ahnensaal«) erinnerte Kette von Generationen hergestellt.

Von Mauthner, der u. a. auch das satirische Genre »Nach berühmten Mustern« (Zeitgenossen durch Übertreibung ihres Stils parodierend) erfunden hat – von Mauthner kenne ich nur die von deutschnationalem Chauvinismus triefenden Romane *Der letzte Deutsche von Blatna* und *Die böhmische Handschrift*. Für die merkwürdigen

Tatsachen rund um die »Auffindung« der (gefälschten) Königinhofer Handschrift und den gelehrten, auch intuitiv sehr begabten Václav Hanka habe ich mich immer besonders interessiert und auch einmal eine Novelle vorgehabt, die dem Wunsch des Dichters Hanka, den Tschechen nachträglich ein nationales Volksepos zu verschaffen, und seine Irrwege behandeln sollte. Auf der Suche nach den Quellen hatte ich zu dem letzterwähnten Roman Mauthners gegriffen. Ich war dann schwer enttäuscht, da ich nichts als Schmähungen und Angriffe gegen die Tschechen fand, gegen das Volk, das ich hochschätzte und liebte (natürlich ohne mich etwa zu ihm zu rechnen). – Mauthner gehörte eben zu jener Generation der Juden, die sich ohne alle Bedenken, fast problemlos zu den Deutschen zählten und ein kämpferisches Deutschtum fanatisch betätigten. Ihrem Jugendüberschwang kann man die bona fides nicht absprechen. Man kann die Macht der Erziehung und der Nichterziehung gar nicht hoch genug anschlagen, auch die Gewalt der Zeitströmungen nicht, die auch dann wirken, wenn man sich ihnen widersetzt und in den eigenen Augen als radikaler Eigenbrötler dasteht (ja vielleicht dann am stärksten). Man kann im Zeitalter des Augustinus kein Horaz sein. (Ich spreche hier nicht nur von materiellen Vorbedingungen des Geistes, etwa im Sinne des dialektischen Materialismus; sie gelten, aber außer ihnen gilt auch noch die autonome Struktur des Geistes sowie das allgemeine geistige Klima einer Epoche.) So hatte damals im Westen die jüdische Assimilationssucht ihre große Stunde. Es war der Höhepunkt jenes Weges, den 1819 die jungen Akademiker und Intellektuellen in Berlin beschritten hatten, als sie den »Verein für Kultur und Wissenschaft der Juden« gründeten. Zunz war unter ihnen, Heinrich Heine, Eduard Gans u. a. Das kühne Geschlecht wollte Judentum und Assimilation vereinen. Nach anfänglichen Erfolgen (Aufblühen einer musealen Pflege jüdischer Denkwürdigkeiten) stellt sich nach wenigen Jahren der Mißerfolg ein. Von den beiden Zielen (Judentum und Assimilation) blieb das eine, das Judentum, auf der Strecke. Richtig fragt der Historiker dieser Anfangsepoche, Salman Rubaschoff, jetzt als S. Shasar der dritte Präsident des Staates Israel: »Liegt nicht die Ursache des Mißerfolges an der Zwiefachheit der Aufgabe selber, die sie zu einer unlösbaren macht?« (Siehe Bibliographie.) Die Assimilation wurde radikal. Manche der deutschen Überpatrioten jüdischen Stammes haben übrigens im Alter mit zunehmender Reife ihre Meinungen und Gefühle gemäßigt, in abgeklärtere Form gebracht. Nicht so Mauthner, dessen philosophisch-skeptische Bemühungen auf dem Gebiete der Sprache durchaus nicht unterschätzt sein mögen. Aber nicht bloß in seinen Anfängen ist

Bismarck sein Leitbild, er hält auch während des Weltkrieges daran fest, daß er »eine Niederlage für ein unerträgliches, zum Selbstmord führendes Unglück ansehen würde« (zitiert in den *Briefen an Auguste Hauschner,* Datum 8. Juli 1917). Der einsame und verbohrte, daher, ohne es zu wissen, innerlichst gefährdete Mann lehnt es ab, sich pazifistischen Bestrebungen anzuschließen. Mit den imperialistischen Zielen der Alldeutschen will er allerdings nichts zu tun haben. Aber er schweigt beharrlich. (Seine Stimme hätte damals wohl noch einiges Gewicht gehabt.) In demselben Brief heißt es: »Habe 14 Tage vor Ausbruch (des Krieges) einen satirischen Roman vollendet, den ich jetzt um keinen Preis veröffentlichen würde. Daher mein Grundsatz: Schweigen oder doch nichts sagen, was unsere erstaunliche Kraft auch nur mikroskopisch schädigen könnte.« Der deutsche Jude als unentwegter und sogar aggressiver deutscher Patriot. »Nichts mitverschulden, was Deutschland schaden könnte« ist auch in einem Brief vom 15. Mai 1919 seine Parole, als er den Antrag der edlen Hauschner ablehnt, sich mit ihr an den Bemühungen zu beteiligen, dem in München ermordeten Gustav Landauer ein Denkmal zu setzen. Dabei hat er Landauer als gefühlsechten Menschen sehr geschätzt, seinen Zielsetzungen allerdings niemals zugestimmt. Am wenigsten (selbstverständlich) der zionistischen Phase des wildbewegten Sozialisten Landauer. Mit Deutschland durch dick und dünn, das gebietet sein »Verantwortlichkeitsgefühl«. Nie fällt ihm auch nur von ferne ein, daß die Menschheit, daß das jüdische Volk Vorrechte auf dieses Verantwortlichkeitsgefühl haben könnten. – Sogar der Hitlerismus hat diesen übereifrigen Typ nicht völlig zur Selbsteinkehr gebracht. Die Physiognomie der Assimilation verzerrte sich zur Karikatur. Als Paris von den Naziarmeen erobert wurde und wir in Tel-Aviv alle trauerten, alle voll von Sorgen um die Zukunft der Erde waren, hörte ich auf der Straße, zufällig hinter zwei aus Berlin Eingewanderten hergehend, wie der eine freudig-stolz zum andern sagte: »Das haben unsere Jungs sehr jut jemacht.« – Die abgedroschene Phrase »Man traut seinen Ohren nicht« wurde zur unfaßbaren Realität.

Natürlich hatte Mauthner vor allem Jüdischen den entschiedensten Horror. Das war eben die Denkweise jener um 1850 Geborenen, völlig dem Judentum Entfremdeten, den »emanzipierten« Aufklärern. In allem und jedem glaubten sie, von Vorurteilen frei, echte Skeptiker zu sein. Nur in bezug auf das ihnen angeborene Judentum, von dessen wahren Gefühls- und Geschichtswerten sie nicht die geringste Ahnung hatten, das sie aber auch gar nicht kennenlernen *wollten* – nur in dieser Richtung gestatteten sie sich alle denkbaren Vorurteile und Antipathien. So lese ich in Mauthners Briefen an die Hauschner: »Das Buch von Brod würde mich gewiß interessieren, aber auch wahrscheinlich in Zorn bringen; wie alles, was von der Unverschämtheit des auserwählten Volkes herkommt.« (Meersburg, 5. November 1921.) Jüdischer Selbsthaß, den Theodor Lessing am klarsten agnosziert hat, zeigt sich hier in grotesker Form, offenbar hatte Frau Hauschner mein damals erschienenes Buch *Heidentum, Christentum, Judentum* erwähnt. Schon auf den bloßen Titel hin empfindet Mauthner Mißbehagen. Dann heißt es (21. März 1922): »Ich bin nur froh, daß meine spätere Vermutung, Brod hätte Dich beeinflußt, nicht stimmt.« Die gute Hauschner läßt aber nicht locker, denn am 11. August 1922 kommt Mauthner nochmals auf die Sache zurück; es ist sein letzter Brief an sie, 1923 starb er. In diesem letzten (kurzen) Brief geht es nochmals gegen mich als Zionisten, er handelt von nichts anderem sonst: »Es fällt mir ein, daß ich Deine Frage wegen M. Brod nicht beantwortet habe. Mir sind die Zionisten noch unsympathischer geworden, nicht nur unverständlich, aber wenn Du glaubst, daß ich bei Brod etwas finde über die Stellung der heutigen Juden zu geistigen Problemen, so bitte ich Dich, das Porto daran zu wenden.«

Von Mauthner würde ich wohl überhaupt nichts wissen, hätte es nicht die gute Auguste Hauschner gegeben, die mir oft von ihm erzählt hat. Sie war mit ihm nahe verwandt. Doch weiß ich nicht mehr, ob sie ihn als ihren Onkel oder als ihren Cousin bezeichnet hat. Jedenfalls hat er ihre frühe Entwicklung stark beeinflußt und hat auch später als Lehrer an ihrer umfassend-gründlichen humanistischen und sozialen Bildung gebosselt. Der Briefwechsel zwischen den beiden hält ein Menschenleben lang an. (Die Hauschner ist 1850 geboren, also ein Jahr später als er, und ist ein Jahr später als er gestorben, 1924.) – Auguste Hauschner hat in Mauthner stets den geistigen Menschen geehrt, auch wenn sie allmählich fast in allem von seinen Gedankengängen abwich. Ihre Grundhaltung war (wie die seine) eine skeptische, doch hat sie diese Skepsis einigermaßen auch auf ihre Zugehörigkeit zum deutschen Volk ausgedehnt. Auf alles. Sie war in dieser Hinsicht radikaler als er, sah ohne Illusion überall (auch wo es nicht da war) das Kleinlich-Menschliche alle Strebungen und Beziehungen beherrschen. Auch die Tiefe und Bedeutung ihrer eigenen Betätigungen bezweifelte sie oft. Nur in der Musik und in der Dichtung, die sie beide leidenschaftlich liebte, glaubte sie an Reinheit. Besaß dabei aber die ungemeine Gabe, das, was sie den Menschen nahm, indem sie nicht eigentlich an sie glaubte, durch die große Güte und mütterliche Wärme ihres Herzens gleichsam unverdienterweise, grundlos, aus ihrer eigenen Fülle zu ersetzen. Sie schenkte, ohne immer und genau danach zu fragen, ob es die Würdigsten waren, denen sie schenkte. Sie gab auch solchen, an deren Bestrebungen sie zweifelte (sie zweifelte ja prinzipiell an allem). Übrigens handelte es sich hier nicht etwa nur um Geld, oft und wesentlicher um Zuspruch, Anteilnahme, um moralischen Beistand. Für Mauthner, für Gustav Landauer, für Maximilian Harden, Max Liebermann, für die Tänzerin Grete Wiesenthal, für viele Ungenannte hat sie unendlich viel getan. Daß sie in Landauers geläutertem, nicht auf den Dogmen von Marx, sondern religiös fundiertem, in vielem mit Buber übereinstimmendem Sozialismus keine Chance sah (denn die Menschen sind, so meinte sie, zu egoistisch von Grund aus, nicht zum Gemeingeist beierziehbar), das legte sie trauernd in dem konkret aufgebauten Beispiel und Schulfall ihres vorletzten Romans *Die Siedlung* dar. Ohne einen andern, positiveren Ausweg aus der sozialen Krise zu zeigen, die sie qualvoll stark empfand. Vielleicht steht in ihrem letzten Roman *Die Heilung* (den ich leider nicht kenne) ein befreiendes Wort?

Frau Hauschner stammte aus einer der sehr wohlhabenden Prager deutsch-jüdischen Familien, aus dem Hause Sobotka. Sóbota ist ein tschechisches Wort, bedeutet Samstag, Sonnabend, Sabath – ich äußerte einmal im Gespräch mit der alten Dame, ob der Name Sobotka (ähnlich wie die Namen Schöps, Szép u. a.) nicht darauf hinweise, daß die Familie einst der sabbatianischen Bewegung angehört habe und daß das in der Zeit der offiziellen Namengebung (unter Kaiser Josef II.) aus lebendiger Erinnerung hervor zum Ausdruck gekommen sei. Darauf verstummte Frau Hauschner. Nach einer Pause erzählte sie unvermittelt, daß sich in ihrer Familie ein altes Schwert von Geschlecht zu Geschlecht forterbe. Daß man es nur sehr selten zeige. Sie habe es ein einziges Mal gesehen... Dann schwieg sie wieder. Mehr war nicht zu erfahren. – Dazu möge erinnert werden, daß die von Sabbatai Zwi (Schabtai Zwi) ausgehende messianische Bewegung im 17. Jahrhundert die Judenheit mit elementarer Wucht erfaßte; nicht nur die östliche, der Schabtai, in Smyrna geboren, in der Türkei wirkend, angehörte, sondern auch die Juden des Westens. Zeugnis dafür (unter vielen andern) gibt die Glückel von Hameln in ihren 1690 in jiddischer Sprache in Hamburg verfaßten Memoiren, in denen sie erzählt, wie die Juden in Hamburg-Altona ihre besten Habseligkeiten für den Aufbruch nach Palästina packten und jahrelang die Kisten in den Dachbodenkammern stehn hatten, bis sich endlich die Hoffnung auf das erwartete Signal als nichtig erwies. –

Frau Hauschner lebte als Witwe in Berlin, kam aber oft nach Prag. In Prag habe ich sie kennengelernt. Einen Monat vor dem ersten Weltkrieg. Ich litt damals ganz fürchterlich, kaum ertragbar, unter dem unangemessenen und ungeliebten Beruf bei der Postdirektion, als Staatsbeamter. In meiner Erzählung *Notwehr* (späterer Titel *Ein Junge vom Lande*) habe ich diesen elenden Zustand darzustellen versucht, der durch das hassenswerte und frevelhafte, allgemeine Kriegsunglück bald eine ungeahnte Verschärfung erfuhr. – Frau Hauschner muß mir wohl großes Vertrauen eingeflößt haben, denn gleich in meinem ersten Brief (27. Juni 1914) schütte ich den ganzen Jammer meines Herzens vor sie hin. Ich schreibe ihr:

Sehr verehrte gnädige Frau!
Neulich sprach ich hier mit Frau Zavřel, und wir gedachten dabei Ihrer. – Meine Situation ist jetzt eine sehr schlimme: Ich bin plötzlich im Büro auf einen Posten übersetzt worden, wo ich ernstlich arbeiten – sogar denken muß. Sogar mein Herz ist dabei beteiligt, d.h. mein Mitleid. Wenn ich nämlich einen Akt liegen lasse, so bekommt eine Witwe oder Waise ihre Pension um diese Tage später ausgezahlt. Sie können sich denken, daß mir das alle Ruhe nimmt. Jetzt erst sehe ich, wie relativ gut ich es gehabt habe. Dabei diese traurigen, ja grotesk-traurigen Lebensbilder! Ist es nicht grotesk, daß die Witwe eines Briefträgers als Pension – 400 Kronen jährlich (jährlich bitte!) bekommt? Bei den heutigen Zuständen! Sehen Sie, ich bin ganz in mein Referat verfallen, denke schon nichts Vernünftiges. Wie freue ich mich auf meine Ferien. Sie betragen (ebenso grotesk) – zwölf Tage im August.

Herzlichst Ihr
Brod.

Die eingangs dieses Briefes erwähnte Frau Zavřel ist zugleich (gemeinsam mit dem bewundernswerten Berliner Erzähler Martin Beradt) die Herausgeberin der *Briefe an Auguste Hauschner*, in denen kein Brief von Frau Hauschner, nur eben Briefe an sie abgedruckt sind (so hat sie es letztwillig angeordnet) und in deren ausgespartem Raum um so deutlicher das geisterhaft-feine Bild der vornehmen Frau mit ihrer unendlichen Güte, mit ihren vielen philanthropischen Interessen, ihrem Unglauben und der Gutwilligkeit trotz allem, der Hoffnung trotz allem erscheint. – Zavřel, ein Prager Tscheche, war ein Freund Meyrinks, Leppins, des »weiteren Prager Kreises«, auch ich kannte ihn gut. Er ging nach Berlin, wurde dort

Theaterdirektor, erregte durch seine exquisiten Einfälle Aufsehen. Ähnlich wie die begabte tschechische Schauspielerin Sybil Smolová, die Kafka und ich verehrten, die dann in Berlin auftrat, von Kerr bewundert, von Wegener geheiratet wurde. Schon diese Beispiele des engen Zusammenhangs zwischen Deutschen und Tschechen, zwischen Prag und Berlin zeigt die Absurdität, die Aus-der-Luft-Gegriffenheit der oben erwähnten Theorien von Isoliertheit und unsichtbaren Ghetto-Mauern um den Prager Kreis. –

Wenn ich zu kurzem Besuch nach Berlin kam, verfehlte ich damals nie, Frau Hauschner zu besuchen. Die Gasse, in der sie wohnte, führte den mir seltsam klingenden Namen »Am Karlsbad«. (Seltsam, weil er mich an unsere Stadt Karlsbad in Böhmen erinnerte, daher keinen Sinn und nicht einmal eine anständige grammatikalische Form ergab.) Sie war ungemein still, diese Gasse. So still, daß man in dem lärmenden Berlin ihre Ruhe als etwas Unwahrscheinliches, ja kaum Natürliches empfand. Noch dazu ganz in der Nähe der vom Großstadtverkehr durchtobten Potsdamer Straße. – Wie oft bin ich in der hübschen bescheidenen Wohnung gesessen, die mir dunkel und klein erschien, in deren einem Zimmer aber, dem »Salon«, zwei Klaviere standen und an manche Pracht, die glänzenden musikalischen Soiréen erinnerten, von denen man mir erzählt hat. Erlebt habe ich zufälligerweise keine von ihnen, was nicht verwunderlich ist, da ich nur selten und für ganz kurze Zeit nach Berlin kam. Doch scheint aus dem Roman *Rudolf und Camilla,* dem zweiten Teil der *Familie Lowositz,* hervorzugehen, daß Frau Hauschner einst in Berlin mit Feuereifer Klavierstudien getrieben hatte. Der Roman hat ja deutlich autobiographische Züge. Auch Rudolf (Mauthner?) schwärmt für den allgewaltigen Bismarck. – Die zurückhaltende Frau war in aller Schlichtheit eine Meisterin des Gesprächs. Bei ihr habe ich Gustav Landauer und Jakob Schaffner kennengelernt, beide ihre bevorzugten Schützlinge, zwei sehr entgegengesetzte Naturen (wenn ich nicht irre, ist Schaffner später, bald nach dem Tode seiner immersorgenden Protektorin, zu den Nazis übergegangen). Und nicht nur an diese beiden, auch an viele andere, die ganz entgegengesetzten (mystischen oder nationalen) Strömungen angehörten, verteilte Auguste Hauschner die Gunst ihrer empfänglichen und doch auch verschlossenen Seele.

Eines ihrer Zentren blieb Prag, zu dessen bunter Gestaltenfülle sie immer wieder zurückkehrte. Kein Wunder, daß wir einander im Stofflichen begegneten. Ihr wohl am plastischsten durchmodellierter, an Zolas Naturalismus tapfer geschulter, auch heute noch beachtenswerter Roman *Familie Lowositz* (zwei selbständige Bände) hat im

Milieu manches mit meinem Buch *Jüdinnen* gemein, in dessen Hintergrund auch der oben erwähnte Zavřel als Modell eines geliebten und enttäuschenden Mannes sein Wesen treibt. *Familie Lowositz* spielt allerdings etwa vierzig Jahre vor meiner Erzählung. Ihr *Tod des Löwen* verwendet die gleichen historischen Figuren wie mein *Tycho Brahe.* Noch ein drittes Mal trafen wir einander: Mein Roman *Das große Wagnis* ist ein Buch utopischer Hoffnung wie ihre *Siedlung.* Wir stellten das mit heiterem Erstaunen fest. Ich schrieb der Verehrten (30. April 1918): »Wir haben einander schon einmal im Stoffkreise getroffen – als Sie *Familie Lowositz* schrieben und ich *Jüdinnen.* Sie heben auch sehr treffend in Ihrer Selbstanzeige hervor, daß dies kein Zufall ist, sondern Wirkung des gemeinsamen Milieus.« – Dem Tschechentum suchte Frau Hauschner gerecht zu werden, rückte von der Intoleranz ihres Lehrmeisters Mauthner weit ab, wiewohl ihr die Tschechen immer fremd und unheimlich blieben. Sie zeichnete sie als Hausmeistersleute, arme Studenten, Bohemiens. Respektable Patrioten und Sozialisten unter ihnen. Doch in einem ihrer Bücher fand ich die Verse zitiert, in die Clemens Brentano *(Die Gründung Prags)* seine Fürstin Libussa visionär ausbrechen läßt:

Ja, wie des Bergstroms Sohn, der blanke See,
Liegt sie gebettet in der Sonne Glanz,
Und wie versteinte Wogen ringsum seh
Ich stolze Schlösser, hoher Tempel Kranz.
Sie jauchzen lichtstolz in der Sonnenhelle,
Prag, Prag, du unsres Glanzes Ehrenschwelle.

In der letzten Zeile spielt Brentano darauf an, daß das Wort Prag (Praha) vom tschechischen »prah« (= Schwelle) abgeleitet wurde. Der »blanke See« erinnerte mich daran, daß mir einmal die breite Fläche der Moldau in Prag als Meerbusen, als »Bai von Prag« erschienen war. So gab es überall heimliche Zusammenhänge. Auch daß in der *Familie Lowositz* unter den (von der Dichterin zum Teil recht gehässig gezeichneten) Juden einer Kafka, einer Welsch (ohne t) hieß, selbstverständlich ohne jede Beziehung auf meine besten Freunde, die die Hauschner nie kennengelernt hat, berührte mich eigentümlich, ja schmerzlich. Nebenbei bemerkt: Die bei der Hauschner auftretende tschechische Geliebte, eine Sängerin, heißt – Milena, und es tritt einer auf, der Krasa genannt ist wie der junge Komponist, der elend im KZ Theresienstadt umgekommen ist; seine Kinderoper *Brundibar* wurde noch von den Gefangenen aufgeführt. Kafka, Welsch, Krasa –

unheimlich stark ist die Stabilität der Namen in Prag. So innig mischt sich da geheimniswirkend Neues mit Altem. Auch in dem heutigen, völlig tschechisch gewordenen Prag kommt im jungen literarischen Leben der Name Kafka vor, sogar mehrmals (einer der Autoren stellte sich mir als František Kafka, d. h. Franz Kafka, vor), einer ist Leo Brod (nicht mit mir verwandt).

Doch wenn der christliche Dichter Brentano von »Tempeln« spricht, so ist das natürlich als eine Metapher für »Kirchen« gemeint. Es sind nicht die (damals) zahlreichen Prager Synagogen, die Tempel der Juden. Die jüdischen Tempel haben sich nie »jauchzend lichtstolz in die Sonnenhelle« gewagt – sie blieben geduckt und einigermaßen verlegen in den Schattengäßchen der sogenannten »Judenstadt«, dem »fünften Viertel«, das man schon um seines skurilen Namens willen (wer braucht ein *fünftes* Viertel?) verspottete und das in unseren Tagen »assaniert«, d. h. niedergerissen werden mußte, was schon dringend nötig war. Die meisten seiner einzigen Bewohner oder ihre Kinder hatten allerdings längst »bessere«, d. h. gesündere, neuere Stadtteile bezogen. – Auguste Hauschner kennt in ihren beiden Judenromanen nur Deutsche und Tschechen als miteinander kämpfende, um die Hegemonie in der Stadt ringende Völker. Die Tschechen bauten damals, in der von Auguste Hauschner geschilderten Zeit (um 1870), aus eigener Kraft ihr Nationaltheater, zärtlich »die goldene Kapelle« genannt, verlangten eine tschechische Universität, neben der bestehenden deutschen – die Deutschen verteidigten ihren alten Besitzstand, z. B. das Recht der Studenten, auf offener Straße ihre Couleurkappen zu tragen, was die Tschechen als »Provokation« ansahen, u. ä. Von den Juden weiß die Dichterin nur zu sagen, daß sie »nicht eigentlich wußten, wohin sie gehören« – mit all der Pein, die in diesen wenigen Worten beschlossen ist. – Mich hatte damals der erste Strahl des nicht mehr ganz jungen Zionismus getroffen. Ich wußte, wohin ich gehörte. Mich und meine Freunde Kafka und Weltsch hatten Hugo Bergmann und der Studentenverein »Bar Kochba« gewonnen, dessen Mittelpunkt die leuchtend-selbstlosen führenden Gestalten Bergmanns und seiner Freunde bildeten. Darüber und über die inneren Widerstände, die ich trotz allem zu überwinden hatte, findet sich in meiner Selbstbiographie *Streitbares Leben* das Entscheidende. Entscheidung äußerte sich damals auch in meiner Dichtung. Entscheidung war der Faden, an dem die Welt hing. Mit dem Eifer des Neophyten schrieb ich im Mai 1915 an Frau Hauschner: »Solange meine besten Gesinnungsgenossen im Felde sind und fast alle Arbeit auf mir ruht, muß ich mit meinen wenigen Zeitbrosamen recht sehr haushalten, ich hoffe, Sie legen es mir nicht übel aus. Nein, Sie tun es gewiß nicht! Ich glaube, Sie ja schon nach dem kurzen Gespräch zu kennen und bin Ihres Verständnisses für meine heutige Lage sicher. Nach dem Krieg – ja in diesem allgemeinen Aufatmen will auch ich zu etwas mehr Zeit gelangen und gerne eine ernstheitere Stunde mit Ihnen verbringen. Indessen lege ich einen Prospekt unserer schönen, von Buber geleiteten Revue bei. Ich lasse Ihnen zwei Prospekte senden und bin überzeugt, daß Sie darin so viel des Lesens- und Mitfühlenswerten finden werden, daß Sie abonnieren, ja sogar mitarbeiten werden.« Ferner 1916: »Es ist sehr schön, daß Sie den ›Juden‹ lesen wollen. Vielleicht schreiben Sie mir dann auch ein Wort über meine beiden Artikelchen in Heft 1 und 2. In Heft 4 schreibe ich über Gustav Mahler. – Vielleicht fehlt es Ihnen nur an dem richtigen Wissen um das Wesen des Judentums; vielleicht wird Ihnen schon diese Zeitschrift zeigen, daß Ihnen die Ostjuden doch näher stehen als Armenier und Neger, vielleicht stellt sich unverhofft das von Ihnen noch vermißte ›Geheimnis der Sympathie‹ ein. – Vor allem das eine: Der jüdische Nationalismus darf nicht eine neue chauvinistische Nation schaffen, sondern soll nur der versöhnenden, allmenschlichen, heute degenerierten Genialität des Juden eine Gesundung, der messianischen Richtung eine *reale* Unterlage schaffen. – Ich empfehle Ihnen sehr zur Lektüre: Martin Buber: *Drei Reden über das Judentum* und Theodor Herzl: *Alt-Neuland.* Letzteres auch als Roman ein gutes Buch! – Tychos Körperfigur entnahm ich einigen Bildern. – Wenn Sie geniale Musik lieben, versäumen Sie nicht die Oper *Jeji Pastorkyne (Jenufa* von Janáček) im tschechischen Nationaltheater.« Ähnlich 1918: »Ich beeile mich, Ihnen mitzuteilen, daß Sie in der ›Urania‹ getrost Ihr Anarchisten-Kapitel lesen können. Die Urania ist ein neugegründeter Verein der Prager ›deutschen‹ (jüdischen) Gesellschaft. Seine Veranstaltungen sind, wie ich gehört habe, stets sehr gut besucht und recht sorgfältig ausgewählt. – Was mir an diesem Verein wie an allen derartigen assimilantenhaften Veranstaltungen mißfällt, ist die innere Richtungslosigkeit. Ich riet Ihnen eben, das Anarchisten-Kapitel zu lesen. Ebensogut könnten Sie dort eines *für* die Familie und gegen den Umsturz lesen. Man hört dort alles an und zieht aus nichts irgendeine Konsequenz ... Das ist der Jammer unserer Zeit.« Ferner (31. Mai 1918): »Ihre Kritik hat mir eine stille, freudige Stunde gemacht, namentlich auf die Schlußzeilen bin ich sehr stolz, weil Sie da auch meinen Zionismus würdigen, der heute noch von den meisten als eine Art kleiner Narrheit oder Verirrung von meinem Wege angesehen wird.« Und zusammenfassend

Auguste Hauschner,
Jugendbildnis

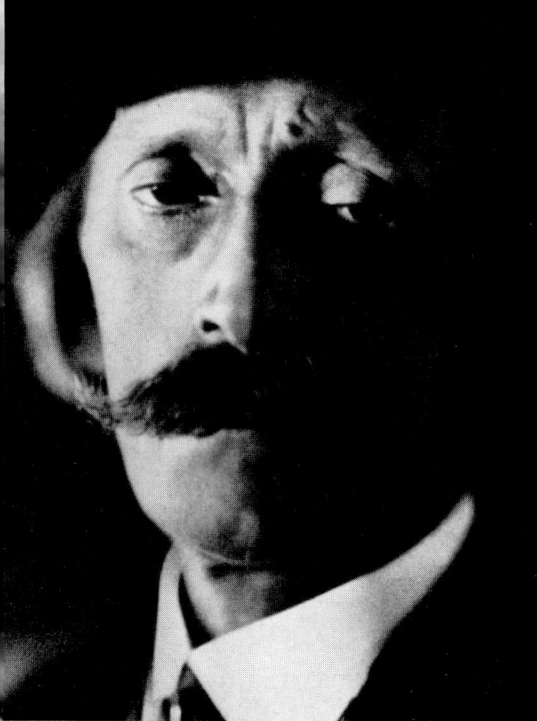

Hugo Salus um 1902

Oben links: Max Brod um 1917
Oben rechts: Franz Kafka als Student
Unten: Franz Kafka als Student und Hansi

nochmals 1919: »Den eingesandten Artikel habe ich mit Freude gelesen. Die Art, wie Sie die Begriffe Internationalismus und Nationalismus (in dem einzig anständigen Sinn der besonderen Geistigkeit) vereinen, ist ganz nach meinem Herzen. Nur in dem einen Punkt differieren wir: Sie betonen Ihre deutsche Komponente, d. h. das Milieu, Kultur, Erziehung – ich mehr meine jüdische, d. h. Rasse, Angeborenes, Intuition. Im Grunde sind wir ja beide als vernünftige Skeptiker, die wir sind, klar darüber, daß wir Mischwesen sind aus Deutschem und Jüdischem. Das Hervorheben des einen oder anderen Faktors ist nicht Sache der Erkenntnis, sondern des Willens. Ich will mich in dieser Richtung entwickeln, Sie in jener – der Ausgangspunkt ist derselbe. Natürlich glaube ich, viele Gründe für mich zu haben, daß eben Anlage, nicht Erziehung das Schöpferische im Menschen bedingt. Doch ich weiß, daß es in dieser Frage der Willensentscheidung keine Argumente gibt.«

Es kam die Zeit nach dem Krieg, in der ich den »Jüdischen Nationalrat« mitgründete und mit dem Präsidenten Masaryk über die der jüdischen Gemeinschaft zuzubilligenden Rechte mitverhandelte. Brief vom 1. Januar 1919: »Bezüglich meiner politischen Arbeit haben Sie richtig geraten. Nur können Sie sich kaum einen Begriff machen, welchen Umfang sie angenommen hat. Sie hat mich förmlich verschlungen. – Ich bin an leitender Stelle im Jüdischen Nationalrat für den tschechoslowakischen Staat und es sind ungeheure Aufgaben, weit über meine Kräfte, fürchte ich, die ich vor mir sehe. Eine sittliche Regeneration des gesamten Judentums hier, durch Wahrheit, wahrhaftiges Bekenntnis – darf man so etwas hoffen in einer Zeit, in der zwar das eine Unglück, der Krieg, wenigstens offiziell verschwunden ist, die menschliche Bestie aber hinter allen Phrasen hervorlauert, fast so deutlich sichtbar, daß man sich schämt, je an etwas anderes gedacht, geglaubt zu haben? – Immerhin bin ich noch nicht ganz zu Ihrer pessimistischen Philosophie bekehrt. Ich arbeite noch, ich glimme noch. – Beiliegend eine Probe der häßlichen Arbeit, die ich zu leisten habe. Dagegen wirkte unser gestriger Empfang beim Präsidenten Masaryk belebend auf meine Gemütsverfassung. Ein Philosoph auf dem Thron – soll man da nicht Mut schöpfen? Indes ... ich hoffe, Sie bald wieder einmal sprechen zu können. – Daß Sie sich meines Freundes Schreiber annehmen, ist wundervoll. Sie wissen gar nicht, wie oft am Tage mir ein Stein vom Herzen fällt, wenn ich an ihn denke und gleich an Sie in Verbindung mit ihm.«

Der Schluß dieses Briefes bezieht sich auf das Traurige, was mir in jenen aufregenden Tagen zustieß. Frau Hauschner nahm sich damals meines Jugendfreundes, des Komponisten und Kapellmeisters Adolf Schreiber, in seiner Vereinsamung an. Sie war sehr gütig zu ihm, ohne (das ist charakteristisch für sie) an sein Talent zu glauben. Es gelang mir nicht, sie zu ihm zu bekehren – wie ja auch im Falle des Zionismus meine Bemühungen um sie vergeblich blieben. Adolf Schreiber endete durch Selbstmord im Wannsee. Grund war seine allgemeine Melancholie und speziell der Gram darüber, daß man ihn in Berlin nur die verhaßten Operetten dirigieren ließ. Nach seinem Tode (30. September 1920) schrieb ich der Freundin: »Das ist nun freilich ein großer Schmerz, und ich kann ihn gar nicht ausdrücken. Ich lernte Adolf Schreiber kennen, als er 13 Jahre alt war, bei seiner Barmizwah. Als Kinder hatten wir gemeinsam eine Kassa, wir legten unsere Ersparnisse hinein, und wenn zwei Kronen beisammen waren, kauften wir uns Noten für Klavier und Violine. Er spielte Violine, ich Klavier. Wir schwärmten für Wagner und für alles, was ›Dissonanz‹ ist. So drückten wir uns aus. Der Musiker, den wir am tiefsten verachteten, war Weber, seltsam. Besonders die Preziosa-Ouvertüre war für uns der Inbegriff alles Schrecklichen. – Später trennte uns das Nationale. Adolf war nämlich, nun staunen Sie, fanatischer Tscheche, ich ebenso fanatischer Deutscher. Im Jahre 1897 nach den Dezember-Exzessen führte ich ihn vor unsere Wohnung, deren Fenster eingeschlagen waren, und sagte ihm, wenn er nun das Tschechentum nicht abschwüre, so sei die Freundschaft zu Ende. Er schwor nicht ab. – Dann aber führte uns die Musik wieder zusammen und unsere politischen Meinungen änderten sich. – Es kamen die Jahre seine Unglücks; Operetten dirigieren – das war der Fluch! – O wie denke ich aber noch an die süßen Lieder, die er damals schrieb. ›Einer Genesenden‹ von Peter Altenberg. Das wird bleiben! Und viele andere, ich bin überzeugt davon! – Die Ehe aber drückte ihn in Banalität und Mißtrauen gegen sich selbst. Seine Frau ist sehr brav und tüchtig und anständig. Dennoch glaube ich: er hätte früher von ihr gehen sollen! Geraten habe ich ihm das nie. Denn in solchen Fällen gibt es ja keinen Rat. – Das ist der Unterschied zwischen Ihrer und meiner Meinung über Schreiber: Ich halte ihn für ein Genie, wenn auch für ein hundertfach gehemmtes, das nur einigemal für kurze Zeit sich entfaltet hat. – Das wichtigste, was nun noch für den Unglücklich-Ungeschickten zu tun ist, wäre: daß wenigstens eine Auswahl seiner letzten Lieder erscheint! Verehrte, liebe gnädige Frau, möchten Sie nicht die Sorge übernehmen, daß nichts, absolut nichts aus seinem musikalischen Nachlaß verloren geht! Wenn ich im November in Berlin bin, will ich mich um einen Verlag kümmern.

Vielleicht können Sie schon jetzt etwas vorbereiten? Ihre Artikel im B. T. haben ja Interesse für Schreiber geweckt. Könnte man dies nicht ausnützen, um einen Musikverlag zu interessieren?? Vielen Dank für alle Ihre guten Worte!«

Die Kompositionen erschienen, im Welt-Verlag. Ich brachte auch, nach Schreibers Tode, ein Konzert in Berlin zustande, bei dem die Sängerin Manja Barkan ganz entzückend Lieder meines Freundes sang, von mir am Klavier begleitet und durch einen Vortrag aus meinem Buch über den Dahingegangenen eingeführt.

Die Genialität Schreibers wurde mir durch Janáček bestätigt, der im Brief an mich und in einem seiner Artikel auf die Originalität und Schönheit der Lieder Schreibers hinwies.

Die beiden zusammengehörigen Prager jüdischen Romane der Frau Hauschner (der zweite spielt fortsetzungsmäßig zum größeren Teil in Berlin) behandeln eine längst vergangene Periode (etwa um 1870), in der das Deutschtum in Prag noch dominierte, wenn es auch heftigen Angriffen standzuhalten hatte. Die Zeit, in der das junge Fräulein Sobotka (Camilla) geheiratet hat und Frau Hauschner wurde. Geschrieben und erschienen sind die Bücher lange nachher; 1908 *(Familie Lowositz)* und 1910 *(Rudolf und Camilla)*. Die ganze Sicht hatte sich verändert. Auguste Hauschner stellt die längst überwundenen Vorurteile einer überholten Zeit wahrheitsgetreu dar. Das macht, sei es auch betrübend, ihren historischen Wert aus. Ob sie selbst die Vorurteile gegen das tschechische Volk überwunden hat, weiß ich nicht. Wir haben zufälligerweise dieses Thema nie berührt. Ich nehme es als sicher an, daß die klarblickende, energische Frau über nationale Vorurteile, trotz der Einwirkung der alten Schule Mauthners, weit hinausgekommen ist. (Nur in der jüdischen Frage wohl nicht.)

Um diese Zeit der Veröffentlichung von *Familie Lowositz*, sogar ein Jahr früher, äußerte ich mich schon ganz anders. Es ist dies vielleicht seit den Tagen Goethes, Stifters, seit den romantischen Versen Hartmanns und Meißners *Zizka*, und nach den nicht zu Ende gebrachten Ansätzen im Werk der Hauschner und Rilkes der *erste* klare, unmißverständliche Versuch, die Zusammengehörigkeit des deutschen und des tschechischen Volkes in Böhmen, einen deutlichen Friedensschluß zu deklarieren. Eine wortlose tapfere Tat von acht Malern war vorangegangen. Sie eben ist es, auf die ich in meinem Bericht *Frühling in Prag* aufmerksam mache. Den Bericht brachte am 18. Mai 1907 die in Berlin von Dr. Adolf Heilborn herausgegebene Wochenzeitschrift »Die Gegenwart«. Überflüssig hervorzuheben, daß der wenig über zwanzig Jahre alte Humanist, der ich war, die Dinge wesentlich optimistischer gesehen hat, als sie lagen, und vor allem: als sie sich nachher entwickelt haben. (Übrigens kann auch der im folgenden wieder abgedruckte Bericht dazu beitragen, die Legende von der »dreifachen Ghettomauer« und von der »Weltabgeschlossenheit« der Prager Minorität kräftig anzunagen.) Ich schrieb:

Prag, Anfang Mai

Da gibt es in Prag, eigentlich schon vor der Stadt, ein Plateau; das habe ich sehr gern. Man spielt dort Tennis und Fußball. Auch liegen dort Felder, in deren Schollen sich jetzt die ersten Frühlingslüfte einwühlen. Man geht dort spazieren. Einmal habe ich sogar einen recht seltsamen Spaziergang dort gehabt, wegen eines dunklen schönen Mädchens, mit einem Rivalen ... Aber davon will ich jetzt nicht erzählen.

Jetzt will ich nur sagen, daß auf diesem lieben Belvedereplateau einige liebe Maler wohnen. Man hat mich zu ihnen geführt, und ich habe entzückende Stunden in einem kleinen Atelier verbracht, vor ihren Bildern. Und diese Bilder hängen jetzt in einer kleinen Ausstellung; viel neues Leben, viel Erzittern, viel junger Frühling an den paar Wänden.

Ich will zuerst das Neue dieser Menschen und Maler erzählen, dann etwas von den Bildern ... Diese Menschen sind Künstler, aber sie gehen nicht mehr in der Livrée der Künstler herum, nicht mit langen Haaren, Calabresern, Attrappen aller Art. Sie sind bürgerlich gekleidet, sie haben die Bohème überwunden. Den Bourgeois zu epatieren, ist nicht mehr ihr Hauptziel; sie fühlen sich innerlich so sehr im Kontrast zu den Massen, daß sie es äußerlich zu zeigen gar nicht mehr nötig finden. Auf dieser komplizierten Basis wird ihnen ein Verkehr mit gewöhnlichen Menschen wieder möglich und erwünscht, man rückt einander näher, man wird liebenswürdig und betont das Trennende nie zu unrechter Zeit, man lebt freundlich mit der Familie ... Unter den Bildern finden sich viele gemütliche Familienszenen; man sitzt bei Tisch, erzählt und ist dem Nachbar gut gesinnt.

Und auch andere Kämpfe vergißt man. Frühling! Frühling! ... Deutsche und Tschechen haben sich hier zusammengefunden, acht Künstler ohne Rücksicht auf ihre Nationalität. Hier in Prag, der Zentralstelle dieses Kampfes, wo nicht nur Kegelvereine, sondern auch lyrische Klubs im Schatten nationalfarbiger Banner zusammenkommen ...

Es erscheint schwierig, einem Nicht-Prager die spaßigen und heiklen Nuancen unserer sprachlich geschichteten Gesellschaft vorzuführen, die mit großem Eifer das Talent pflegt, nur immer Trennendes der beiden Volksstämme, nie das Zusammenführende zu betonen. Man möchte uns zu lebenden Abzeichen und Knopflochschleifchen züchten, unsere Ansichten zu Parteikommuniqués ... Demgegenüber wandelt mich die Lust an, zu beweisen, auf die Gefahr hin, einige Patrioten beiderseits zu verstimmen, ... zu beweisen, daß in Prag kaum mehr von einer rein deutschen und einer rein tschechischen Nation die Rede ist, sondern nur noch von Pragern, Bewohnern dieser herrlichen und geheimnisvollen Stadt. Eine Verschmelzung ist eingetreten, das Blut hat sich vermischt, kulturelle und wirtschaftliche Beziehungen locken über die Grenzen. Aus Eigensinn spricht man noch von zwei Armeen, wo es eigentlich nur mehr Überläufer gibt. Die deutschen Parteiführer tragen tschechische Familiennamen, und umgekehrt. Rasse ist ein wankelmütiger Begriff ... Man wird mir einwenden: aber die Sprache! ... O nein, die Deutschen verirren sich manchmal in eine harte Aussprache, die Tschechen haben erst vor nicht langer Zeit ihre Sprache von Germanismen gereinigt ... Und mächtiger als alles bewährt sich das Milieu der alten schönen Stadt, das generationenlange Beisammenleben. Allen Politikern zum Trotz verträgt man sich bei Festlichkeiten und nächtlichen Zufällen, wir haben die Melodien von Suk und Smetana miteinander, miteinander das Belvedereplateau, seltsame Spaziergänge, Regen und Wind, die Wellen der Moldau, die Sagen und die denkwürdigen Stellen, die an Ziska und Scharka erinnern, Rückblick, Zukunft, Österreich, Frühling und die braunen Schollen der Felder. –

Als ich einige Bilder von *Willy Nowak* zum ersten Mal sah, war ich gerührt von dieser neuartigen Harmonie der Farben, dem kalten Glanz und Geformtsein, den lautlos hingebreiteten Fluren und der slawischen Seele, ja der slawischen Seele darin ... Dann erfuhr ich, daß sich Nowak einen Deutschen nenne. So kann sich der Patriot und Völkerpsychologe in Prag blamieren. Doch genug von dieser mir schon fast zu selbstverständlichen Angelegenheit! Klassische Größe und ein vollkommen persönlicher Stil zeichnen alle Gemälde Nowaks aus. Man empfindet gerührt und beruhigt, daß die Welt durch diesen Meister wieder einmal schöner, neuer geworden, bereichert ist, daß junge Wunder in ihr erstrahlen. Ein großes Familienporträt, auf dem der Künstler sich, seinen Bruder, seine Mutter, die Veranda seines Landhauses in Mnischek, einen Tisch mit vielen Obstschalen und Schüsseln und Äpfeln zusammenkomponiert, muß ich überirdisch,

nein, recht irdisch schön nennen. Und alle die sanften Landschaften mit den mannigfach geteilten und gefärbten Flurstreifen, mit den vorn wie an einer Schnur hingereihten Baumkugeln. Und überall Obst, Obst, Fruchtbarkeit, Farbenpracht ... Äpfel auf einer Schüssel vor einem Fenster, das die Aussicht auf einen Schneefall oder auf einen an laubiger Wand ins Wiesental strömenden Regen freigibt. Äpfel in einem ganz stillen, geschlossenen fensterlosen Zimmer, wie metallene, grüne, rote, gelbe Kugeln; an manchen löst sich ein Streifen Schale und rollt wie ein Band davon. Ein dumpfer Gemüsegarten nach dem Regen; trübe nahrhafte Luft atmet aus dem dicken Grün, nasse Wolken lasten über den zerfließenden Bergen hinten, fangen sich in den schwer verregneten Baumkronen, und ein dunkler Mann tritt breitspurig in die große mürrisch-erfrischte Natur ... Auf einem anderen Bilde ist es Winter. Winter! Friert euch noch nicht? Schaut nur diese drei kleinen Dorfmädchen, denen ein Windstoß die Röcke anpackt und in ornamentale kalte Zacken legt. Hrrrr ... kalt! kalt! die heftige Bewegung und doch so erfroren; die Linien frieren und die Farben, man braucht sich nicht erst das Gegenständliche zu Gemüt zu führen, den Schnee etwa und die kreischende Brettsäge rechts, ... die Linien und die Farben frieren ... Und sie sind ein ander Mal erwärmt und lebendig, wenn es der Künstler will; sie gehorchen ihm. Er kommt der Natur in seiner neuen Art und ohne eine Spur von Naturalismus nahe. Auf seinem Selbstporträt stellt er sich dar, wie er einen Apfel mit geknicktem Arm emporhebt, hinter einem Haufen von Früchten stehend, vor einem an die Wand geschlagenen Blatt Papier, das einen porzellanblauen Baum und die aufgehende Sonne zeigt. In Freude stimme ich diesen Symbolen zu!
Ottokar Kubin kommt ihm im Glanz der Farben nahe, in seinen neuen Stücken übertrifft er ihn. Dicke rotgelbe Lehmerde gibt er; einen Garten im Vorfrühling, dessen Lattenzaun vor Nässe dunkelviolett glänzt, Nässe lagert um die sehnsüchtigen Astkurven, um den leuchtenden Birkenstamm, Feuchtigkeit, Feuchtigkeit, kühler gewehter Dunst über dem Teich im Hintergrund; dann stellt er Porträts aus, die wie Grundstücke hingemalt sind, mit tiefen roten Furchen, Poren wie Schollen. Die Farbe liegt dick auf, oft wie ein plastisches Material behandelt. Dieser Künstler scheint mit *Bohumil Kubišta* das stärkste technische Talent der Gruppe. Kubišta stellt schöne Pastelle aus, effektvolle Militärbilder, ein wundervolles großes Selbstporträt (Federzeichnung), grelle Laternen und brutale Frauen aus Florenz, Straßen von Pola ... Ja, sie reisen viel, diese jungen Leute, sie sind abenteuerlustig und sehen die Welt, alle reisen viel und kehren mit

erstaunten entwöhnten Augen in die Heimat zurück. Sie wundern sich über die fremden Länder, und dann wundern sie sich wieder über die Heimat; so glücklich und stark sind sie. Da zeigt *Anton Proscházka* ein ländliches Mahl. Ein Mahl?... Ein Fressen ist das, etwas Unbegreifliches, Animalisches; jeder Strich dieses Bildes wundert sich, regt sich über so staunenswert gesunde Bäuerlichkeit auf. Die Magd legt die nackten Arme auf die Tischplatte, öffnet das weite Maul, aus dem die Zähne weiß wie Bein klaffen, sie langt sich was aus den dampfenden Schüsseln; und dort das Kind starrt zufrieden vor sich hin, während der Löffel im Mund steckt, dicke geschwollene Backen; und am rückwärtigen Ende des Tisches baut sich der riesenhafte zergehende Busen und der in die Luft zur Decke stierende Kopf der alten Bäuerin auf, die ihre Faust mit der Gabel machtvoll aufstützt.

Melancholische und zarte Effekte liebt *Friedrich Feigl*, Spätsommer, Herbst. Er dichtet trübe Landschaften, den ewigen weißen Staub des Moldauwehrs, traurige Mühlen, mißmutige Fabriken. Eine eigentümliche Askese und Wehmut, eine sanfte Eigenart breitet sich über seine Farben und die kargen Striche, über seine sonnenlose Welt, die doch so fest im Raum steht. Auch von einer italienischen Reise hat er Bilder mitgebracht; aber es ist Winter, ein stahlblauer Himmel über der Villa Borghese, tote knisternde Parkwege... *M. Filla* biegt eine Villa mit roten Ziegelstreifen milde an einen Teich hin, herbstlich reine klare Luft rieselt aus dem freien Himmel in einer Ecke des Gemäldes... Die Seele spricht. Sie soll nicht sprechen, der Maler will sachlich sein, aber sie spricht doch. Darin liegt ein starkes Novum... Auch bei den sehr bedeutsamen Werken von *Max Horb* ist es so. Daß die Seele bei ihrer Sprache alle literarischen Mittel verschmäht, nur malerisch zu Worte kommt, ist selbstverständlich gemeinsame Ansicht aller acht Künstler, auch *des achten, Georg Kars*, der diesmal fernbleiben mußte, weil er seine wichtigeren Werke jetzt in Paris ausstellt und hier nichts Überholtes zeigen wollte. Alle fühlen sich den französischen Impressionisten nahe. Meier-Graefe hätte seine Freude an diesen Jungen!... Ein Beispiel dieser heimlichen, unaufdringlichen, schamhaften Romantik, dieser nur malerischen Seele: Horb malt einen von greller Sonne überschwemmten Platz. Das ist mehr als die übliche, rein naturalistische Sonne, mehr als Wahrheit der Farben und Beobachtung. Das ist eine Hymne an das Sonnenlicht, eine neue Sonne, ein Jubel und Aufschrei an die Sonne. Der Platz ist wie von Sonnenlicht glattgewaschen, triefend gelb, ein langer großer Blitz. Und, als hätte sich alles Leuchten der

Welt auf diesen Platz ausgeschüttet, verfinstert sich in der Nebengasse, im Hintergrund der Himmel zu einer rätselhaften Nacht ..., das elektrische Bogenlicht, fast muß es dort leuchten und gegen die Beschattung ankämpfen. So herrlich unrichtig ist das gemalt, so fehlerhaft, mit verschwiegener Romantik und groß!
Ich schließe nicht, ohne nochmals auf das Genie Nowak aufmerksam zu machen. Ich will nicht sagen, daß er der Bedeutendste dieser acht Künstler ist. Aber jedenfalls liebt man ihn zuerst. Und von ihm aus findet man dann die Wege zu den Seelen der andern. Und schließlich liebt man sie alle Acht.
Es wäre sehr dankenswert, wenn sich ein Berliner Salon dieser neuen und reichen Kunst eröffnete, z. B. Cassierer ...

Nachwort 1966: Der Maler Ottokar Kubin, der später nach Paris ging und sich Coubine schrieb, war Tscheche und ist mit dem Deutschböhmen Alfred Kubin (aus Leitmeritz) nicht zu verwechseln, der nicht zur »Gruppe der Acht« gehörte. Bemerkenswert, daß ein deutscher und ein tschechischer Meister genau den gleichen Namen trugen. Verwandt waren die beiden nicht. Mit Alfred Kubin standen Kafka und ich später in freundschaftlichem Verkehr. Daß Alfred Kubin auch ein großer Dichter war (*Die andere Seite*, Roman), auch Schreiber, nicht bloß Graphiker seiner Gesichte, bedarf keiner Hervorhebung.

Die »Ausstellung der Acht«, die im unscheinbaren, zufällig leerstehenden, noch nach Mörtel riechenden Geschäftslokal eines Neubaus stattfand, erregte Widerspruch und Beifall. In späteren Jahren wurde Nowak Professor an der Prager Malerakademie. Ich besitze von ihm das erwähnte Winterbild mit der Brettsäge und andere, noch schönere Werke (ebenso das Moldauwehr Feigls und eine Chantantsängerin, herrlich frech, von O. Kubin). Filla rückte zum Präsidenten des Tschechischen Vereins auf, der nach dem verführerisch gestaltenden, durchaus genialen Maler Mánes genannt ist. – Von den acht Ausstellern waren Kubin, Kubišta, Prosházka, Filla Tschechen, Nowak, Feigl, Horb, Kars Deutsche; die drei Letztgenannten Juden. – Über Bilder habe ich (da ich mich in der Malkunst nicht genügend ausgebildet weiß) nur selten geschrieben, eben über die »Acht« und viel später einmal über Horb, einmal über den ganz engelhaften, aus religiöser Tiefe schaffenden Deutschböhmen Brömse, einen Inspirierten ersten Ranges! Ach, daß sogar das wirklich Inspirierte in unserer Zeit so rasch vergessen wird! Mindestens dreimal in der Woche wird man an Goethes Briefworte erinnert (im Brief an Zelter, 9. März 1831): »Wissen doch die Menschen weder von Gott, noch von der Natur, noch von ihresgleichen dankbar zu empfangen, was unschätzbar ist.« –

Man sieht, daß wie Auguste Hauschner auch ich im Jahre 1907 nur von zwei Völkern in Böhmen wußte. Zumindest ein Jahr mußte noch vergehen, ehe ich mich auf die dritte Nation besann, der ich selbst angehörte. 1908 erschien mein kleiner Roman *Ein tschechisches Dienstmädchen.* »Geschrieben für Franz Blei, weil es ihm in Prag so gut gefallen hat.« Das ganze Werkchen war überdies schon Ende 1907 in der von Franz Blei geleiteten Zeitschrift »Die Opale« erschienen. – Mit der Kritik gegen dieses Buch, die Leo Herrmann in der zionistischen Wochenschrift »Selbstwehr« veröffentlichte, begann die Krise in mir, die allmählich, in vielen Stufen des Übergangs, die Wahrheit ans Licht brachte.

In meinem *Streitbaren Leben* berichte ich über diese Episode: »1909 war ich über den Kritiker, der ebenso jung war wie der Autor und der so altklug tat, ehrlich empört. Ich lud ihn zu einer Aussprache ein. Wir diskutierten lange und heftig. – Am Ende der Debatte wußte er einiges über den Gedanken der reinen Kunst, der dichterischen Tendenzlosigkeit, der ich damals in der Nachfolge Flauberts exakt und dabei, ohne es zu wissen, höchst schwärmerisch anhing; ich dagegen hatte das Primitivste über die jüdische Volksbewegung gelernt; und war reif für die bald nachher einsetzenden Gespräche mit Hugo Bergmann über das unerschöpfliche Thema: jüdisches Volk, jüdischer Glauben, jüdische Religion. – So hat eigentlich das *Tschechische Dienstmädchen* eine zwar zufällige, aber wichtige Rolle in meinem Erwachen gespielt. Allerdings nicht ganz die Rolle, die ihr in der Erzählung selbst zugedacht war. Immerhin aber doch die Rolle einer Erweckerin. Es war der Anfang meiner Einführung in die echte Problematik des Volks- und Glaubenswesens.«

Als dann Buber im Jahre 1913 mit dem Prager Verein Bar-Kochba sein Sammelwerk *Vom Judentum* herausgab, in dem u. a. Gustav Landauer, Wassermann, Moritz Heimann, Erich Kahler, Margarete Susmann (mit ihrem tiefspürenden Essay über Spinoza), Karl Wolfskehl, Arnold Zweig, Hugo Bergmann mit der epochalen *Heiligung des Namens,* Hans Kohn, Ludwig Strauß, Oskar Epstein, Robert Weltsch vertreten waren, bezeichnete ich mich in dieser Anthologie als »Jüdischen Dichter deutscher Zunge«. Noch genauer definierte ich später in der »Neuen Rundschau« (November 1918) in einem Artikel *(Deutsche, Juden, Tschechen),* daß ich mich als Jude fühle, mit den Deutschen in allem »kulturverwandt und befreundet«, mit den Tschechen »befreundet« weiß. Eine teilweise

Kulturverwandtschaft mit den Tschechen hätte ich wohl auch zugeben sollen, namentlich im Hinblick auf die tschechische Musik und eine ganze Reihe dichterischer Erscheinungen in diesem hochbegabten Volk. Doch meine Erziehung war eben doch eine überwiegend deutsche. An den Antisemitismus, der sich später in den Deutschen zu einer in der ganzen Weltgeschichte nie vorher gesehenen Mißgestalt entwickelte, dachte ja 1918 niemand. Aber auch nachdem die Stürme des Hitlerismus sich entladen und so viele meiner Stammesgenossen, Freunde, Verwandten, auch meinen geliebten Bruder und Freund mir von der Seite weggerissen hatten, verbot ich mir jeden Haß und gelangte zur Forderung der »Distanzliebe«, die ich in meinem Buch *Die Frau, die nicht enttäuscht* (Allert de Lange in Amsterdam, 1933) und seither wiederholt, an vielen Stellen verfochten habe.

Sie besagt, diese Forderung der Distanzliebe zwischen den Völkern, vor allem, daß der Begriff der Toleranz, so erhaben er an sich, so wünschenswert die Realisierung seines Inhalts ist, *nicht ausreicht*, um menschenwürdige Beziehungen zwischen den Varianten der Gattung Mensch (das sind eben die Nationen) zu schaffen. »Toleranz«, »Duldung« – darin liegt immer noch ein Rest süffisanten Hinabschauens auf den Nächsten oder gar ein biederes Auf-die-Schulter-Klopfen, eine Art taktlosen Bevormundens oder doch ein leichter Anklang an eine solche Art.

Wohl hat Lessing in seinem *Nathan* das hohe Lied der Menschenliebe angestimmt, vor ihm hat Klopstock den österreichischen Kaiser Josef als den großen Befreier der Juden aus dem Joch der Vorurteile in unsterblichen Versen gefeiert. Ich bin nicht Zyniker genug, um zu sagen, daß diese oder ähnliche Manifestationen gar keine Wirkungen gehabt hätten. Aber sie gerieten doch ebenso rasch – nicht in Vergessenheit, wohl aber in eine Art von Ausgeblichenheit, wie auf der anderen Seite die Bemühungen von Moses Mendelssohn, den Juden bürgerliche Gleichberechtigung zu erringen, indem er die jüdische Religion in zwei Teile teilte. Er teilte sie, wie er meinte, objektiv-sachlich, in einen Kern und in eine Schale. Der *Kern* war allgemein-menschlich, war eine Fülle philosophischer Erkenntnisse, die mit dem, was die Philosophie der Zeit Mendelssohns, also vor allem Wolff, herausgestellt hatte, eine auffallende, aber in gewissem Sinne auch verdächtige, das heißt: zeitbedingt rationalistische Ähnlichkeit aufwies. Dieser »Kern« genügte nach Ansicht Mendelssohns, die reputierliche Aufnahme in die universaleuropäische Gemeinschaft zu rechtfertigen. Der Rest des Judentums als Lebensform war *Schale* – und konnte allmählich, im Laufe der Jahre oder Jahrhunderte, abgetan werden, wenn auch Mendelssohn selbst in seinem persönlichen Leben an den alten Brauchtümern ernsthaft und sinnreich festhielt. Er erklärte sie aber doch (zumindest in der Theorie, nicht in der Praxis) als zweitrangig – und in seiner eigenen Familie, schon in seinen Kindern, zeigten sich die Folgen. Diese Schale enthielt nämlich, der Obstschale vergleichbar, die lebenswichtigen Vitamine, den nationalen, historischen, mystischen Erbschatz des jüdischen Volkes, das Alogische, das eben nicht »auf Namen ruht«, das »Schweigende«. Durch Mendelssohn entstand die ganze, in ihren Ausläufern kaum übersehbare Bewegung des jüdischen religiösen Liberalismus. Sie hat viele Irrtümer gebracht, aber auch indirekt viele notwendige Klärungen herbeigeführt. Bis sie gerade in unseren Tagen durch die intensive Forschungsarbeit von Leo Baeck und Martin Buber, durch die Reform in Amerika, durch Hugo Bergmann, Ernst Simon und Shalom Ben-Chorin in Jerusalem von ihren Extremismen befreit und auf ganz verschiedene Arten, unter Anschlußsuche an die alte Tradition, zu einer berechtigten, inhaltsreichen, lebendigen, neoliberalen Strömung innerhalb des jüdischen Volksganzen geworden ist. Trotz heftiger Opposition im einzelnen haben auch die wichtigsten Fraktionen der Orthodoxie den Weg zur Anerkennung des Volkstums eingeschlagen.

Die Juden haben sich während ihrer langen Diasporageschichte an verschiedene Völker zu assimilieren gesucht. So hat der große Religionsphilosoph Maimonides einige seiner Hauptwerke (nicht alle) in arabischer Sprache geschrieben, sie wurden erst später von anderen Autoren ins Hebräische übersetzt. Eine Zeitlang versuchten die Juden, mit den Spaniern kulturell zu verschmelzen; Reste dieser eigenartigen Symbiose haben bis heute überdauert, haben auch die grausame Austreibung der Juden aus Spanien und das Wüten der Inquisition überlebt. Noch heute werden in manchen jüdischen Volksschichten spanisch-jüdische Volkslieder gesungen, mit eigenen altüberlieferten, seltsam bangen und sehnsüchtigen Melodien, in einem eigenen Dialekt, dem Spaniolischen. – Die große Begeisterung der Juden für deutsches Wesen, deutsche Kultur, Philosophie, Dichtung, ihr Patriotismus (zum Beispiel während des Ersten Weltkrieges) ist noch in allgemeiner Erinnerung, und die dann später eingetretene Kultur-Nachtperiode bekam ihre schmerzlichsten Akzente dadurch, daß sich die Juden keiner Schuld bewußt waren, daß sie sich gegen das plötzliche grausame Ausgeschlossensein aus der deutschen Welt innerlich sträubten, und zwar aus Liebe sträubten. Daß zu all dem Monströsen, das sie zu erleiden hatten, auch noch das Unglück enttäuschter Wahlverbundenheit trat, bezeichnet die Höhe des Leids.

Statt hier in Allgemein-Sätze zu verfallen, die immer die Gefahr in sich bergen, zu Gemeinplätzen auszuarten, will ich mich auf ein spezielles, besonders charakteristisches Buch konzentrieren, das wenig bekannt geworden ist, das aber wohl verdiente, neu gedruckt zu werden. Es ist ein dünnes Schriftlein, während der Hitler-Jahre in Holland erschienen, daher in Deutschland kaum je gelesen, es handelt von Walther Rathenau, dem Denker und Staatsmann. Verfasser des Buches ist Alfred Kerr, den ich weniger um seiner Kritiken willen liebe, obwohl einige vorzügliche, erkenntnisstarke unter ihnen sind, als vielmehr wegen der schöpferischen frommen Liebe, mit der er, der sonst nicht wenig Freche, mild deutsche Landschaften und Städtchen nachgezeichnet hat. Rathenau und Kerr – sie stellen zwei grundverschiedene Typen jüdischer Assimilation dar, ich möchte sie den passiven Typ und den aktiven Typ der Assimilation nennen. Das tritt in den Debatten, die der Autor (Kerr) und sein Held (Rathenau) miteinander führen, geradezu grotesk deutlich hervor. Beide Typen, die hier besonders scharf ausgeprägt sind, halte ich für ablehnenswert. Rathenau, der passive Typ, ist von den Erscheinungsformen des Deutschtums wie gebannt. Er ordnet sich völlig unter, er möchte sich selbst in einer seltsamen Art von eitler Bescheidenheit ganz auslöschen, wenn es möglich wäre. Der Deutsche ist ihm der blonde »Mutmensch«, der Jude der auch geistig wirre »Angstmensch«. Dabei hat Rathenau die Anfänge des jüdischen Aufbaus in Palästina, der mit so viel Mut geschah, wohl gekannt, hat sich aber von seinem einmal gefaßten Vorurteil nicht wesentlich abbringen lassen. Was Deutsche taten, war ihm maßgebendes Gesetz, war seine Richtschnur. Als Inkarnation des neueren Deutschtums schwebte ihm die Gestalt Gerhart Hauptmanns vor – womit er allerdings viel Richtiges erkannte, wie überhaupt in Diskussionen dieser Art das Wahre und das Unrichtige auf eine so intrikate Art miteinander verknäuelt ist, daß man oft in Sackgassen gerät. – Ganz anders Kerr. Er hält sich zwar gleichfalls für einen Volldeutschen ohne Furcht und Tadel, aber er beugt sich nicht, er verfällt in das andere Extrem: er weiß besser, was den Deutschen frommt, als diese selber es wissen. Aus seiner von ihm fest geglaubten Integration in das Deutschtum leitet er den Anspruch ab, unfehlbarer Ratgeber des deutschen Volkes zu sein, als Praeceptor Germaniae zu wirken. Zu beachten ist, daß hier ein Irrtum aus Liebe vorliegt – also durchaus nicht böser Wille. Psychologischer Tiefblick mangelt ihm allerdings, aber die Beziehungen, um die es sich hier handelt, sind so kompliziert, daß sie wahrscheinlich innerhalb einer oder zweier Generationen gar nicht restlos bewältigt werden konnten. Auch das jüdische

Element in sich, den jüdischen Geist im allgemeinen verkennt Kerr oft, stellt ihn in wesentlichen Momenten falsch dar. Er verwechselt ihn meist mit dem Städtischen, Zivilisatorischen, Naturentfremdeten, verstandesmäßig restlos Durchlichteten, das bei ihm nur positive Vorzeichen erhält. In seinen einst so berühmten Aufzeichnungen über seine Palästinareise tritt das geradezu peinlich hervor. Die Hinwendung des modernen Juden zur Bodenbearbeitung, zum Bauerntum, diese so mühevolle, anständige und erfolgreiche Bewegung, auf der der Staat Israel zu einem großen Teil beruht und die viele Irrtümer der jüdischen Geschichte auslöscht: Kerr hält diese rustikalnatürliche Entwicklung für einen dunklen, dumpfen Rückschritt. So tut er sich auch als Praeceptor des Judentums auf – mit gleichem Mißerfolg, sei es auch mit gleicher Liebe wie als Praeceptor des Deutschtums. Die Lektüre des Büchleins über Rathenau hinterläßt Verwirrung, deren Entwirrung sich aber lohnt. Eine Neuauflage wäre sehr zu empfehlen, schon weil es sich um ein Dokument jener »Berlin-Grunewald-Kultur« handelt (so möchte ich sie nennen), die einst so maßgebend und wirksam war und ohne deren genaues Studium kein rechtes Verstehen der Beziehungen zwischen Deutschen und Juden möglich ist.

Der Weg der aktiven Assimilation à la Kerr und der passiven Assimilation à la Rathenau ist sehr oft beschritten worden, es gibt viele Varianten der beiden Grundmotive. Das Präceptorentum, heute durch Willi Schlamm in ganz besonderen und berechtigten Mißkredit gebracht, blüht immer wieder auf. Schon mit Heine begann es, aber Heine ist sich (besonders in seinen letzten Jahren, im Buch »Geständnisse«) seiner jüdischen Eigenart zunehmend bewußt geworden, er gelangt mehr und mehr zur Weisheit, zur Ironie, er forscht in sich selbst, erkennt die eigenen Wurzeln und legt sich, wenn auch spät, Einschränkungen auf. Wo er irrt, irrt er aus glühender Liebe zum Deutschtum, ist also in dieser Hinsicht ein Vorläufer Kerrs. Heine gegenüber erscheint Börne bei all seinem spektakulären Radikalismus matt und instinktlos. Heine versteht nicht immer, aber doch sehr oft die eigene prekäre Stellung am Rande von Deutschtum und Judentum. Er modifiziert sein Urteil, indem er diese Stellung immer richtiger, immer präziser mit in Betracht zieht. Börne hat für all diese Komplikationen keinen Spürsinn. In der Verdickung und Vergröberung der Börne-Linie liegt dann später das Wirken Kurt Tucholskys, den ich für einen witzigen, originellen, einfallsreichen Autor halte, doch in seiner Kritik deutscher Zustände von ebendenselben unsichtbaren Scheuklappen behindert und sogar noch entschiedener behindert als Kerr.

Ich habe diese vielen Namen jüdischer Autoren nicht genannt, um jedem einzelnen eine gute oder schlechte Sittennote zu erteilen. Diese Autoren sind mir vielmehr wichtig als Repräsentanten vieler, als Inbegriffe jüdischer Haltung gegenüber dem deutschen Geist und Wesen. Es ist eine oft ressentimentale Haltung, die entsprechend dem hohen Niveau, in dem wir uns hier bewegen, eine ungeheure Spannung, viel Leidenschaft, viel guten Willen mit sich bringt, die aber die beiden Gefahrenpunkte, die ich als passive und aktive Assimilation beschrieben habe, meist nicht vermeiden kann, weil sie sich ihrer gar nicht bewußt wird. – Es ist ein Sich-zu-fern-dem-Deutschtum-Fühlen, was den restlosen Bewunderer à la Rathenau, den ewig Sehnsüchtigen, charakterisiert, und es ist ein Sich-zu-nah-Fühlen, was den Praeceptor Germaniae, den kritischen Schulmeister zeitigt, der derb ins Zeug geht, weil er sich als vollständig dazugehörig empfindet. Beide Typen sind subjektiv ehrlich. Daß sie nicht immer segensvoll wirken, haben wir leidend erlebt (um einen besonders maßvollen Ausdruck zu gebrauchen).

Es wäre also eine dritte mögliche Art von Verhältnis der Juden zu den Deutschen zu suchen – und glücklicherweise ist sie kein Märchentraum, sondern hat sich sogar in der kurz zurückliegenden monströsen Katastrophenzeit der deutsch-jüdischen Beziehungen und seither da und dort bewährt. Den zentralen Begriff nenne ich »Distanzliebe«. Er gilt nicht nur zwischen Deutschen und Juden, sondern überall, wo zwei Bevölkerungsgruppen räumlich und seelisch zusammenstoßen, die ihren eigenen Charakter haben. Es handelt sich hier nicht um ein Besser- oder Schlechter-Sein, sondern um ein Anders-Sein. Dieses Anders-Sein hat zur Folge, daß eine Distanz zwischen den beiden Bevölkerungsgruppen empfunden wird – diese Distanz verhindert allzu grobe Intimität, vulgär »Aufdringlichkeit« genannt, schafft aber gleichzeitig, eben aus dem Gefühl der Entfernung heraus, den Wunsch, eine Überbrückung zu vollziehen. Distanzliebe ist also ein dialektischer Begriff. Im allgemeinen ergibt sich da, wo Liebe ist, zumindest begriffsmäßig keine Distanz – und da, wo Distanz ist, keine Liebe. Diese Maxime gilt für eine gewisse, durch keinen besonderen Elan ausgezeichnete Ebene des Lebens, trägt aber auch den Wunsch in sich, sich selbst aufzuheben, sich ständig zu überwinden. Distanzliebe geht, da sie doch *Liebe* ist, richtig erfaßt, darauf aus, den zwischen zwei Menschengruppen bestehenden Abstand nach Möglichkeit zu verkleinern. Gerade, weil man weiß, daß ein Rest dieses Abstandes naturgegeben ist, immer bleiben muß und sich redlicherweise dagegen zur Wehr setzt, weggeschwindelt zu werden, gerade deshalb bemüht man sich in gegenseitigem Zueinanderstreben, nichts als diesen Rest, nichts als diesen zwangsgegebenen Rest, aber auch wirklich *nur ihn* wirksam sein zu lassen, in allem übrigen aber, wo nur irgendwie Verbindungen möglich sind, einander die Hand entgegenzustrecken, gerade in dem Bewußtsein, daß man in mancher Hinsicht letzten Endes doch nicht zueinander kommen kann, daß die Natur die Menschen und die Völker nicht gleichartig, sondern sehr verschiedenartig geschaffen hat. Man wird gütig, aufgeschlossen gegeneinander, ja vielleicht verständniswilliger, als gleichartige Menschen zueinander sind. Liebe also trotz der Distanz – und Distanz trotz der Liebe. Die Distanzliebe ist, wie man sieht, ein hochdialektischer Begriff. Die Distanz an der Oberfläche der Beziehung wird nicht verschleiert, sie führt vielmehr gerade dazu, die tieferen Schichten der Seele aufzusuchen, in denen es (selbst nach einer so furchtbaren Katastrophe, wie wir sie erlitten haben) innigmenschliche Zusammenhänge gibt. Und insofern ist Distanz geradezu ein Segen. Sie bewahrt vor Phrasen, sie verweist auf das Schwere, Wesenhafte, Edle, die unterste und ehrlichste Seelenschicht, in der auch das »Heitere« und »Sanfte« beheimatet ist, das nach einem Wort Platons von den Musen geliebt wird. Gerade da, wo man mit äußerster Aufrichtigkeit einbekennt, wie viele Gegensätze an der Oberfläche herrschen, gerade da werden die geheimnisvollen beglückenden Tiefenbindungen der Seelen aktiviert, die lautersten Bindungen von Mensch zu Mensch, Bindungen, in denen das Schweigen dominiert und in denen Betrug, Ehrgeiz, Neid, ja das geringste zweideutige Wort unmöglich erscheinen.

Ich glaube nicht, mit diesen Formulierungen allein zu stehen – wiewohl mir klar ist, daß große Teile des jüdischen Volkes selbst heute, da die Neubegründung des jüdischen Staates die Lösung der Distanzliebe als die natürlichste erscheinen läßt, einen bequemeren Weg vorziehen. Was mich selbst angeht, so hat mich meine Ehrfurcht vor Goethe, Stifter, Grillparzer, Mörike – meine Liebe zu ihnen – nie dazu bewogen, den Abstand der Art, die Distanz des Ausdrucks und Inhalts zu verkennen. Auch als Lernender und Verehrender diesen Großen gegenüber habe ich mir meine Freiheit bewahrt, die aus den Quellen meiner jüdischen Volksverbundenheit emporbricht, aus meiner Religion und der messianischen Hoffnung, aus meiner Naturverbundenheit, die sich auf den neubegründeten Staat Israel und seinen innigen Friedenswunsch stützt. – Ich glaube, daß in den »Zehn Thesen«, die Hermann Levin Goldschmidt auf der »Konferenz für progressives Judentum« 1959 in London unter dem Titel *Das jüdische Verhältnis zu Deutschland* aufgestellt hat – trotz Verschiedenheit des Ausgangspunktes – manches enthalten ist, was sich mit meiner Formel der

»Distanzliebe« deckt – namentlich sein Satz: »Der Neinsager kommt von dem Verneinten am wenigsten los. Unser Ja aber gewährt beides: Offenheit und Liebe den Deutschen gegenüber ... und neue Freiheit zu jeder Tat, wie unsere tiefste Lehre und Heilsgewißheit sie von uns fordern.«

Es war nötig, diese prinzipielle Stellungnahme zu dem Problem der gegenseitigen Beziehung zwischen den Deutschen und Juden in Prag an dieser Stelle zu erörtern, da in den Jahren 1904 bis 1939, die das Thema des nachfolgenden Kapitels bilden, die Zahl der Juden in der Prager deutschen Literatur zunimmt und weil sich einzelne unter diesen Juden ihres jüdischen Erbes (das mit deutscher Kulturzugehörigkeit vereinbar bleibt) immer stärker bewußt werden. Selbst für solche Dichter, die es liebten, sich in christlichen Zusammenhängen zu sehen (wie Werfel), gilt diese Feststellung.

Es ist oft die Frage aufgeworfen, wie es kommt, daß neben dem Weltgenius Rilke und neben dem spitzfingrig sensitiven Original Meyrink, neben der formstrengen, dabei pastellzarten Lyrik der Hedda Sauer, der Gattin des bedeutenden Germanisten, insbesondere Grillparzer-Forscher August Sauer und neben der dämonischen Verträumtheit Paul Leppins, Hadwigers, Walter Seidls usw. in Prag so zahlreiche Autoren jüdischen Ursprungs auftauchten, unter ihnen Männer prophetischen Ranges wie Kafka. Ich spreche hier nur von Prag, ich halte es nicht für meine Aufgabe, der Literaturgeschichte der Sudetendeutschen eine weitere Arbeit dieser Art hinzuzufügen. Von den Deutschen aus den Randgebieten habe ich bisher nur diejenigen Dichter hervorgehoben, die (wie z. B. Stifter) unendlichen Einfluß auf uns, den Prager Kreis, hatten, und werde auch in der Folge nur jene behandeln, die auf den Prager Kreis wirkten, mit ihm Kontakt hatten (wie Mühlberger, Dietzenschmidt, Walter Seidl u. a.). Damit sollen die andern nicht im geringsten herabgesetzt werden. Es gibt unter ihnen hervorragende Lyriker, wie den völlig in sich geschlossenen, eigenartigen Richard Schaukal, gute Erzähler wie z. B. Karl Hans Strobl, Kolbenheger, Brehm – aber mit dem Prager Kreis, den ich hier behandle, hatten sie keine ideelle Verbindung. Im Prager Kreis nun gab es durchaus nicht etwa lauter Juden (das bezeugen ja die fünf gewichtigen Namen, mit denen ich dieses Absätzchen beginne) – es gibt noch andere, ich werde von ihnen noch sprechen, ohne Vollständigkeit erreichen zu können, ja ohne sie ernstlich anzustreben. Aber es ist doch auffallend, wie viele Juden und Halbjuden zu derselben Zeit in die literarische Bewegung Prags eingriffen. Diese merk-

ben links:
skar Baum um 1912
ben rechts:
elix Weltsch um 1963
echts:
udwig Winder um 1920

Oben (v. l. n. r.):
Stehend: Paul Leppin,
Ernst Ascher
Sitzend: Dr. Back,
Max Brod, Emil Faktor
Um 1905

Oben rechts:
Die vorletzte Seite
von Kafkas Manuskript
» Über Apperzeption «

Rechts:
Eine Ansichtskarte Kafkas
an Max Brod (1911)
mit dem Schloß in Friedland,
dessen Äußeres bei der
Konzeption des Romans
» Das Schloß « (neben der
entscheidenden dichterischen
Erfindung) mitgewirkt hat

ben links:
skar Baum um 1912
ben rechts:
elix Weltsch um 1963
echts:
udwig Winder um 1920

Oben (v. l. n. r.):
Stehend: Paul Leppin,
Ernst Ascher
Sitzend: Dr. Back,
Max Brod, Emil Faktor
Um 1905

Oben rechts:
Die vorletzte Seite
von Kafkas Manuskript
»Über Apperzeption«

Rechts:
Eine Ansichtskarte Kafkas
an Max Brod (1911)
mit dem Schloß in Friedland,
dessen Äußeres bei der
Konzeption des Romans
»Das Schloß« (neben der
entscheidenden dichterischen
Erfindung) mitgewirkt hat

würdige Tatsache gilt es objektiv zu betrachten. »The position of the Jews inside the cultured German stratum of Prague was strange enough in itself; but the concentration of Jews amongst the exponents of German culture was from any point of view striking« schreibt Hans Tramer in seinem im folgenden oft herangezogenen großen Essay, der sich durch eine richtige Darstellung des jüdischen Elements vor dem in der Bibliographie genannten Essay P. Eisners auszeichnet.

Man kann diese Position ebenso wenig zwingend erklären wie manch anderes Naturphänomen. Man kann hypothesenhaft auf ähnliche Erscheinungen in Wien und Berlin hinweisen. Doch diese sprechen keine so eindeutige Sprache wie die in Prag. Das liegt schon in der Proportion der Prager Bevölkerungsschichten begründet. Im Jahre 1900 zählte Prag 415 000 Tschechen, 10 000 nichtjüdische Deutsche, 25 000 Juden, von denen 14 000 sich zur tschechischen, 11 000 zur deutschen Umgangssprache bekannten (nach Hans Tramer: *Prague – City of Three Peoples,* siehe Bibliographie). In der relativ kleinen deutschen Minorität waren also die Juden numerisch ein wenig stärker. Ferner ist für Prag vielleicht die Feststellung wichtig, daß die Prager jüdische Gemeinde einst ein Zentrum jüdischen Lebens war. Die erste hebräische Druckerei in Mitteleuropa wurde 1512 von der aus der Provence stammenden Gelehrtenfamilie der Gersoniden in Prag gegründet. Es gab auf dem Gebiet jüdischen Glaubens, aber frühzeitig auch auf dem der weltlichen Wissenschaften (der Astronom und Historiker David Gans, Zeitgenosse Tycho Brahes) ein reges geistig-schöpferisches Leben. Nach der Emanzipation bahnten sich die Enkel und Urenkel dieser alten, durch Generationen gepflegten Kultur den Weg zum Ausdruck in deutscher, manche auch in tschechischer Sprache. Der große tschechische Dichter František Langer *(Peripherie)* und sein Bruder Jiří Mordechai Langer, der letzte, der in Prag hebräische Verse geschrieben hat, sind nahe Verwandte von mir, Vettern zweiten Grades. Es ist wie ein Umschlagen jahrhundertealter jüdischer Geistigkeit in sprachlich neue Formen, jedoch ohne den Muttergrund dieser Geistigkeit zu verleugnen oder auch nur verleugnen zu können. – So schreibt auf Grund archivalischer Studien der gelehrte Bibliothekar der Prager jüdischen Gemeinde Tobias Jakobovits, der leider wie die meisten Prager Juden ein Opfer der Nazis geworden ist, in seinem Artikel »Die Abstammung« (*Dichter, Denker, Helfer,* siehe Bibliographie), daß meine Familie mit der des berühmten Hohen Rabbi Löw, des hebräischen Schriftstellers und legendären Schöpfers des Golem (Anfang des 17. Jahrhunderts), verschwägert war und daß ein Sprosse dieses Hauses, Rabbi Elias ben Todros Brod (am Anfang des 18. Jahrhunderts), als Autor des Kommentars zu einem Talmud-Kommentar (so schrieb man damals. Man dachte in Superkommentaren) und anderer Werke genannt wird. Starb 1713 an der Pest. »Sein Grabstein ist noch heute erhalten. Er war gezwungen, sein Haus zu verkaufen. Dürfte diese Summe zur Herausgabe seines Werkes gebraucht haben«, meint Jakobovits. Schriftstellerpech also schon vor zweieinhalb Jahrhunderten! Obwohl das Werk sogar eine 2. Auflage erlebte. Mit der Familie scheint es von da ab finanziell bergab gegangen zu sein. Immerhin wird einem der Agnaten auf seinem Grabstein (Alter Judenfriedhof) nachgerühmt: »Er war vertraut mit vielen Wissenschaften und musikkundig, er verstand zu spielen« (1754). Sein Bruder war Schrottgießer. Ein anderer Bruder lebte von Goldstickerei. In der nächsten Generation werden zwei Brüder als »Musikanten« angeführt. In der folgenden gab es einen jüdischen »Schalksnarren«, dessen Beruf es war, bei freudigen Anlässen, z. B. Hochzeiten, die Gäste »durch witzreiche Reden und Gedichte, wie durch Possen zu belustigen« (Jakobovits). Sein Bruder, der Musikant Isak, war der Vater meines Großvaters, des Schneiders und gelehrten Laien (Chawer) Josef Brod.

Es ist für jeden, der sich nur ein weniges in jüdischem Wissen umgetan hat, keine Neuigkeit, daß Prag in all den Jahrhunderten nicht nur die Stadt »gelehrter Laien«, sondern auch rabbinischer Autoritäten von außerordentlichem Rang war. So wirkten hier u. a. David Oppenheim, der Kabbalist (gestorben in Prag 1736, dessen wertvolle Bibliothek sich heute in der Bodleiana zu Oxford befindet, wo auch der weitaus größte Teil des Nachlasses von Franz Kafka aufbewahrt ist), ferner Jecheskiel Landau, Heinrich Brody, dem wir eine bedeutende Anthologie hebräischer Lyrik aus der spanischen Epoche und die moderne vierbändige Ausgabe des Divan des Jehuda Halewi verdanken, Nathan Grün, der Erforscher vieler Episoden der Prager jüdischen Lokalgeschichte, der witzige Reb Schmuel Freund, Alexander Kisch, einer meiner Religionslehrer, dessen allwöchentliche »Exhorten« (Predigten) im sabbathlichen Schulgottesdienst wir zu hören hatten (sie begannen immer mit den Worten »Meine lieben jungen Freunde«) und der als Vater des von mir im *Reuchlin* vielzitierten und auch sonst hochverehrten Professors Guido Kisch neulich wieder in meine lebhafteste Erinnerung getreten ist.

DRITTES KAPITEL

Die beiden letzten Halbgenerationen vor der Zeit des »engeren Prager Kreises«

In der vorletzten Generation vor der Zeit des »engeren Prager Kreises« dominierte der Dichter Hugo Salus. In der letzten, d.h. uns nächstbenachbarten Generation dominierte Paul Leppin. Eigentlich waren es Halbgenerationen oder gar nur Viertelgenerationen, denn Salus ist 1866, Leppin 1878, Kafka 1883 geboren.

Mit Salus rivalisierte Friedrich Adler, der 1857 in dem kleinen tschechischen Städtchen Amschelberg geboren ist. Vielleicht hat diese tschechische Umgebung seiner schweren Jugend, die in seinen ersten Gedichten klagt, den betonten deutschen Nationalismus seiner späteren Zeit in Prag mitbewirkt. Ähnlich wie bei Fritz Mauthner, der aus dem tschechischen Horschitz bei Königgrätz kam. Juden dieser Art wurden in jener Zeit die radikalsten Vorkämpfer des Deutschtums in Prag (das schließlich diese Waffenhilfe von vielen Jahrzehnten ihnen und ihren Kindern 1939 mit äußerstem Undank, ja satanischem Haß, mit Vertreibung, Folter, Mord und Diebstahl lohnte). – Das deutsche Bewußtsein hinderte Adler nicht, den ihm geistesverwandten tschechischen Eklektiker Jaroslav Vrchlický (Emil Frida), den Übersetzer des *Faust* und sehr vieler anderer Höhenwerke der Weltliteratur, als großen Meister zu erkennen und seinerseits Vrchlickýs Epos *Barkochba* ins Deutsche zu übersetzen. Auf diesem Umwege näherte sich Friedrich Adler wie durch Zufall (doch es gibt keinen Zufall) dem in ihm fast verschütteten Judentum, zumindest eine Zeitspanne lang. Die echte Freundschaft zwischen den beiden Dichtern Vrchlický und Adler war ein verheißungsvoller Auftakt zum Verständnis zwischen den Dichtern der zwei Völker. – Bemerkenswerterweise hat auch Hugo Salus in seinem Gedichtband *Neue Garben* ein Freundschaftsgedicht an Vrchlický gerichtet. – Adler war übrigens dauernd dem Geist fremder Sprachen universal aufgeschlossen. Seine elegante Übersetzung von Tirso de Molinas Lustspiel *Don Gil von den grünen Hosen* wurde vom Burgtheater aufgeführt und behauptete sich jahrelang im Repertoire dieser und im Gefolge dann auch anderer deutscher Bühnen. Es war sein größter äußerer Erfolg. Nahe kam er ihm dann später nochmals mit seinem Sonettenzyklus *Vom goldenen Kragen*, der gegen die Beamtenmentalität, gegen alles Bürokratische Pfeile schoß. Er selbst war Beamter; wenn ich nicht irre, Sekretär der Prager Handelskammer. Mit Leidenschaft verfolgte er jede Spur von Verbürgerlichung in sich, in andern. Viel zitiert wurde damals ein Gedicht von ihm, das seinen Teekessel besang. »Mein Kessel und ich – wir beide sieden.« Daneben gelangen ihm in seiner Lyrik zarte intime Stimmungen wie das Gedicht »Dämmerstunde«. (Ich entnehme es Mühlbergers wissendfarbigem Buch *Die Dichtung der Sudetendeutschen:)*

Sprich nur, sprich! Ich höre die Rede rinnen,
Ich höre dich.

Durch das Ohr nach Innen
gleitet die Welle.
Frieden trägt sie und Helle
tönend mit sich.

Ich höre die Worte rinnen –
ich will mich auf keines besinnen.
Ich höre dich.

In späteren Jahren trat ich dem greisen Dichter persönlich näher, ich lernte seine unbestechliche Rechtschaffenheit, sein schlichtes Herz schätzen. Eine Zeitlang saßen wir mit andern gemeinsam in einem Ausschuß, der Literaturpreise zu vergeben hatte. Da hatte ich Gelegenheit, seine absolute Rechtlichkeit zu beobachten, die bis in die kleinsten Details ging und völlig uneigennützig war. Es war eine Freude.

In der Rivalität mit Adler war Salus der gewandtere; aber auch die kompliziertere, aus gewitzteren Elementen zusammengesetzte und witzigere Figur. Problematischer, weniger durchsichtig, manchmal zynisch, oft ironisch, also in gewissem Sinn das, was man »moderner« nennt. Doch behielt er sich immer gleichsam den Rückzug auf das Biedere vor. Dem mittelgroßen, stämmigen Choleriker Adler tritt der in jeder seiner weitausholenden Bewegungen freiere, überschlanke Sanguiniker Salus entgegen. – Worum übrigens der langjährige Streit zwischen den beiden ging, ist mir völlig unbekannt geblieben. Vielleicht um das gleichgültige Präsidiumsamt in einem der repräsentativen Vereine? Ich weiß es nicht. Es interessierte uns nicht.

Salus stammte aus dem deutschböhmischen Städtchen Böhmisch-

Leipa in Nordwestböhmen, in dem ausschließlich deutsch gesprochen wurde. Als junger Mann kam er nach Prag, studierte da und machte sich als praktischer Arzt, Geburtshelfer, Gynäkologe ansässig. Ein hochgewachsener, eleganter, vielumschwärmter Mann. Er heiratete seine geliebte Olga, ein schönes, reiches, hochgebildetes Mädchen. Das glückberauschte Buch *Ehefrühling* (von Heinrich Vogeler-Worpswede illustriert – die höchste Auszeichnung, die damals einem jungen Dichter widerfahren konnte) wurde sein erster Erfolg. – Seine Stellung zum deutsch-tschechisch-jüdischen Problem war der Friedrich Adlers ähnlich, sei es auch um einige Nuancen jünger, also milder. In einem schönen Gedicht huldigt er dem tschechischen Musikgenie Antonín Dvořák. Er sieht den Mann mit dem kauzig-bäurischen Gesicht oft durch die Straßen gehen, mit rustikalem, energischem, grobem Schritt, »nicht eben ansehnlich anzusehn – wie etwa ein Amtmann, ein früh entgleister – oder ein mäßiger Landbürgermeister«. Sie kennen einander nicht persönlich. Doch Salus folgt, magisch angezogen, »dem stämmigen Herrn« von weitem, er sieht ihm dankbaren Herzens lang über die Moldaubrücke nach, da merkt er, daß bekränzte lächelnde Grazien den rüstigen Greis schwebend begleiten. – Das ist ein schönes, reines Gedicht. Schöner als sein oft rezitiertes Gettoliedchen »Estherl, mein Schwesterl, was ist dir geschehn«. Salus erschien auch, als Felix Salten in Prag, gemeinsam mit Martin Buber, sprach, in einer zionistischen Veranstaltung, und der 1917 von Siegmund Kaznelson herausgegebenen Anthologie *Das jüdische Prag* widmete er einen Beitrag »Ashasver«. Politisch gehörte er freilich zur deutschliberalen Partei, wich keinen Schritt von deren Linie ab. Ja, in Wahlzeiten konnte er ganz rabiat werden. Als die Zionisten (zu denen ich schon damals gehörte) zu den Prager Stadtratswahlen eine eigene Liste aufstellten, die, nebenbei bemerkt, an den Kräfteverhältnissen im Gemeinderat gegenüber der gewaltigen tschechischen Majorität nicht das geringste ändern konnte, veröffentlichte er in einer Prager Zeitung ein wildes Gedicht, in dem es den nicht eben guten Reim gab:

> Heute gibt es nur Deutsche!
> Wer nicht deutsch wählt,
> Verdient die Peitsche.

Doch es ist unmöglich, einem Nicht-Prager oder einem, der nicht jahrelang in Prag gelebt hat, die feinen und auch die unfeinen Varianten der Stellungnahme in der heißumstrittenen und historisch verwickelten Nationalitätenfrage klarzumachen, in der die Beschriftung jedes Ladenschildes und jeder Straßentafel ein Sprachenproblem, ein Politikum wurde. »Um das zu verstehen, muß man halt ein gelernter Deutschböhm' sein« – ist das berühmte Wort, das der Wiener Ministerpräsident Graf Taaffe gesprochen haben soll.

In den Versen von Salus mischt sich fast untrennbar Sentimental-Untiefes mit Echtem, Wahrhaftigem. Doch einige seiner Gedichte sind vollendet, sind Meisterstücke. Was kann man mehr erreichen! – Besonders ergreift er, wenn er sich an Szenen aus seiner ländlichen Heimat erinnert. Das Drachensteigen auf den Stoppelfeldern, die Großmutter bei der Lampe, Bauernblumen in den Fenstern selbst der Ärmsten, die bellende Hundemeute, die Geburt des Jesuskindes, die er sich ohne Kälte und Schnee nicht denken kann.

Zu schnein am ersten Dezember fing's an,
Schneit weiter zum neuen Jahre dann:
Durch Stöbern und Schnein
Reiten die heiligen drei Könige ein.

Das ist ein herzhafter Klang, der an Goethes *Epiphanias* herankommt. – Erkenntnisreich wirkt es auch (»Durch Ritzen nimmt man Abgründe wahr«, sagt Flaubert vom echten Kunstwerk), wenn in einem Gedicht ein aus der Wirklichkeit genommenes oder nur leicht modifiziertes Wort auftaucht, nach dem Vorbild Liliencrons. So wenn nach einer Dichtervorlesung fade Komplimente vorgebracht werden. Auf einmal aber ruft eine Kinderstimme: »Ich hörte dich so gern noch weitersingen.«

Arnold Schönberg hat 1901 ein Gedicht von Salus komponiert. Es heißt »Einfältiges Lied« (Tramer l. c.). Er erteilte ihm damit für alle Zeiten den international gültigen Ritterschlag. – Hierzu sei bemerkt, daß ich wenige Jahre später, ohne von des verehrten Meisters Schönberg Komposition zu wissen, drei Gedichte von Hugo Salus in Musik gesetzt habe. Ich glaube, daß ich in der Textwahl glücklich war. Es sind drei der schönsten Gedichte des fruchtbaren, doch manchmal durch billiges romantisches Arrangement aus der Rolle fallenden Lyrikers. Das erste: Ein von Herbstseligkeit und Musik durchzittertes Sonett an den Prater, »In der Allee von hundertjährigen Bäumen«; betitelt »Wien«. – Dann die »Alte Uhr in Prag«, vor kurzem auch als Komposition veröffentlicht. Und schließlich das folgende, dessen Titel ich vergessen habe, das mir aber auch heute noch am besten gefällt. Heißt es nicht etwa: »Stilles Glück«?

Wir sitzen beisammen im Lampenschein
Und schaun in dasselbe Buch hinein.
So Wang an Wang und Hand in Hand,
Eine tiefe Ewigkeit uns umspannt.

Ich höre leise dein Herze klopfen,
Eine Stunde schon hat keines gesprochen
Und keines dem andern ins Auge geblickt.
Wir haben die Wünsche schlafen geschickt.

Es war schön, wenn die liebe Frau Salus dieses Lied, und andere dazu, mit ihrer leichten Stimme sang und ich sie begleiten durfte und ihr Mann im Lehnstuhl daneben saß, andächtig zuhörend. Was für ein Frieden in dem alten, längst versunkenen Prag! Besonders schön sang Frau Olga altitalienische Kanzonen, die großartig feierliche Liebesansage »Caro mio ben« und die liebliche Melodie »Pur dicesti o bocca bocca bella, questo caro e soave si«. Es gibt keine Schönheit, die stärker wäre als diese Lieder. Was für Abende, was für ein Frieden, wie ferne den barbarischen Zeiten, die 1914 begannen und bis heute nicht zur Ruhe gekommen sind!

»In einer Zeit unerhörter Erstarrung der deutschen Lyrik hat er mit ängstlichen Händen das Feuerlein gehütet und wach erhalten«, sagt Josef Mühlberger l. c. sehr treffend über Salus.

Salus hatte ein einziges Kind, von den Eltern nach ziemlich langer Ehe jubelnd begrüßt. Sie nannten den Sohn Wolfgang. (Vorher hatte Salus schon fast resigniert das *Trostbüchlein für Kinderlose* geschrieben.)

In meiner Bibliothek stöbernd, finde ich das Gedichtbuch von Wolf Salus: *Musik der Stunden* (Heimverlag Adolf Dreßler, Radolfzell am Bodensee 1931). – Ich glaube, daß der Vater nicht mehr lebte, als diese Verse erschienen. In den letzten Jahren vor der Nazikatastrophe war mein Zusammenhang mit dem Haus Salus gerissen. Ich sah das Unheil heranrollen. Salus wollte es nicht sehen. Ich hatte immer weniger Zeit zur Diskussion, denn ich arbeitete vor allem daran, zu retten, was sich retten ließ, das heißt: was den Willen hatte, in das Land Israel hinübergerettet zu werden. Ich glaube, daß ich durch Wort und Beispiel vielen Tausenden geholfen habe. (Wie man sieht, bin ich gar nicht so bescheiden, wie man mir immer wieder bis zum Ekel nachrühmt.) – Meinem Freunde und warmherzigen Förderer Hugo Salus hat es ein gnädiges Schicksal erspart, von den

Deutschen, für die er sein Leben lang schwärmte und kämpfte, in einem Konzentrationslager totgequält zu werden. Er und seine Frau starben auf normale Art vor der argen Zeit. Über das Schicksal Wolfgangs ist mir nichts bekanntgeworden.

Die Verse von Wolfgang Salus sind an vielen Stellen noch unfertig, die Reime zu leicht, fast kindlich. Manches zunächst dem Vater nachempfunden. So schon der Titel des Buches. Doch ein neuer starker Ton macht sich bald bemerkbar, ein radikaler Sozialismus, messianistisch ernst.

Zerreißt das Kleid!
Streut Asche auf das Haupt!
Verlacht das Leid
und ... glaubt!
Glaubt an die unendliche Sehnsucht
und flucht!
Flucht allem Trägen
und denkt an den Segen
der Erde,
das Werden
der Wiedergeburt.
Und murrt!
Hebt eure Hände
und schleudert Brände
in finstere Nacht.

In einem Gedicht »Stille Stube« werden die leblosen Dinge lebendig. »Manchmal löst sich unter der Wucht der Stille – ein Tuch von einer Sessellehne. – Manchmal fallen Kleider zu Boden – wie Menschen. – Nur dann und wann blinkt einer Silberkanne Schein – und macht durch Lärm die Stille zum Leben.« Man könnte hier beinahe an eine Beeinflussung durch den großen tschechischen Dichter Jiří Wolker denken, der gleichfalls Sozialist war. Plötzlich, neben gereimten Marx-Dogmen, ein packend trostloses Bild: »Zuchthausfriedhof« (an dem die Züge vorbeirasen). »Formiert Bataillone zum letzten Krieg!« – »Bauernkrieg.« In signo Florian Geyer. Hunger als Leitmotiv der Weltgeschichte. – Bach wird nur für die reichen Leute gespielt. – Ein sehr schönes Gedicht von der Einsamkeit einer Telegraphenstange. Wieder Wolker? Doch nein, der Funke, der aus dem fahrenden Zug springt, ist auch nur Betrug. Kein Kontakt. – Reisesehnsucht. »Oft trieb es mich hinaus – des Abends zu den Viadukten.« Die schwarzen Viadukte in Žižkov-Karolinenthal, den Arbeitervorstädten. Ich kenne sie. Wolf Salus: »An Viadukten lehnt ich reisesehnsuchtstrunken.« Ein schöner Vers, sonoren Klanges ... Armer einsamer Dichter! Zuletzt eine Vision von Moskau. Oder Erlebnis? Sollte er wirklich nach Moskau gelangt sein, so ist er wahrscheinlich von Stalin umgebracht worden (statt von Hitler). – Ein Gerücht sagte, daß Wolfgang Salus Trotzkist geworden war. Über die Richtigkeit dieses Gerüchtes kann ich nichts sagen. Ich habe diesen jungen Dichter nie gesprochen.

Kulissenwechsel. Ich gehe jetzt wieder in die richtige Zeitfolge zurück, nachdem ich einen Sprung voran getan; begebe mich ordnungsgemäß in die Halbgeneration, die auf Hugo Salus folgt: Victor Hadwiger, Paul Leppin, Oskar Wiener. Der »Verein bildender Künstler in Prag«, in dem die genannten Dichter rezitieren (als Gast: Rilke), in dem der Maler Richard Teschner, der aus Eger stammende Bildhauer Wilfert daheim waren, ferner Universitätsprofessoren, Dozenten wie der kluge, spöttische Brentanist Kastil, der eine Zeitlang auch die für das Deutschtum Böhmens repräsentative Monatsschrift »Deutsche Arbeit« redigierte. – Das alles trug sich zu, als ich noch sehr jung und der Öffentlichkeit so gut wie unbekannt war.

Leppin und Hadwiger erschienen meist zwillingsbrüderhaft gemeinsam. Sie waren beide sehr groß und trugen enorme Hüte, fielen auch auf der Straße auf. Beide sehr blaß, bunte Künstlerkrawatten flatterten um ihren Hals. Im übrigen sahen sie einander gar nicht ähnlich. Leppin bot, wiewohl er gern lachte, vielmehr kicherte, jedenfalls spitzbübisch lustig sein konnte, einen kranken emacerierten Eindruck. Hadwiger, dessen erstes Gedichtbuch *Ich bin* (1903) Aufsehen erregte und in Werfels Buchtitel *Wir sind* ein Dezennium später wiederkehrte – »Wehrt mir die Ratten ab, ich bin gesalbt!« stand als Motto vor dem Original –, Hadwiger war blond, kräftig; so hatte ich mir immer einen rechten Germanen vorgestellt. Ich verehrte damals, noch unter dem Einfluß von Schwabs *Germanischen Heldensagen,* diesen Typus ganz ungemein. Schüchtern, wie ich war, habe ich ihn nur von fern bewundert, nie mit ihm gesprochen. Ich hielt ihn für einen Sudetendeutschen von echtem Schrot und Korn. Er ist aber in Prag geboren, in dem gleichen Jahr wie Leppin (1878). Übrigens tauschte er bald den Wohnort Prag mit Berlin. In Berlin ist er, ein Bohémien aus Anlage und Prinzip, frühzeitig (1911) gestorben.

Das Fragment Hadwigers *Aus Abraham Abts Vorleben* steht in der Zweimonatsschrift »Hyperion«, 1909, achtes Heft. Der große Entdecker, der als erster oder einer der ersten auch auf Claudel, Jules

Laforgue, Robert Walser, Robert Musil, Sternheim, Kafka, auch auf mich und manchen andern hingewiesen hat – ich meine Franz Blei –, hat auch Hadwiger zu einer Zeit gebracht, da niemand sich um ihn kümmerte. Heute wird er als zeitlich erster Expressionist betrachtet (H. W. Eppelsheimer). – Es scheint mir, als hätte er später manches allzu sehr unter der Perspektive des »Romanischen Cafés« in Berlin gesehen. Ins Tierhaft-Satanische verirrte er sich, da er unter allen Umständen das »Philiströse« vermeiden wollte. Maßlos war er, unbesonnen, aus Trotz ordnungslos. Doch wundervoll klar und rein rinnt seine einfache rustikale Prosa an einigen Stellen des genannten Fragments: »Ich kann einen Ton finden für mein Einsames und darf alle Worte verschmähen, über die Schwelle meiner Lippen kommt ein Ton, ungewollt, unenträtselt. Ich bin ohne Altar, ich habe nicht in mir, was ich unkeuschen Göttern opfern könnte, ich habe nicht das Lob Gottes zu singen. Meine Saite ist der Halm, der aus dem Felde wuchert, meine Lehrer sind die Harmlosen, die Nachtigallen ohne Heimat. Sie sind die Vögel der Verkündigung, o sie flattern über den Kronen mit hellen Stimmen und erfüllen mein Frühlingsherz. Das dumpfe Rauschen der Waldbäume durchbrechen sie mit dem feinen Klang ihres Gesanges. – Hab ich je Nachtigallen gehört in meines Vaters Hütte? Was war zwischen den schweigenden Zweigen der sich unter einem schweren Segen beugenden Äste, war je eine süße Stimme zwischen den Zweigen der grünenden Obstbäume? Große Vögel mit schwarzen Flügeln störten manchmal mit heiserem Gelächter den stummen Grübler.« – Diese und viele ähnliche Stellen sind, nebenbei gesagt, weitere Belege dafür, wie »ausschließlich städtisch« die Dichter des Prager Kreises fühlten. Doch ich will mich mit dieser Entstellung nicht länger aufhalten.

Paul Leppin, der Leidende, auch physisch von einer in jener Zeit unheilbaren Krankheit Verzehrte, der von Grund aus Unheimliche, hatte doch auch eine gesellige Seite in seiner Natur, etwas geheimnisvoll Clowneskes, ja Koboldhaftes. Wie Wedekind spielte er die Laute und sang dazu die von ihm selbst gedichteten, boshaften und gar nicht salonfähigen Bänkellieder. Im Kreis des »Vereins bildender Künstler« blieb keiner verschont. Zwei dieser Bänkel (richtiger: eines und ein Trümmerstück) sind mir all die Jahre lang in Erinnerung geblieben. Da sie wohl nie veröffentlicht worden sind, zeichne ich sie hier auf. Ich sehe Leppin noch, süffisant lächelnd, im Lehnstuhl sitzen, das bebänderte Instrument vor sich. Ich höre seine heisere Stimme, die fast tonlos war – ein zerbrochener Scherben. Zum Verständnis des ersten Bänkels, von dem ich nur noch eine der vielen

Strophen weiß: Es geht auf einen ziemlich verkitschten Professor der Prager Malerakademie, von dem es hieß, daß er in Wien eine schöne Verlobte habe:

Ein Aktmodell hat einst versucht,
Ihm heißzumachen ganz verflucht.
Sie koste ihn, sie küßte ihn. –
Am nächsten Tag fuhr er nach Wien.

Die letzte Zeile kehrt als Refrain nach jeder Strophe wieder, jedesmal als Abgesang einer kritischen Situation, einer Station der Versuchung. – Das zweite Lied, das immer wieder verlangte »Frühlingslied«, bedarf keiner Erklärung:

Ach, das Schweinefleisch wird teuer,
Und der Frühling ist gekommen.
Viele Bürger haben heuer
Schon das erste Bad genommen.

Und im Mondschein, im verschmierten,
Wibbeln, wabbeln alle Kanten.
Bei dem Denkmal Karls des Vierten
Sammeln sich die Buseranten.

Und die Mädchen ohne Mieder,
Die so plastisch im Detail sind,
Kommen auf die Straße wieder,
Weil sie wissen, wie wir geil sind.

Und die Menschen sind meschügge,
Und die Hoffnung ist ihr Anker.
Mancher wird beizeiten flügge,
Mancher erst beim zweiten Schanker.

Vielleicht doch ein Kommentar nötig? Buseranten sind das, was die antiken Dichter auch nicht gerade vornehm »Kinäden« nannten. Und den Zusammenhang versteht man erst, wenn man das beim Altstädter Brückenturm stehende Monument Karls IV. aus einiger Entfernung und unter einem bestimmten Blickwinkel betrachtet. Die meisten Prager wissen, daß dann die in des Kaisers rechter Hand ziemlich tief unten gehaltene Bulle mit dem Siegel wie etwas ganz anderes ausschaut. – Genug!

Natürlich spreizen sich solche und ähnliche Scherze nebst den dazu gehörigen Dummen-Jungen-Streichen nur wie dünne Arabesken, wie glimmende Irrlichter am Rande rund um den schwarzen Abgrund, den des Dichters Leppin Erdensein im Ganzen darstellt. Seine Melodie kam aus der Hoffnungslosigkeit, aus der Verfehltheit eines groß angelegten und unglückselig verpfuschten Lebens, wie es schon der Titel seines ersten Gedichtbuches, *Glocken, die im Dunkeln rufen*, anzukündigen scheint. Diese Vokalharmonie, dieses in den Kosmos schweifende Ungenügen an der Welt, Gier und christliche Askese zugleich, versprach viel. Etwas wie einen deutschböhmischen Baudelaire, doch ohne dessen rettenden »Spleen« und Stolz. Poeta christianissimus. »In seinem Gesicht drückte sich auf eine unwiederholbare Art die treuherzigste und humorigste Verzweiflung und zugleich eine Empfindung aus, die man mit dieser Kameradschaft auf keine Weise in eins zusammenbringen kann: nämlich tiefer Ekel vor dem Leben.« Manches klang wie ein Rilke in Moll. Es fehlte fast immer zwischen den Wolken die Sonne; der Rausch war schwer und kannte kein Entzücken, das fortriß wie bei dem glücklicheren Bruder, als den ich manchmal Rilke zu erkennen glaubte. – Waren es fleurs du mal, die Leppin besang, so waren sie verstaubt, verregnet, modrig, unsauber. Und enthüllte er einmal seine Mysterien, wie in dem lehrhaft populärphilosophischen Buch, seinem schwächsten, *Venus auf Abwegen*, so erwiesen sie sich nicht immer als unbanal. Doch in seinem Roman *Severins Gang in die Finsternis* baut er recht eigentlich die Stadt Prag, die er liebte, mit melancholisch-packenden Kohlestrichen, wie sein großer deutschböhmischer Landsmann Alfred Kubin die Stadt Perle in der bösen Teufelsrhapsodie *Die andere Seite:* »Das Zwielicht dunkelte immer stärker, als Severin durch die Turmeinfahrt der Kleinseite zum Radetzkydenkmale einbog. Bei dem Tore der Hauptwache ging ein Soldat mit geschultertem Gewehr auf und ab, und auf dem alten Platze mit den Laubengängen lag der Farbton vergilbter Kupferstiche. Severin kletterte durch die Spornergasse zum Hradschin hinauf. Die Stadt, die er kannte, war anders. – Ihre Straßen führten in die Irre, und das Unheil lauerte auf den Schwellen. Da klopfte das Herz zwischen feuchten, verräterischen Mauern, da schlich sich die Nacht an erblindeten Fenstern vorbei und erwürgte die Seele im Schlaf. Überall hatte der Satan seine Fallen aufgestellt. In den Kirchen und in den Häusern der Buhlerinnen. In ihren mörderischen Küssen wohnte sein Atem, und er ging in Nonnenkleidern auf Raub aus –.«

Und dieser Roman beginnt Kafka-ähnlich schlicht, wahrhaftig:

»In diesem Herbste war Severin dreiundzwanzig Jahre alt geworden. Wenn er des Nachmittags, von quälender Bureauarbeit zerrüttet, nach Hause kam, warf er sich auf das schwarzlederne Sofa in seiner Kammer und schlief bis zum Abend. Erst wenn draußen die Laternen angezündet wurden, ging er auf die Gasse. Nur im Sommer, wenn die Tage lang und glühend waren, fand er noch die Sonne auf seinen Wegen durch die Stadt. Oder auch an Sonntagen, wo der ganze Tag ihm gehörte und er auf seinen Wanderungen seiner kurzen Studentenzeit gedachte. Severin hatte nach zwei oder drei Semestern seine Studien aufgegeben und eine Stellung angenommen. Nun saß er während der Vormittage in dem häßlichen Bureau und hielt sein kränkliches und bartloses Bubengesicht über die Zahlenreihen gebeugt. Ein ungesunder und nervöser Mißmut kroch mit der Zimmerkälte durch seinen Körper, und dann wurde auch die Unruhe in ihm wach. Das einförmige Gleichmaß machte seine Hände zittern. Eine lästige Müdigkeit bohrte in seinen Schläfen, und er drückte mit den Fingern die Augäpfel in den Kopf, bis sie schmerzten.« »Ein Prager Gespensterroman« ist der Untertitel der traurig aufrührenden Erzählung. – Zum Verständnis sei bemerkt, daß Leppin (wie ich erst später erfuhr) in der Postdirektion arbeitete wie ich; aber in einer noch weit schlimmeren und dabei niedriger bewerteten, rein Mechanisches verlangenden Abteilung, im »Rechnungsdepartement«. Und während ich mich, freilich mit Aufgebot aller Kräfte, nach einigen Jahren vom Elend der häßlichen Arbeit freimachen konnte (die mir für immer das Gefühl für die Leiden der Arbeiterklasse gab), blieb der arme Paul Leppin im trüben Schlamm des verhaßten Berufes stecken.

Die Gedichte, die schon ziemlich spät (d. h. nahe der Katastrophe Prags) unter dem Titel *Die bunte Lampe. Alte und neue Gedichte* im Verlag »Die Bücherstube«, Prag 1928, erschienen sind, türmen ein würdiges Grabmal auf. Im gleichen Verlag und Jahr kam auch eine letzte Prosa heraus, eine gewaltig klagende und anklagende *Rede der Kindesmörderin vor dem Weltgericht.* Ich erfuhr, daß sich Otto Pick um die Ausgabe dieser beiden Bücher bemüht und sie durchgesetzt hat. Dadurch hat sich dieser vielgeschäftige Mann, der mit dem zarten Lyrikbuch *Freundliches Erleben* (ein Gedicht darin ist mir gewidmet) begonnen hat, ein ebenso großes Verdienst erworben wie mit seinen Übersetzungen der Werke Čapeks, František Langers, Šrámeks.

In der späten Anthologie der Leppin-Gedichte liest man am Schluß seines »Lieds an meine Jugend« die klangvollen Verse:

Ich schlief in Gossen und ich saß auf Thronen,
Ich wanderte durch Liebe und Gefahr –
Die Frauen, die ich liebte, trugen Kronen
Und Rosenkränze trugen sie im Haar.

Du warst ein Brand, du warst ein Feuer,
Du hast mein Herz versehrt, mein Herz versüßt –
Du Königin, du Stern, du Abenteuer,
Sei mir gegrüßt! – Sei mir gegrüßt!

Nicht weit hievon aber steht das Gedicht »Golgatha«, in dem er sich gekreuzigt sieht. Es ist sehr demütig, ist unvergleichlich, schauerlich. »Verzweifelt wie mein Leben sei mein Ende!« Ein Sarkasmus, der ans Blasphemische grenzt.

Diesen Dichter, der aus seelischem Elend und innerster Not sang, habe ich mehr geliebt als sonst einen außerhalb meines »engeren Kreises«. – Über unsere erste Begegnung hat er selbst in dem Buch berichtet, das zu meinem 50. Geburtstag erschienen ist *(Dichter, Denker, Helfer)*. Er schreibt:

»Es war in dem alten, proletenhaft verwahrlosten Elternhause, wo ich Kindheit und erste Mannesjahre verbrachte. Holzstufen knarrten in halbdunklen Stiegengängen, Pawelatschen mit wackligem Eisengeländer säumten die Hinterfront und gaben den Ausblick auf Hofgärten frei, wo sich Katzen und barfuße Kinder tummelten. In dieser Umwelt einer schadhaften Dürftigkeit und kleinbürgerlichen Verwilderung tauchte ungefähr vor dreißig Jahren ein modisch gekleideter Jüngling auf, um mir im Auftrag einer Prager Studentengilde eine Einladung ihrer literarischen Abteilung zu überbringen. Ich sehe uns heute noch in dem kahlen Zimmer der Vorstadt, mich, den Älteren, dessen erste Bücher eben erschienen waren, und ihn, den Unbekannten, dessen scharfes Profil von geistigen Ambitionen beschattet wurde. Im Verlaufe des Gesprächs stellte sich dann heraus, daß wir gemeinsame Mitarbeiter einer Literaturzeitschrift waren, daß ein neuer Dichter bei mir zu Gaste weilte, dessen Aufstieg und intensive Betrachtung ich damals nicht ahnte. Es war der zwanzigjährige Brod, dem ich auf diese Weise erstmalig begegnete, und die Zeitschrift, um die es ging, war das Berliner »Magazin für Literatur«, das von dem jungen Jakob Hegner geleitet wurde, der damals noch die pompöseren Vornamen Jean Jacques zu führen bemüßigt war und für literarisches Zukunftswild eine untrügliche Witterung besaß. Hier hatte Brod eben in einem der letzten Hefte eine kleine Erzählung

Spargel veröffentlicht, die mir ausnehmend gefiel und deren Autor nunmehr in Mutters guter Stube neben mir auf dem billigen Glanzsofa saß. – Ich bin mit Brod in den späteren Jahren, noch als wir beide jung verheiratet waren und die grünste Jugend verflattert war, im Betrieb unserer Stadt vielfach zusammengetroffen. Bei Veranstaltungen, Festen und Künstlerabenden, Zusammenkünften bei Freunden, die auch die seinen waren, verbanden uns immer wieder die flüchtig geknüpften Stränge von Ernsthaftigkeit und Humor, Sympathie und Gesinnung. Unterdessen, unaufhaltsam und festgegründet, reifte sein Werk. Die Anspannung seines Willens, ein Programm zu erfüllen, das er glühend zu formen versuchte, war ebenso nachhaltig unnachgiebig wie die Kraft seines Arbeitseifers. Und plötzlich, was immer als unwahrscheinlich gegolten hatte, wenn ein Schaffender hierzulande zu Hause blieb, statt der gangbaren Spur literarischer Wechselbeziehung jenseits der Grenze nachzugehen, war die Tatsache unleugbar. Von Prag aus, dessen spröde gesellschaftliche Struktur, dessen verlangsamtes Tempo zu jener Zeit dem breiten Erfolge abhold schienen, verstand er, die kontinentale Geltung zu zwingen, den Geist zu sammeln, der drängt und verführt und in der Ferne sich auswirkt. Ehe man's recht versah, war Brod ein berühmter Dichter geworden. – Es ist nicht Zweck dieser Zeilen, die Dichtung Max Brods in ihren Bestandteilen aufzuzeigen. Ich habe immer vor seiner Art, die Welt zu erfühlen, den ewigen Abglanz der Dinge mit kristallenem Zierglas zu schöpfen, einen tiefen Respekt empfunden, der nicht nur dem holden Spiel mit den Wundern des Erdgeistes, mehr noch und unweigerlicher der starken Gläubigkeit galt, die hier am Werke war und richtunggebend sich prägte. Daß er als Jude die Tarnung des nationalen Deutschtums verschmähte, daß er als Künder und Bruder des Volkes sich anbot, dessen Blut er ererbte, war liebenswertester Stolz und strengste Gerechtigkeit. Die Entwicklung der Politik in den letzten Semestern hat seine Einstellung nunmehr bestätigt.«

Es scheint mir, daß im Herzen Leppins, der alles andere als ein kühl abwägender Philosoph war, das lebendig geworden ist, was ich als »Distanzliebe« ersehnt habe. Damals hatte ich es noch nicht ausgesprochen. Es ist also wohl ein außer uns Seiendes, eine objektive Realität. – Außerdem hat Leppin in den gleichen Zeilen seine eigene Art, den neu-romantischen Realismus, klar abgegrenzt gegen meinen auf dem Absoluten gegründeten Plato-Realismus, der zum Glauben strebte. Hievon wird später noch einiges zu sagen sein.

»Ungeheure Mächte, die mich zuweilen erfüllen, haben mich eine Hingabe gelehrt, die ohne Grenzen ist« ... Diese Briefworte Rilkes stehen für mich über seinem ganzen strengen und unbegreiflichen Werk. Die Briefworte, an Benvenuta (Magda v. Hattingberg), fand ich einmal in einem Ausstellungskatalog des Schiller-Nationalmuseums Marbach. Geschrieben aus einem unwesentlichen Anlaß, die unsichere Stilisierung eines Telegrammes betreffend (7. Februar 1914), scheinen sie mir gerade um ihrer Zufälligkeit und gleichsam Unwillkürlichkeit willen Entscheidenderes über den Menschen und Dichter auszusagen als vieles aus der ins Unübersehbare angeschwollenen Rilke-Literatur.

Rilke, nur um drei Jahre älter als Leppin, hat schon mit 19 Jahren sein erstes Gedichtbuch veröffentlicht, das er allerdings bald aus dem Verkehr zog und auch in seine Sammlung *Erste Gedichte* nicht aufgenommen hat. Hieß es nicht »Mir zur Feier«? Oder spukt das nur als eine Gedächtnistäuschung in meinem Ohr? In der Sammlung der *Ersten Gedichte* steht jetzt beisammen: die bunte Verswelt des *Larenopfers* (1896), die Bücher *Traumgekrönt* (1897) und *Advent* (1898). Erstaunliches überall (neben einigem, dessen Forciertheit nicht zu überhören ist), überquellend die Fülle an neuen Bildern, neuen Reimen eines traumhaften Eigenlebens. Mit diesen Gedichten ist Rilke Mitkämpfer der Neo-Romantiker. Doch rasch entwickelte er sich von dieser schwanken Basis weg; jung verließ er Prag, kam dann nur noch als Gast zu uns. Ich habe ihn ein einziges Mal gesehen, nie mit ihm gesprochen. – Mit Leppin gemeinsam hat er anfangs die Romantik, doch auch die realistische Beobachtungskraft. Seine Novellen behandeln (unter anderem) tschechisches Milieu *(König Bohusch)*, den Omladina-Prozeß, an dessen Grausen ich mich aus frühester Jugend, ja aus Kindheitsschaudern und erster Zeitungslektüre erinnere. Ich war zur Zeit dieses Prozesses, der um eine revolutionäre tschechische Organisation und die Ermordung des Polizeispions Mrva ging, wenig über acht Jahre alt. Diesen buckligen Mrva verhöhnte das Volk als »Rigoletto«. Ich erwachte gerade damals zum bewußten Leben. Noch in meinem Roman *Die verkaufte Braut* (auch hier ist der Held ein Polizeikonfident, der geniale Sabina, der Textdichter Smetanas), noch in diesem fast 70 Jahre später geschriebenen Werk wird man Spuren nachzitternder Erregung aus diesen meinen Kindertagen wiederfinden. – Rilke gebührt das Verdienst, zum erstenmal Angelegenheiten, die dem tschechischen Volk Herzenssache waren, mit tiefstem Anteil, sozusagen ganz aus der Nähe, durchgefühlt zu haben (so z. B. auch die tschechische Volkshymne in dem schönen berühmten Gedicht von »böhmischen Volkes Weise«, diese Hymne, die im *Laren-*

opfer noch zweimal wiederkehrt, in »Kajetan Tyl« und im »Heimatlied«); – ganz aus der Nähe ist das gesehen, das Leuchtende wie auch der düstere Mordprozeß, aus der Nähe, nicht aus zimperlich vornehmem Fremdgefühl wie noch bei Auguste Hauschner. Nur noch die genaue Kenntnis der tschechischen Sprache fehlte. Sie wurde erst in meiner Generation erworben. Doch Rilke ersetzt einen großen Teil der mangelnden Sprachvertrautheit durch seine nachtwandlerische Einfühlung in das slawische Element, die ihn schließlich nach Rußland führt. Das Rußland Tolstois bleibt für immer in seiner Seele. Immer noch ungeheuer weit und steil ansteigend ist sein Weg von da bis zur vollendeten Plastik seiner unter dem Einfluß Rodins sich entwickelnden Pariser Zeit. »Du mußt dein Leben ändern!« ruft ihm die große Gesinnung und Schönheit eines antiken Apollon-Torso zu. Und schließlich der Aufstieg von da weiter bis zum ausbalancierten halkyonischen Humor in seinem Garten zu Muzot, wie ihn Marga Wertheimer schildert, und bis zu den Wagnissen einer ganz persönlichen Metaphysik in den *Duineser Elegien*. Ungeheuer weit der Weg – das berechtigt aber keineswegs, die echte Intuition, den Genius, der sich zu regen beginnt, im Werk der Jugendperiode zu verkleinern, zu verhöhnen. Wie es leider Peter Demetz in dem durch reiche Dokumentation sonst wertvollen, doch im Ton arg vergriffenen Buch *René Rilkes Prager Jahre* mit einer seltsamen Wollust tut. Eine »Atmosphäre aus Talmi und Unmut« ist (nach P. Demetz) um Rilkes Jugend gehüllt, von der sorgenden Mutter her, und in ihm selbst wuchert nichts als ein unbändiger Ehrgeiz, der oft die lächerlichsten Masken trägt, ja sogar – auf Ganghofer hereinfällt. Eine Sitzung der »Concordia« wird so geschildert: »Anstatt den Verein, in dem die ältere Generation herrschte, radikal zu sprengen, ließ es sich René eher angelegen sein, vor seinen Gönnern durch eigene Arbeiten zu glänzen.« Von dem gefeierten Gast dieses Abends, Max Halbe, heißt es: »Der Dramatiker konnte allerdings nicht verhindern, daß sich das treue Vereinsmitglied (René) seiner bemächtigte und ihn eine Nacht lang durch die zauberhaften Gassen der Stadt führte, um ihm die eigenen Verse zu erklären.« Und so fallen fast auf jeder Seite hämische Bemerkungen des Biographen, der genau von der Art ist, die ich im ersten Essay meines *Prager Sternenhimmels* botanisiert und in mein Herbarium eingepreßt habe. Ungerechte Bemerkungen; denn kann man etwa wünschen, daß Rilke nicht mit allen Kräften seine Fesseln gesprengt, gegen die ungünstigen Bedingungen seiner Armut, seiner Unbeschütztheit angekämpft hätte – daß er das Los erlitten hätte, dem (mit vielen anderen) Paul Leppin erlag? – Statt zu bewundern, auf welch seltsame Mittel der Genius als junger Feuergeist verfällt, um sich freie Bahn zu schaffen, führt nichts als kleinliche, respektlose Tadelsucht das Wort. – Übrigens hat Demetz, wenn ich mich richtig entsinne, in einem Artikel, der im Sommer 1965 in der »Neuen Zürcher Zeitung« erschienen ist, viele seiner Einwände gegen den jungen Rilke (oder alle?) zurückgezogen. Das würde mich freuen; schon um seines Vaters Hans Demetz willen, den ich immer als klugen, kunstverständigen Freund, Lyriker, Regisseur und Theaterdirektor hochgehalten habe. (Hans Demetz hat viele Stücke sehr glücklich inszeniert, unter ihnen meinen Einakter *Die Höhe des Gefühls* am Deutschen Theater in Prag und mein Drama *Lord Byron kommt aus der Mode* sowie mein gemeinsam mit Hans Regina von Nack geschriebenes Lustspiel *Die Opunzie,* beide in Brünn.)

Von Rilke und seiner großartigen Entwicklung aber gilt, was Robert Musil in seiner Trauerrede gesagt hat: »Er gehört zu den Jahrhundertzusammenhängen der deutschen Dichtung, nicht zu denen des Tages.«

Solange der junge Rilke in Prag lebte (also vor meiner Zeit), verkehrte er viel nicht nur in der »Concordia«, auch im »Verein bildender Künstler«, dem Zentrum der Neo-Romantiker. – Ganz abseits stand Paul Adler, im gleichen Jahr wie Leppin geboren. – Über Gustav Meyrink habe ich im *Streitbaren Leben* ausführlich berichtet.

Paul Adler – seine erzählende Phantasie *Nämlich* arbeitet in musikalischen Kreisen – ist dichterisch im Empfang wie in der Durchführung. Doch »was frommt die Weisheit, dem Bezirk des Wahnes nah, die uns mit grellem Blenden schreckt und überwältigt«. Ich habe diesen Mann, der etwas Prophetisches an sich hatte, vielleicht nie genügend kennen gelernt. Er verschwand auch allzu bald aus Prag. Seit 1912 lebte er in Hellerau, wo er mit seinem Freund und Diskussionsgegner J. J. Hegner in endlose Gespräche verwickelt war. Tagaus, tagein. Kafka besuchte die beiden dort. – Mir las er einmal, als er noch in Prag bei seinen Eltern wohnte (oder bei ihnen zu Besuch war), sehr intensiv aus Däublers *Nordlicht* vor und beschwor mich, in diesem Werk den Gipfel der deutschen Verskunst aller Zeiten zu sehen. Er hatte bei mir keinen erheblichen Erfolg damit. Einige Tage später erschien er in meiner Eltern Wohnung und erklärte mir kategorisch: »Wir wollen jetzt einmal einen Spaziergang miteinander machen und dabei erforschen, wie es eigentlich um Ihr Gewissen bestellt ist.« Ich hatte keine große Lust, einer so primitiven Einladung zu folgen. Und sagte schlechtweg: »Nein« – ohne nach

Vorwänden zu suchen. Darauf habe ich ihn nie wieder unter vier Augen gesprochen. Nur einigemal in größerer Gesellschaft; aber das gilt ja nicht.

In *Nämlich* gibt es zweifellos sehr schöne Zeilen. »Die Sonne schwingt sich herein durch das geöffnete Fenster, wie eine Lampe an ihrer Kette schwingt, wie eine übermütige junge Gattin.« – Aber bald tritt der Teufel auf, nicht nur in persona, leider auch im Stil. Alles spielt sich in ununterbrochenem Irresein ab, von den ersten zehn Seiten abgesehen. Die Worte führen tolle Exzesse in Wortspielen auf. Aus »Ahorn«, dem Namen eines Wirtshauses, wird »Avorun«, was, an das lateinische »Avernus« und »devorare« anklingend (»Unterwelt« und »verschlingen«), also einen Nebensinn wie etwa »Abgrund« hat, dann aber in »Avalun« übergeht, das Reich der Feen. Sollte James Joyces *Ulysses* hier leise mitgewirkt haben?

In der Zeit des ersten Weltkriegs hat Paul Adler, während andere sogenannte »Expressionisten« nur deklamierten, energisch den Waffendienst verweigert. Er hat Verfolgung und Wahnsinn am eigenen Leib erlitten. Das spricht für ihn. – *Nämlich* ist 1915, während des Krieges, in Hegners Hellerauer Verlag erschienen. Ich finde die Sätze: »Gibt es Liebe in der heillosen Hölle: sie verzweifelt, sie muß das entsetzliche Werk tun. Wenn es Eines gäbe, ein nur nicht ganz Böses, ein nicht ganz Ohnmächtiges, ein noch so geringes und zitterndes Ding, das der Welt Widerstand leisten könnte: hier müßte es sich zeigen, jetzt und hier wird seine Erscheinung erwartet.« – Diese Stelle verstehe ich bis ins letzte. Nun müßte sich von hier aus der Sinn des ganzen Buches eröffnen. Dessenungeachtet bleibt es mir auf weiten Strecken hin versiegelt.

Das Schöne ist doch nur das, was vollkommen gelungen und von einer überirdischen Durchsichtigkeit ist, mag es sich auch aus den schwersten, dunkelsten Stoffen aufgebaut haben.

VIERTES KAPITEL

Der engere Kreis

Franz Kafka – man übertreibt nicht, wenn man sagt, daß es keinen Dichter gibt, der zu Lebzeiten bei so wenigen Beachtung gefunden hat (allgemeine Beachtung hat er allerdings auch durchaus nicht gesucht) und über den nach seinem frühen Tode eine solche Flut von verständnislosem Schrifttum niedergegangen ist.

Das häßliche Eigenschaftswort »kafkaesk« hat man erfunden. Aber gerade dieses Kafkaeske ist es, was Kafka am heftigsten verabscheut und bekämpft hat. *Kafkaesk ist das, was Kafka nicht war.* Das Natürliche, Unverdorbene, Große, Gute, Aufbauende hat er geliebt. Nicht das Ausweglose, Verschroben-Unheimliche, nicht das Seltsame, das er als ein in der Welt Vorhandenes immer wieder bemerkt und notiert und mit grimmem Humor einreiht, ohne es irgendwo zu seinem Mittelpunkt zu machen. – Nicht der Vernichtung, sondern dem Aufblühen war diese zarte und stahlstarke Seele zugewandt. Über die Schwierigkeit dieses Aufblühens und Aufbauens hat sich Kafka allerdings keine Illusionen gemacht. Aber das ist doch kein Fehler! Das muß doch so sein. Je ehrlicher man ist, um so stärker muß es so sein.

Man findet, daß »Angst« das Charakteristische für ihn war. Nicht mehr und nicht minder als etwa für Rilke, der in dem zauberhaften Gedicht »Erinnerung« mit den Worten beginnt: »Und du wartest, erwartest das Eine«, und dem dann klar wird:

> Und da weißt du auf einmal: das war es.
> Du erhebst dich, und vor dir steht
> eines vergangenen Jahres
> Angst und Gestalt und Gebet.

Wo Angst aus Franzens Briefen und Tagebüchern spricht, ist sie *begründete* Angst. Die Angst eines Schwerkranken, der sich in jungen Jahren unheilbar, verloren weiß – die Angst vor den kommenden Greueln des Hitlerismus, die er in einer Art von spirituellem Hellsehen vorauswußte und sogar vorausbeschrieb. Wer daraus, daß er vor einem Dauerbesuch in der Sommerfrische bei Oskar Baum zögerte und seine Entscheidung mehrmals änderte, auf besondere Ängstlichkeit schließt, hat keine Ahnung von den besonderen Schwierigkeiten, die der nahe Umgang mit Baum, dem blinden Dichter, mit sich brachte. (Ich werde dies bei Darstellung der Persönlichkeit Baums darlegen.) – Jedenfalls wäre es weit treffender, Mut, ja Tollkühnheit als Movens in Kafkas Seele, beispielsweise in seinen sportlichen Übungen, herauszustellen – treffender als das Thema der »Angst« zu breitem Quark zu treten.

Doch mit Polemischem wird nichts bewiesen. Ich möchte hier durch eine positive Darstellung, durch ein Bild deutlich zeigen, wie Kafka in Wirklichkeit war. Ich nenne dieses Bild *Das Unvergleichliche.* Hier stehe es denn, wie es mir (einige Jahre nach Kafkas Tod) ein Traum zugetragen hat. Es ist damals, also vor langer Zeit, in der »Neuen Zürcher Zeitung« abgedruckt worden. Ich erwähne das nur deshalb, damit man nicht auf den Gedanken komme, ich hätte mir jetzt ad hoc diese Erscheinung ausgedacht. Das Bild spricht folgendermaßen:

»Ein schönes schwarzes Klavier stand mitten im Zimmer. Das Zimmer, hoch und die Ecke des Hauses einnehmend, gab aus seinen Fenstern den Blick auf den Zusammenlauf einiger tief in die Häuserblöcke geschnittenen Straßen frei. Draußen brannte eine ungewöhnlich starke Abendröte, die dann im Verlauf der Geschehnisse verlosch, und zwar sehr rasch, ohne rechten Übergang. Etwas vom Rot des Himmels machte sich aber auch später noch im Zimmer geltend.

Im Zimmer wurde froh und festlich musiziert. Viele meiner Freunde waren da. Einer von ihnen spielte mit vollen Griffen eine Lustspielouvertüre, die noch ungedruckte Komposition eines gleichfalls freundschaftlich nahestehenden, jedoch nicht anwesenden Künstlers. Ich saß auf der Klavierbank neben dem Spieler.

Franz trat ein. Wie immer kam er zu spät – doch das verbindlich bescheidene Lächeln ließ keine Vorwürfe gegen ihn aufkommen. Er verbeugte sich und knöpfte dabei einen Knopf seines Jacketts (dunkelgrau, wie immer ohne Streifen, ohne irgendein Muster) abwechselnd zu und wieder auf, ohne daß dies verlegen gewirkt hätte. Es war nur eine leichte Spielerei der Hände. Die Hände lächelten gleichsam weiter, während der schöne schmale Kopf im Einklang mit der Musik ernst wurde.

Als ich ihn in der Türe sah – er blieb auch später, solange musiziert wurde, nahe der Türe stehen – erschrak ich so tief, daß ich den begonnenen Atemzug nicht zu Ende tat. Franz war vor einigen Jahren gestorben. Aber nun sah man es deutlich: er war gar nicht tot. Er sah sogar besser aus als je. Die Gesichtsfarbe, immer brünett, spielte jetzt ins Rötliche, was vielleicht eine Folge der Beleuchtung, wahrscheinlich jedoch einem längeren Aufenthalt in gesunder Luft, an der Sonne oder auf Bergeshöhn, zuzuschreiben war. Das manchmal bis zur Messerschärfe schmale Gesicht hatte sich doch ein wenig, ansatzweise in die Breite entwickelt, ohne seine natürliche anmutige Schlankheit einzubüßen. Und die Haare mit ihrem kraftvollen, ganz dichten Schwarz waren in der Mitte gescheitelt, doch nicht glatt gestrichen, sondern standen aufrecht, gepflegt und jugendfrisch.

Endlich gewann ich die Sprache zurück und machte die Umstehenden darauf aufmerksam, daß der Totgeglaubte wieder da war. Seltsamerweise setzte das niemanden in Erstaunen. Es war vielmehr so, als ob ich allein Franz für tot gehalten hätte und jetzt eines Besseren belehrt würde; während sich für die anderen, die meinen Irrtum nicht geteilt hatten, eine solche Belehrung erübrigte. Nun hätten sie sich allerdings wieder über mein aufgeregtes Benehmen wundern sollen, taten aber auch das nicht, sondern blieben eigentlich ganz gleichmütig; was ich meinerseits als etwas Selbstverständliches hinnahm, so daß der Kreis der gegenseitigen ruhigen Beziehungen lückenlos geschlossen blieb; umsomehr als auch ich mich der Erscheinung gegenüber rasch beruhigte und bald ganz sicher wurde.

Die Ouvertüre war zu Ende. Alle äußerten sich mit Entzücken. Namentlich eine Figur hatte gefallen, die sehr oft wiedergekehrt war, und zwar immer in neuer Wandlung, wie aus unerschöpflicher Fülle hervor und streckenlang gar nicht abbrechend. Ich setzte mich ans Klavier und suchte die schöne Stelle des Manuskripts. Ich spielte einige Wendungen, die mir besonders herzergreifend erschienen waren, und erklärte, wie ich das so gern tat, worin der geniale Einfall dieser Wendungen zu bestehen schien, suchte dem Unfaßbaren mit Wort und verdeutlichendem Tastenanschlag möglichst nahe zu kommen. Dabei erfüllte mich tiefes Glück. Auch Franz war jetzt näher gekommen, er stand neben mir und sagte, diese oft wiederholte Figur erinnere an eine Volksmenge – eine wellenförmige Handbewegung machte den Vergleich sofort klar, ich sah förmlich die Unruhe vieler Köpfe, deren Konturen von Sonne umleuchtet waren. – Aus dem Hintergrunde des Saales wandte nun jemand ein, daß die Methode dieser Wiederholungen und Verwandlungen eigentlich von Bach und Smetana stamme. Ich sah Franz an, ich las von seiner Miene das Einverständnis. Wir waren uns beide klar darüber, daß diese kalte Art des Analysierens, die ›Einflüsse‹, ja ›Plagiate‹ sucht, in der Welt der Schönheit fremd und viel zu grob umherirrt, daß wahre Einsicht und richtiges Gefühl mit viel zarteren Maßstäben zuwerkegeht und das Schöne da empfindet, wo es gefunden wird, ohne historisierende Entwertungstendenz, wenn auch historischen Zusammenhängen und ihrem Fluidum durchaus nicht verschlossen.

Ohne auch nur ein Wort zu wechseln, wußten wir, daß wir übereinstimmten. Wie so oft. – Später geriet ich ins Gespräch mit ihm. ›Du hast ein Geheimnis vor mir‹, drang ich in ihn, ›du bist lebendig und tot zugleich. Warum sagst du mir nicht, was das ist.‹ Ich war nun wieder sehr aufgeregt, Tränen füllten mir die Augen.

Er trat von mir weg, ans Fenster, sah traurig schweigend lange hinaus. Offenbar war ich zu weit gegangen, hatte ihn unwissentlich vielleicht verletzt. – Auch dies aber berührte mich nicht etwa fremdartig. Es war öfters einmal vorgekommen, daß Franz keine Antwort gab. Das war weder Hochmut noch Geheimniskrämerei. Und wie sehr sein abweisendes Schweigen manchmal beschämte, empfand ich doch nie etwas wie Beleidigtsein. Dazu liebte und verehrte ich ihn zu sehr. Er aber tat manchmal, als hätte ich ihn gekränkt. So auch jetzt, am Fenster. Doch hatte ich immer das deutliche Bewußtsein, daß er nicht ernstlich böse sei, daß er vielmehr innerlich wie zu seiner Unterhaltung eine Art von ganz freiem Schachspiel mit den gegenseitigen Gefühlen spiele, in dem jede Position genau vermerkt werde, gleichsam mit einer Art von List und Hartköpfigkeit – dieses ganze Schachspiel aber, in dem man für jeden falschen Zug bestraft würde, sei im Grunde doch nur ein Spiel und habe mit dem, was wir einander bedeuteten, nichts zu tun. Die wahre Beziehung sei vielmehr gänzlich unabhängig von den kleinen Ungeschicklichkeiten, Fehlgriffen, Peinlichkeiten, ohne die es eben unter Menschen nicht ganz abgeht.

Während Franz am Fenster stand, lag eine Art grünlichblassen Lichtes über seinem Gesicht. Ich erschrak, sagte mir aber gleich, daß dies Licht nichts als ein Reflex des erlöschenden Nachthimmels und der von tief unten heraufdringenden Straßenbeleuchtung sein könne.

Dann wandte sich Franz wieder um, sprach mit mir und den anderen. Man brach auf. Auch er wandte sich zum Gehen. Wohin aber? – Ich glaubte plötzlich zu wissen, daß Tote öfters unter ihren Angehörigen und Freunden zu Gast sind, daß man sie dann aber am Ende der Zusammenkunft wieder weggehen läßt, ohne sich Gedanken darüber zu machen, wohin sie gehen. Diese allgemeine Herzlosigkeit schmerzte mich, obwohl ich mir gleichzeitig sagte, daß gegen eine so unwidersprochen-herrschende Sitte nichts getan werden könne.

Ich begleitete Franz ins Vorzimmer. Hier hatte ich auch den Vorteil, mit ihm allein zu sein. Es war ein weites, fast ganz dunkles Gemach, in der Ferne sah man durch eine offene antike Türe den Treppenvorraum, diesen hell beleuchtet. Hier und dort standen undeutliche Gestalten, keine von ihnen nahe. Franz drückte mir fest die Hand zum Abschied und ich begann zu zittern.

›So schwach, Max‹, sagte er ganz leise, mit fragender Stimme.

Unter diesem Vorwurf knickte ich völlig zusammen. Die Knie hielten mich nicht mehr.

Franz aber berührte mit dem Zeigefinger mein Gesicht, umfuhr die tiefen Ringe unter meinen Augen und wiederholte noch einmal: ›So schwach?‹ Nun begriff ich erst, daß in seinen Worten kein Vorwurf über meine weichlich rührselige Haltung gelegen war, sondern gar nichts anderes als freundschaftliche Besorgnis meines elenden Aussehens wegen. Ich hatte wirklich in dieser Zeit viel durchgemacht, Leiden einer Frau und eines Planes wegen. Das mochte in meinem Gesicht zu lesen sein. – In dieser plötzlich erkannten Bedeutung ›zu schwach‹ strahlte mir die ganze oft bewährte Güte des Freundes zu. Das Wissen darum, das altvertraut und doch wie ein überraschender Einblick in Franzens liebevolle Seele war, überkam mich mit solcher Macht, daß ich den Arm um Franzens Hüfte legte. ›Wie ist es nur möglich‹, sagte ich – zu mir oder zu ihm, das wußte ich nicht –, ›wie ist es nur möglich, daß deine Worte gleichzeitig einen Vorwurf und einen Trost für mich ausdrücken? Vorwurf und Trost zugleich – die beiden sind doch wohl Gegensätze, meinst du nicht?‹ ›Vielleicht nicht so ganz‹, sagte er still, mit einem hintergründigen Lächeln. Im gleichen Augenblick legte auch er den Arm um mich. Wir waren nun wie ein Ganzes von Verstrebungen und Stützen, es war ganz anders, als wenn man eine Frau berührt. Ich spürte unter meiner Hand nichts als sein Kleid, einen kühlen, angenehm rauhen, eleganten Kleiderstoff, seinen Körper spürte ich nicht, sondern nur herrlich aufmunternde Festigkeit wie von Eisenstäben. Ebenso schien auch Franz einen Halt an mir zu finden. Wir machten ein paar Schritte miteinander, als ob wir das Gefühl gemeinsamer Sicherheit richtig genießen wollten. ›Wir bleiben beisammen‹, sagte ich froh. Franz nickte. In diesem durchaus lustigen, lebhaften Nicken kam mir die Gewißheit, daß ich ihn jedenfalls wiedersehen würde, vielleicht nach dem Tode, aber jedenfalls ganz sicher und nicht in allzu ferner Zeit. Dann drückte er mir, ehe er ging, nochmals kurz und mit beiden Händen zugreifend die Rechte, wie es seine Gewohnheit war. –

Ich wachte aus dem Traum auf, meine Augen waren noch naß.

Vorwurf und Trost zugleich – ja, das war Franz gewesen. Diese Mischung war das Unvergleichliche an ihm, an ihr hätte ich ihn unter Zehntausenden erkannt. Ich suchte mir das Eckzimmer zu verdeutlichen, in dem sich die Begegnung abgespielt hatte. In meine jetzige Wohnung gehörte es nicht. Vielleicht hatte es im Hause in der Schalengasse, wo ich noch bei meinen Eltern gewohnt hatte, solch ein hochgelegenes Eckzimmer mit Aussicht nach zwei Seiten hin und Abendröte und tiefen Gassen ringsum gegeben. Ich konnte mich nicht genau erinnern. Immerhin wiesen sich mir in dem Traum, der noch ein Weilchen ins Wachen hinein die Beweiskraft voller Wirklichkeit hatte, allmählich allerlei Elemente der Unwirklichkeit auf, die mir wehe taten; denn mit ihrem deutlicheren Auftreten starb Franz wieder einmal von mir weg. Sehr unwillig stellte ich fest, daß ein so frohes festliches Musizieren unter vielen Freunden eine Phantasie und in der Stimmung und Lage meiner letzten Jahre gar nicht recht denkbar war. Vor allem waren es die vielen Freunde, die fehlten. Sie hätten mir aber auch wenig genützt, da der eine jedenfalls gefehlt hätte.«

Ja, unvergleichlich war an ihm, nebst vielem andern, daß in seinen Freundesworten oft »Vorwurf und Trost zugleich« verkörpert war. Das zeigt schon sein herrisch-spöttischer, doch gar nicht verletzender »Wolfsschlucht«-Brief an mich, der in seinen *Briefen* (Seite 24) zu lesen ist, dieses Muster eines echt freundschaftlichen Verweises. Aus ihm (wie aus sehr vielem andern, was ich mit ihm erlebt habe) geht hervor, wie scharf er gerade gegen das »Kafkaeske« anrannte. Besonnenheit und Wahrhaftigkeit und gutes Maß war das, was man von ihm lernen konnte. Ohne daß er es etwa predigte. Die Lehre ging aus seinem ganzen Wesen hervor, geheimnisreich und beglückend. Sie war das Gegenteil von Dekadenz, von Nihilismus, von der »Neo-Romantik« des Verfalls in der vorhergehenden Prager Generation à la Hadwiger und Leppin. Das *Erzieherische* war in ihm Gestalt geworden, er mochte es wahrhaben oder nicht. Weg mit dem scheußlichen Ausdruck »kafkaesk«! Er verstellt den Weg zu jeglichem Verständnis dieser großen Gestalt. Daß Kafkas *Besonnenheit und Maß* einer chaotischen Zeit abzugewinnen war, in deren Hintergrund noch weit Chaotischeres, ja Katastrophales wartend aufdämmerte, machte diese Besonnenheit und dieses Maß doppelt wertvoll und köstlich; drängte ihnen freilich auch den Stempel des Notwendigerweise-Komplizierten auf, jenes merkwürdige, paradoxe und humoristische Ingrediens, das so viele irregeführt hat.

Ich will hier drei weitere Beweisstücke für diese spezifische maßvolle »Besonnenheit« Kafkas anführen, die sich als »Vorwurf und Trost« (oft verbunden mit sokratischer Ironie) manifestierte.

Ich krame selten und ungern in meinen alten Briefschaften und Papieren. Manchmal aber muß ich es doch tun, aus dem oder jenem Grund, und dabei stoße ich gelegentlich auf manche Merkwürdigkeit. So fand ich neulich eine Handschrift Kafkas, allerdings nur einen winzigen Zettel, der ein paar Namen aufzählt. Davon will ich erzählen.

1. Es handelt sich um ein Heft nach Art der Schulhefte, wie ich sie noch heute gern benütze. Dunkelblauer Umschlag, weiße Vignette. Letztere verzeichnet den Inhalt und Titel: *Gibt es Grenzen des Darstellbaren in der Kunst?* Es ist die Skizze eines Vortrags, den ich einmal gehalten habe. Datum: 28. Januar 1910. Ich verdanke der Güte des Germanisten Kurt Krolop (Halle) die Feststellung, daß dieser Vortrag laut einer bibliographischen Übersicht von Ernst Rychnovsky (»Deutsche Arbeit«, Jahrgang IX) im Prager Verein »Frauenfortschritt« stattfand. – Der Vortrag, stellenweise ausgeführt, dann wieder nur mit Schlagworten angedeutet, geht vom Zitat eines französischen Autors aus: »L'inexpressible n'existe pas.« Ich behauptete aber das Gegenteil. Nichts Existierendes kann adäquat dargestellt werden. Kalte exakte Begriffe werden der unendlich nuancierten Wirklichkeit nicht gerecht. Weder Substantiva, noch Adjektiva. Am ehesten läßt sich ein indirekter Zugang finden. Zum Beispiel durch Vokale. Goethe-Verse werden angeführt:

Nach Mittage saßen wir
Junges Volk im Kühlen.

Hier bringen (so behaupte ich) schon die drei a in der ersten Zeile suggestiv ein Gefühl der Kühlung hervor. Dann zitiere ich einen »jungen Autor in Prag, noch zu wenig hervorgetreten«. Den Namen nenne ich nicht. Es sind Zeilen aus Kafkas *Beschreibung eines Kampfes.* Hier eine Stelle, wörtlich aus meinem damaligen (skizzierten) Vortragsmanuskript: »›Der Zug fuhr an, verschwand wie eine lange Schiebetür und hinter den Pappeln jenseits der Geleise war die Masse der Gegend, daß es den Atem störte.‹ (So schreibt jener junge Autor.) – Es ist Nacht. Man sieht nichts Genaues. Der unvollkommene Satz (drückt das aus). Es fehlt ein ›so dunkel, daß‹ (hinter dem Wort ›Gegend‹) ... Das gibt das Gefühl, daß man nichts Deutliches sieht. Ja, die ganze Situation der Novelle erscheint hier ausgedrückt. – Ich habe Ihnen etwas zu verraten: Es gibt in Prag im Geheimen wirklich so etwas wie eine Dichterschule, zu der auch ich mich bekenne. Achtung auf jedes Wort, jede Silbe, Sorgfalt in allem, nach (Vorbild) des Meisters Flaubert. Doch nicht seine düstere Weltanschauung, sondern das Minutiöse seiner Ausführung (ist unser Muster), (seine) Achtung auf jedes Detail. Kein Unterschied zwischen Form und Inhalt. (Beide sind gleich wichtig).« – Die in Klammern stehenden Worte sind heute, zur Verdeutlichung, hinzugefügt. – Wie man sieht, machte ich *damals* noch keinen Unterschied zwischen »Prager Schule« und »Prager Kreis«.

Der Vortrag geht später zum Problem des Schlüsselromans und des Erotischen über. Nirgends dürfen dem Dichter Schranken gesetzt werden, er hat es ohnehin schwer genug. Er steht eigentlich immer vor unlösbaren Problemen. Mit jugendlicher Unbekümmertheit gelange ich zum Resumé: »Ich fordere vollkommene Freiheit für den Dichter.« – Eigentlich wundere ich mich heute, die alten Seiten wendend, daß ich damals schon vieles gesagt habe, was jetzt, 55 Jahre später, als Problem der Jungen wieder auftaucht, z. B. bei Marcuse.

Dem Vortrag folgt eine Diskussion, die ich in Schlagworten aufzeichne – wohl um erwidern zu können. Zuerst spricht der blinde Dichter Oskar Baum, temperamentvoll wie immer. Dann Kafka, gegen mich. Ich habe folgendes in meinem Heft notiert: »*Kafka:* Diese Unvollkommenheit (der Literatur) ergibt sich nur bei abstrakter Auffassung. – Der einzelne Schriftsteller ist Mensch, wie das Publikum Mensch ist. Das gibt einen Zusammenhang. – Die bedeutendsten Romanschriftsteller kommen mit den Zeitgenossen aus: Bartsch, Conte Scapinelli, Traugott Tamm, Ginzkey. – Der Vortragende geht gegen die Mannigfaltigkeit der Welt los, nicht gegen die Unvollkommenheit (der Dichtung).« Die von Kafka angeführten, wohl kaum wesentlichen Autoren geben Rätsel auf. An die beiden mittleren kann ich mich nicht einmal dem Namen nach erinnern. Noch seltsamer wird die Sache, wenn man den im Heft liegenden Zettel betrachtet, der, offenbar einem Notizblock entnommen, von Kafkas eigener Hand die nachfolgenden Namen aufgezeichnet enthält: »Wilhelm Fischer, Traugott Tamm, Heinz H. Ewers, Schnitzler, Kellermann, Ginzkey, Rudolf Hans Bartsch, Stratz, Herzog, Zobeltitz, Conte Skapinelli, Hermann Ilgenstein, Otto Ernst, Sudermann, Wilbrandt.« Jeder Name steht auf einer Zeile für sich. Keine Beistriche. Der Name »Rudolf Hans Bartsch« ist doppelt unterstrichen. – Ganz am Ende in der Ecke des Zettels findet sich von Kafkas Hand das Wort »Staat« in kleiner Schrift angemerkt. Vielleicht wollte Kafka auch gegen meine damalige Art von Anarchismus Einwände erheben?

In der weiteren Diskussion meldet sich ein Herr Freiberger (unbekannt) zu Wort, nochmals Baum, dann nochmals Kafka. Meine Notiz über Kafkas Debattenbeitrag, der offenbar in Ironie ausläuft, ist folgende: »Bartsch hat es nicht nötig, daß ich ihn verteidige. – Aber um was hat sich das Publikum mehr zu bekümmern: Literatur oder seine Ruhe?« – Zum Autor Bartsch fällt mir noch ein, daß er damals durch seinen Roman *Zwölf aus der Steiermark* berühmt war und daß Theodor Lessing (später) ein Buch schrieb, in dem er Bartsch allen »Asphaltliteraten« als Gegensatz und Vorbild hinstellte. Sic transit... Vielleicht hat Kafka (außer auf Schnitzler) vor allem auf die am meisten gelesenen Matadoren der Leihbibliotheken hinweisen wollen, nicht gerade auf die besten. Daher seine Ironie.

2. In den Bereich von Kafkas Aufbauwillen und Besonnenheit gehört auch sein Zionismus, der namentlich in seinen Briefen, aber auch im Tagebuch (Aufzeichnungen über die ostjüdischen Schauspieler) und in Skizzen wie im *Synagogentier* deutlich sichtbar wird.

1965 besuchte mich in Tel Aviv der Verleger Kafkas, J. Herzl Rome, der leider seither verstorbene Eigentümer von Schocken-Books (New York); er erzählte mir von dem großen Briefband (Briefe an Felice Bauer), den Professor Erich Heller bei ihm vorbereitet. Diese Briefe habe ich nie gesehen, habe mich aber par distance darum gekümmert, daß sie nicht verloren gingen. Mittelsperson war meine Schwester, die wie die ihr verwandte (verschwägerte) Felice in Kalifornien wohnte. Felice war bekanntlich mit Kafka zweimal verlobt. Beide Frauen leben nicht mehr.

»Sie werden sich freuen«, sagte Mr. Rome. »Gleich im ersten Brief an Felice schlägt Kafka ihr eine gemeinsame Reise nach Palästina vor, gibt einen ausführlichen Plan dieser Reise.« – Heute ist Israel, das ehemalige Palästina, ein Touristenland. Damals, 1912, besuchten nur Zionisten unsere präsumptive Heimat.

Ich habe zwar in meinem Buch *Verzweiflung und Erlösung im Werk Franz Kafkas* stringente Beweise für Kafkas Zionismus in wörtlichen Zitaten aus seinen Briefen angegeben und bedarf neuer Argumente nicht. Aber im Hinblick darauf, daß Professor Muschg, Germanist, die Behauptung gewagt hat, ich hätte Kafka »gefälscht«, indem ich eine zionistische Gesinnung in ihn hineininterpretiert hätte, sehe ich dem Erscheinen des angekündigten Briefbandes mit heiterer Spannung entgegen. In den Ostblockländern wird ohnehin die jüdische Komponente der seelischen Entwicklung Kafkas entweder ganz verschwiegen oder nur nebenher schüchtern angedeutet, obwohl sie in Kafkas Kampf gegen die verhaßte Isolierung und Heimatlosigkeit

(Odradek) eine der wichtigsten Mittelachsen ist. Da aber am Ende immer die Wahrheit siegt, mache ich mir nicht allzu viel Gedanken über die bizarren Fehldeutungen und weiß genau, daß schließlich meine Kafka-Darstellung sich durchsetzen wird.

3. Beim Sichten alter Papiere fand ich neulich ein bisher unbekanntes Manuskript von Kafka. Es ist, abgesehen von seinem bedeutsamen Inhalt, auch dadurch merkwürdig, daß es sich fast ganz genau datieren läßt und daß es eine der frühesten literarischen Schöpfungen Kafkas darstellt, die sich erhalten hat, vorausgesetzt, daß man die wenigen Briefe, die ich auf Seite 9 bis 32 des Bandes *Briefe* veröffentlicht habe, nicht eigentlich zu den völlig selbständigen Ausformungen von Kafkas Geist rechnet; wiewohl manche um ihrer Anmut und persönlichen Art willen wichtiger sind als ganze Bibliotheken, die von den heute überall aufschießenden Kafkologen zusammengeschustert werden.

Übrigens macht auch das im folgenden zitierte Schriftstück an zwei Stellen einen Anlauf, zum Brief zu werden. Gibt sich aber trotzdem, schon durch die fehlende Anrede am Anfang, die Kafka sonst nie vergaß, als eine Art »Betrachtung« zu erkennen, als Vorform seines ersten Buches.

Das Manuskript besteht aus drei Oktavblättern, jedes zwei Seiten umfassend, mit Bleistift geschrieben, stellenweise verwischt, schwer lesbar. Eines der Worte konnte nicht mit Sicherheit entziffert werden. – Auf dem letzten Blatt ist nur eine Seite beschrieben und der Text bricht ab. Die Größe der Blättchen: 17 cm hoch, 10,5 cm breit. Das letzte Blatt um 2 cm weniger hoch.

Es handelt sich um die Ausarbeitung eines polemischen Gedankens gegen mich, um Kafkas Antwort auf zwei Artikel von mir, die in der Berliner Wochenschrift »Gegenwart« (Herausgeber Ernst Heilborn) am 17. und 24. Februar 1906 unter dem Titel *Zur Ästhetik* erschienen sind. In diesen Artikeln hatte ich schlicht und in jugendlichem Leichtsinn (damals war ich noch nicht 22 Jahre alt) behauptet, die Kategorie »schön« sei einfach durch die Kategorie »neu« zu ersetzen. Die »neue Apperzeption« oder »Wahrnehmung plus innerliche Verarbeitung des neuen Eindrucks«, wie ich sie im Anschluß an Herbart und Wundt definierte, stelle das Wesen der Schönheit dar.

Meine Freunde Felix Weltsch und Kafka protestierten heftig. Kafka hatte mich ja stets vor Übertreibungen gewarnt. Jahrelang erzog er mich systematisch zu einer ausgewogenen Lebensauffassung (was die heutigen Kafkologen aus ihrer bizarren und clownesken Kafka-Sicht absolut nicht verstehen – aber ich habe Kafkas heiligen Ernst aufs tiefste erlebt). Für diese Erziehung ist auch der nachfolgende Essay Kafkas ein Beleg. Leider ein Fragment gebliebener. – Daß meine programmatische Erklärung »neu gleich schön« zwar fehlerhaft, aber doch nicht ohne einen richtigen Kern war, zeigt die Äußerung des ungefähr gleichaltrigen Schönberg-Schülers Anton von Webern, die mir erst neulich bekannt geworden ist: »Sagenswert ist nur das noch nicht Gesagte.«

Kafka aber war durch mein Postulat gereizt. Und schrieb, wiewohl damals gerade an seinen juristischen Schlußprüfungen laborierend (Brief vom 16. März 1906), die folgenden Seiten nieder, die er dann wohl mir überreicht hat. – Die Schrift ist gotisch, sogenanntes Kurrent. Der Duktus genau wie in der *Beschreibung des Kampfes,* an die auch die schulmäßige Einteilung a), b), c) usw. erinnert. Der Anfang steht deutlich unter dem Einfluß von Schopenhauers Lehre vom »willensfreien Intellekt« und zeigt, da Schopenhauer bei der in Prag herrschenden Brentanistenschule völlig verachtet war, Kafkas radikale Opposition gegen diese Schule, mit der nur Nicht-Kenner ihn in geistige Verbindung bringen. – Der Zusammenhang aber mit der *Beschreibung eines Kampfes* und dem »Chandos-Brief« Hofmannsthals ist durch den nachdrücklichen Hinweis auf die Unendlichkeit und Unausschöpfbarkeit des anschaulichen Erlebens unterstrichen. Hier der Text Kafkas:

»*a)* Man darf nicht sagen: Nur die neue Vorstellung erweckt ästhetische Freude, sondern jede Vorstellung, die nicht in die Sphäre des Willens fällt, erweckt ästhetische Freude. Sagt man es aber doch, dann würde es bedeuten, nur eine neue Vorstellung können wir derart aufnehmen, daß unsere Willenssphäre nicht berührt wird. Nun ist es aber sicher, daß es neue Vorstellungen gibt, welche wir nicht ästhetisch werten. Welchen Teil der neuen Vorstellungen werten wir also ästhetisch? Die Frage bleibt.

b) Es wäre notwendig, die ›ästhetische Apperception‹, einen bisher vielleicht nicht eingeführten Ausdruck, ausführlicher oder eigentlich überhaupt zu erklären. Wie entsteht jenes Lustgefühl und worin besteht seine Eigenart, wodurch unterscheidet es sich von der Freude über eine neue Entdeckung oder über Nachrichten aus einem fremden Land oder Wissensgebiet.

c) Der hauptsächliche Beweis für die neue Ansicht ist eine allgemeine physiologische, nicht nur ästhetische Tatsache, und das ist die Ermüdung. Nun ergibt sich einerseits aus deinen vielen Einschränkungen des Begriffes ›neu‹, daß eigentlich alles neu ist, denn da alle Gegenstände in immer wechselnder Zeit und Beleuchtung stehn und wir Zuschauer nicht anders, so müssen wir ihnen immer an einem andern Ort begegnen. Andererseits aber ermüden wir nicht nur beim Genießen der Kunst, sondern auch beim Lernen und Bergsteigen und Mittagessen, ohne daß wir sagen dürften, das Kalbfleisch sei keine uns entsprechende Speise mehr, weil wir heute ihrer müde sind. Vor allem aber wäre es unrecht zu sagen, daß es dieses doppelte Verhältnis zur Kunst gebe. Lieber also: der Gegenstand schwebt über der ästhetischen Kante und Müdigkeit (die es eigentlich nur zur Liebhaberei der knapp vorhergehenden Zeit gibt), also: der Gegenstand hat das Gleichgewicht verloren, und zwar im üblen Sinn. Und doch drängt deine Folgerung zum Arrangieren dieses Gegensatzes, denn Apperception ist kein Zustand, sondern eine Bewegung, also muß sie sich vollenden. Es entsteht ein wenig Lärm, dazwischen dieses bedrängte Lustgefühl, aber bald muß alles in seinen gehöhlten Lagern ruhen.

d) gibt es einen Unterschied zwischen ästhetischen und wissenschaftlichen Menschen.

e) Das Unsichere bleibt der Begriff ›Apperception‹. So wie wir ihn kennen, ist es kein Begriff der Ästhetik. Vielleicht läßt es sich so darstellen. Wir sagen: ich bin ein Mensch ganz ohne Ortsgefühl und komme nach Prag als einer fremden Stadt. Ich will dir nun schreiben, kenne aber deine Adresse nicht, ich frage dich, du sagst sie mir, ich appercipiere das und brauche dich niemals mehr zu fragen, deine Adresse ist für mich etwas Altes, so appercipieren wir die Wissenschaft. Will ich dich aber besuchen, so muß ich bei jeder Ecke und Kreuzung immer, immer fragen, niemals werde ich die Passanten entbehren können, eine Apperception ist hier überhaupt unmöglich. Natürlich ist es möglich, daß ich müde werde und ins Kaffeehaus eintrete, das am Wege liegt, um mich dort auszuruhn, und es ist auch möglich, daß ich den Besuch überhaupt aufgebe, deshalb aber habe ich immer noch nicht appercipiert.

›So erklärt sich zwanglos‹ ... das darf nicht wundern, denn schon vom Anfang an wird vorgreifend alles gezwungen, sich an die Apperception zu halten wie an ein Geländer. ›Aus derselben Theorie erklärt‹ ... das ist ein Kunststückchen. Auf diesen Satz folgt nämlich, soweit ich es überblicke, ihr einziger Beweis, den du also zuerst und nicht als Folgerung erfahren mußtest. ›Man hütet sich instinktiv‹ – der Satz ist ein Verräter.«

(Das Manuskript bricht hier ab, obwohl auf der 5. Seite noch einiger Raum und die 6. Seite ganz unbeschrieben ist.)

Um nicht mit einer so schrillen Dissonanz zu schließen, teile ich den gleichfalls noch unveröffentlichten Text einer Postkarte (Ansicht von Gablonz) mit, die ich bei dem gleichen Stöbern fand. Kafka schreibt mir: »Lieber Max, aus dem Zimmer Deiner Großmutter, die wirklich zart, sanft und frisch wie ein Mädchen ist.« Das Datum des Poststempels ist als 30. IX. 1910 zu entziffern. – Besagte Großmutter, mütterlicherseits, beinahe hundert Jahre alt, war wegen ihres aufbrausenden Temperaments in der ganzen Familie gefürchtet. Da niemand neben ihr existieren konnte, lebte sie, von meinem Vater ausreichend versorgt, allein in Gablonz. Kafka interessierte sich für diese merkwürdige Frau und besuchte sie, als er (im Dienst der Arbeiterunfallversicherung) eine Reise nach Nordböhmen machte. Ich hatte in der Erzählung *Arnold Beer* eine Schilderung meiner Großmutter gegeben.

Die im folgenden abgedruckte Rede ist, wie mir scheint, eine knappe und gute Zusammenfassung meines Kafka-Erlebnisses. Die Rede habe ich am 23. Juni 1964 bei der Eröffnung der Kafka-Ausstellung in Prag gehalten. Ich sprach in tschechischer Sprache. Später habe ich die Rede ins Deutsche übersetzt. Mit anerkennenswerter Objektivität haben die tschechischen Künstler und Kunstfreunde in ihren Zeitschriften, im Rundfunk und im Fernsehen meiner Rede die größtmögliche Breitenwirkung gegeben, obwohl die in ihr geäußerten Ansichten nicht in allen Punkten mit der marxistisch »orthodoxen« Interpretation des Phänomens Kafka übereinstimmen. Hier der deutsche Wortlaut:

»Reifwerden« – so heißt eine wundervolle Symphonie meines großen Freundes Josef Suk. Und würde man mich fragen, welchen Titel ich für die Biographie Franz Kafkas wählen möchte, so würde ich den gleichen Namen wählen: *Reifwerden.*

Franz Kafka starb in jungen Jahren, und sein Lebenswerk blieb unvollendet. Er lebte ein Leben, das von ständigem *Suchen* erfüllt war. Was war es, was er recht eigentlich suchte? Meiner Meinung nach suchte er sein ganzes Leben lang eine einzige Sache: die Reinheit der Seele. Die absolute, bedingungslose, unegoistische Reinheit. Reinheit – das bedeutet: Gerechtigkeit. Soziale Gerechtigkeit dem Nächsten gegenüber, jedem Menschen gegenüber – und Gerechtigkeit auch gegenüber der metaphysischen Welt, wie dies im Buche Hiob ausgesprochen ist. – Als wahrer Sohn der Stadt Prag wurzelte Kafka stark im Prager Boden. Seine dichterische Seele war vom Zauber des alten Prag und der Mannigfaltigkeit seiner Einwohner bestrickt. Als wahrer Sohn Prags hatte er seine Wurzeln in der tschechischen und deutschen Kultur, hatte seine Wurzeln gleichfalls in der uralten jüdischen Kultur. – Er wurde sich frühzeitig seines Judentums bewußt und befaßte sich mit großer Begeisterung mit der alten Wissenschaft der jüdischen Lehre. In der Ethik der jüdischen Lehre, in der jüdischen Tradition fand er die Wege zu dem, was er suchte. Noch heute erinnere ich mich genau, wie er mir (es war am Abend, an der Ecke des Altstädter Rings und der Langengasse) aus einer Talmud-Anthologie die Worte unseres Lehrers aus der Römerzeit Schimon bar Jochai vorgelesen hat. Folgende Worte: ›Mir ist ein Wunder widerfahren, daher will ich eine für die Allgemeinheit nützliche Einrichtung treffen.‹ Gerade diese Synthese war immer charakteristisch für Kafka, die Synthese des Realismus mit dem Wunder, mit der Phantasie, mit dem reichen und spielerischen Schöpfertum seines Geistes, der unablässig arbeitete, arbeitete – bis die tückische Krankheit ihn faßte und vernichtete. Ein tragischer und, wenn man so sagen darf, ironischer Fall. Denn diese Krankheit ist heute heilbar. Hätte Franzens Leben nur noch einige wenige Jahre ausgehalten, so könnten wir ihn noch heute unter uns sehen. Und was für eine freundliche Erscheinung wäre Kafka, unter uns lebend, auf der Höhe seiner Tätigkeit, seiner nahezu übermenschlichen Fähigkeiten, seiner Weisheit und seiner glühenden Liebe!

Ich habe eben von Ironie gesprochen. Ironie, Humor, Paradox – diese Essenzen gehören zu seiner Kunst, zu seiner einzigartigen Individualität. Er war ja auch, bei all seiner Skepsis, fröhlich, liebte das Leben, das Scherzhafte, liebte den Fortschritt und daher auch den Neuaufbau der alten Heimat Israel. – Gestatten Sie mir bei dieser Gelegenheit eine kleine Bemerkung. Ich freue mich sehr, daß Kafkas Werk heute in seiner Geburtsstadt hochgeschätzt und anerkannt ist. Aber ich freue mich nicht darüber, daß manche Interpretation (nicht nur hier, sondern auch in anderen Ländern, zum Beispiel die lächerliche Interpretation des amerikanischen Professors Weinberg) aus ihm einen Dekadenten machen will, einen Verzweifelten, einen negativen Romantiker etwa im Stil von Edgar Allen Poe – diese Interpretation sieht in ihm einen Schwächling, der dem Leben ausweicht, so etwas wie ein interessantes Gespenst. Franz, der mehr als 20 Jahre lang mein bester Freund war, mit dem ich, wenn er in Prag war, fast täglich zusammenkam, öfters auch zweimal am Tag – dieser Franz war lebensvoll, höchst aktiv, ein positiver Mensch. Er interessierte sich für alles, auch für Sport, für Theater, für Kino, für Tiere, für den Zirkus usf. Er liebte Prag und das künstlerische

Leben hier, auch das Leben des einfachen Volkes. Er selbst war in seinem Fühlen einfach, wiewohl sein Intellekt die kompliziertesten Wege und oft auch labyrinthische, rätselhafte Wege beschritt. Mein guter, unvergeßlicher Freund Georg Mordechai Langer, der Autor des unsterblichen Buches *Neun Tore*, unterrichtete ihn (wie auch mich) in der hebräischen Sprache, in den Sitten der chassidischen Welt – und von dieser Lehre geht eine direkte Beziehung zu jenem ewigen Suchen der Gerechtigkeit, das wir ebenso bei Kafka finden wie auch in dem bedeutsamen Theaterstück von František Langer, dem Bruder Georgs – in dem Stück *Peripherie*. Die Welt Kafkas reicht weit, und wir stehen erst am Anfang ihrer Kenntnis. Er war ein Prophet. In seiner zarten Seele fühlte er den Terror der Nazi-Bestien voraus. Der Schatten dieser unglückseligen Zukunft, die er selber nicht mehr erlebt hat, liegt auf der Melancholie seiner Romane *Der Prozeß* und *Das Schloß*. – Und dennoch hatte er einen unzerbrechlichen Glauben an den allmenschlichen Frieden und an den Fortschritt des Menschengeschlechts. Verzeichnet man sein edles Bild nicht, so war er ein exemplarischer Mensch, einer jener Großen, die nur selten unter uns auftreten. Und dabei war er (damit will ich schließen) so arm, so demütig. In seiner Demut zitierte er oft einen Ausspruch des weisen Rabbi Tarfon aus dem Buch *Pirké awót*, das ist *Sprüche der Väter:* ›Es ist nicht an dir, das Werk zu vollenden – dennoch darfst du nicht untätig abseits stehen.‹ Und so war es. – Wenn es sich um etwas Großes, Gutes handelte: Nie stand Kafka abseits. – Anima candida! Reine Seele!«

Kafka und der Zionismus – das ist ein unerschöpfliches Thema, auf dessen zentrale Wichtigkeit ich immer wieder hinweise, um das aber die heutige Kafka-Forschung immer noch häufig einen verlegenen Bogen macht. Lieber beschäftigt sie sich mit den zwei oder drei vereinzelten Aussagen Kafkas, in denen er eine Art Skepsis gegenüber dem Zionismus und seinem Zielpunkt ausdrückt, das Judenvolk zu einem normalen Leben auf eigenem Boden, mit eigener Sprache, im eigenen Staat zurückzuführen. Dem ist folgendes entgegenzuhalten: Es gibt kaum einen unter den verantwortungsbewußten führenden Zionisten, der zu gewissen Zeiten seines Lebens solchen bohrenden Zweifeln und Schwächeanfällen ehrlicherweise keinen Raum in seiner Seele gegeben hätte. Und gerade Kafka, der von Natur aus zur Selbstpeinigung, zu quälenden Fragen, zu oftmaligem Durchüberlegen der ihn beschäftigenden Probleme pro und contra neigte, hätte diesem Hang niemals, kein einziges Mal, auch in seinen Tagebüchern nicht, die er verschwiegen, nur für sich, zu eigenem Gebrauch, zur strengsten Gewissensprüfung führte, in denen er sich gern gegen sich selbst stellte, um keinen seinen Hoffnungen entgegengesetzten Umstand unkontrolliert und unberücksichtigt zu lassen – gerade Kafka hätte diesen Hang, diese legitimen Anfechtungen nie ausgedrückt haben sollen? Es ist erstaunlich, daß er es so selten getan hat! Man vergesse auch nicht, daß wir alle in seinen Tagen sehr weit entfernt von der Erfüllung unserer Staatlichkeitsträume waren, daß wir alle oft an sie kaum mehr glaubten, da es immer wieder empfindliche Rückschläge gab, ja, daß noch heute, 42 Jahre nach Kafkas Tod, das schöne Wort Ben-Gurions seine volle Gültigkeit hat: »Wer im Lande Israel nicht an Wunder glaubt, ist kein Realist.« – Den wenigen skeptischen Momenten in Kafkas Leben steht überdies eine Fülle positiver Aussprüche und Handlungen gegenüber. Außer den schon genannten: sein systematisches Erlernen der hebräischen Sprache und des Jiddischen, seine eifrige aktive Beteiligung an meiner Arbeit in der Schule für die ostjüdischen Flüchtlinge (während der Kriegsjahre) und später am Aufbau der jüdischen Schule in Prag, worüber in meiner Kafka-Biographie berichtet wird – sein allerpersönlichstes Interesse für die ostjüdische Schauspieltruppe, die in Prag gastierte, insbesondere für den Schauspieler Jizchak Löwy, bei dem er eifrig Folklore und jiddische Literatur studierte und den er in jeder Art unterstützte, ferner seine intensiven jüdischen Studien in Prag (bei Langer und Thieberger) und später an der Hochschule für Wissenschaft des Judentums in Berlin. Auch Gustav Janouchs *Gespräche mit Kafka* bestätigen diese wesentliche Komponente in Kafkas Leben. Dazu kommt seine Mitwirkung an dem von Dr. Siegfried Lehmann begründeten Jüdischen Volksheim in Berlin, einer Vorschule für Palästina. Er besuchte dieses Heim, so oft er nach Berlin kam, und veranlaßte seine Verlobte Felice Bauer (Berlin), persönlich an der dortigen Arbeit teilzunehmen, deren Motto dem der russischen Narodniki ähnlich lautete: Ins Volk gehen! Kafkas Lebensgefährtin Dora Dymant erzählte oft von seinen ernstlichen Plänen, in Palästina ein Handwerk auszuüben. Er lernte zu diesem Zweck Tischlerei, Gartenbau – Krankheit und Tod verhinderten die Ausführung seiner Pläne, unter denen sich scherzando auch der Einfall befand, in Palästina als Kellner zu arbeiten. Wer Kafkas Briefe, Tagebücher, unvollendete Skizzen genau durchsieht, findet immer wieder Hinweise auf diese Lebensentwürfe. Auch bei seiner Schwester Ottla förderte er die agrikulturelle Vorbereitung für Palästina. Am deutlichsten sprechen seine (von Klaus Wagenbach entdeckten) Briefe an Fräulein Minze, die auf sein dringliches Zureden die jüdische Landwirtschaftsschule in Ahlem als Training für die praktische Betätigung in Palästina bezieht. »Vielleicht werden Sie selbst noch einmal einen Balken von Ahlem nach Palästina tragen«, schreibt er ihr. Und als Minze ihm über die Schwierigkeiten der Umstellung klagt, erwidert er: »Daß es schwer ist, Minze, wie sollte ich das nicht wissen. Es ist ein ganz verzweifeltes jüdisches Unternehmen, aber es hat, so weit ich sehe, Großartigkeit in seiner Verzweiflung. (Vielleicht ist es übrigens gar nicht so verzweifelt, wie es mir heute nach einer selbst für meine Verhältnisse ungewöhnlich schlaflosen, zerstörenden Nacht erscheint.) Man kann nicht die Vorstellung abweisen, daß ein Kind verlassen in seinem Spiel irgendeine unerhörte Sessel-Besteigung oder dergleichen unternimmt, aber der ganz vergessene Vater doch zusieht und alles viel gesicherter ist als es scheint. *Dieser Vater könnte zum Beispiel das jüdische Volk sein.*« (Hervorhebung von mir.)

Unbegreiflich ist mir, wie man nach solchen Dokumenten an Kafkas inniger Beziehung zum Wesen und Hoffen des Judentums vorbeigehen oder sie gar ganz ignorieren kann, weil eine in gewissen Ländern aus ephemer-politischen Gründen erwachsene Abneigung gegen den Zionismus dort im Moment herrschend geworden ist. – Der menschlich-universalistisch, humanistisch gerichtete Zionismus bietet den Schlüssel zu vielen (nicht etwa allen) Seiten von Kafkas Eigenart.

Andere Beweise für Kafkas lebendige Teilnahme an der zionistischen Bewegung findet man in sehr vielen seiner Briefe. Walter Höllerer (»Die Zeit« vom 11. März 1966) erwähnt in seinem Essay über Kafkas *Odradek*, daß sich nur eine »einzige Eintragung in Kafkas Tagebuch ... mit der Selbstwehr befaßt«. Das mag sein. Doch in dem viel zu wenig beachteten Band *Briefe* kommt die »Selbstwehr« (das zionistische Zentralorgan in der Tschechoslowakei) um so öfter vor. Immer wieder verlangt Kafka von Felix Weltsch, auch von mir, dringlich und ungeduldig die Nachsendung dieser Wochenschrift in die Heilstätten, die er aufsuchen mußte. Und im Sammelband der »Selbstwehr« *(Das jüdische Prag*, 1917) veröffentlicht er als Erstdruck die später (1919) im *Landarzt* enthaltene bekenntnishafte Erzählung *Ein Traum*. Ebenso steuerte er Erstdrucke zweier Tiergeschichten zu der von Martin Buber herausgegebenen Monatsschrift »Der Jude« bei, deren Richtung genau die der »Selbstwehr« und deren Redakteur später Salman Rubaschoff (S. Shasar) war, jetzt mit Recht vielbewunderter, Frieden und universale Humanität verkündender Präsident des Staates Israel. Bedenkt man, wie ungern und wie selten sonst Kafka ein Werk einer Zeitschrift überließ, so gewinnen diese drei Publikationen in der »Selbstwehr« und im »Juden« eine Bedeutung, an der man nicht vorbeisehen darf.

Was den erwähnten *Odradek* betrifft, so übersieht man, daß ich bereits in meiner Kafka-Biographie (neu abgedruckt in der Fischer-Bücherei Nr. 735 *Über Franz Kafka*) darauf hingewiesen habe, daß das Wort »Odradek« aus dem Tschechischen kommt und »Abtrünniger« bedeutet. Die Vorsilbe »od« weist (wie im Griechischen »apo«) immer auf etwas hin, was wegstrebt, abfällt. Rada ist »Rat, Ratschluß«, rod heißt »Geburt, Abstammung«. Das gebräuchliche tschechische Wort für einen Abtrünnigen lautet »odrodilec«, wobei die 4 Buchstaben »ilec« nur die üblichen Ableitungssilben sind. – Der Anfang der Erzählung stellt natürlich einen jener irreführenden Späße dar, die Kafkas spezifischer Humor in seinem Leben wie in seinen Schriften so gern ausspann; worüber die Biographie viele Belege bringt. – Es würde sich wohl auch verlohnen, meinen Hinweis auf den *einzigen* Dialog zu erwägen, den der Erzähler mit dem seltsamen Wesen Odradek führt, nachdem es seinen Namen genannt hat: »Und wo wohnst du?« »Unbestimmter Wohnsitz.« – Ich erinnere daran, was ich im Buch *Über Franz Kafka* ausgeführt habe: Die eigenartige Symbolik Kafkas spielt sich meist auf drei Ebenen ab, läßt daher sehr oft drei gestufte Deutungen zu: die *individualistische* Deutung auf das leidende Ich des Erzählers – zweitens: die auf das leidende *Volk* katexochen, d. h. auf das Diasporajudentum, das der Heimat entbehrt (»Unbestimmter Wohnsitz«) – und drittens: die *universale* Deutung auf das Schicksal des leidenden, durch eigene Schuld leidenden *Menschengeschlechtes*. Diese drei Deutungen schließen bei Kafka einander ein – nicht aus. Auf drei verschiedenen Ebenen hält Kafka unerbittlich Gericht.

Der Titel der kleinen inhaltsschweren Erzählung *Die Sorge des Hausvaters* findet übrigens neuerdings eine Aufhellung seines Sinnes e contrario durch den oben zitierten Schluß des Briefes an Minze. Was wird dort erzählt? Das Kind unternimmt irgendeine recht gefährlich ausschauende »Sesselbesteigung«. Aber der »vergessene Vater« sieht ja doch zu und paßt gut auf. »Dieser Vater könnte zum Beispiel das jüdische Volk sein.« Wer könnte zweifeln, daß Kafka an *beiden* Stellen nicht auf einen irdischen Hausvater, sondern auf die höchste Instanz, das Volk oder Gott, zielt, den die Gebete als »unser Vater« (abba, awinu) anrufen?

Ich könnte viele Seiten lang weitere Stellen aus den Werken, Briefen, Aphorismen Kafkas zur Bekräftigung meiner These anführen. Ich begnüge mich mit der Hervorhebung der beiden Briefe Kafkas an mich, die Wagenbach offenbar vollständig übersehen hat (6. Februar und 2. März 1919). Kafka hat in der Sommerfrische Schelesen ein junges Mädchen kennengelernt, Julie Wohryzek, mit der er sich später verlobte. Über diese Julie Wohryzek ist durchaus nicht so wenig bekannt, wie Wagenbach (»Neue Rundschau«, Heft 3, 1965) uns weismachen will. Die beiden Briefe (ergänzend auch die von Wagenbach kurz erwähnten Tagebuchblätter des Jahres 1919) geben ein klares Porträt. Ich habe überdies als erster dargelegt, daß Frieda im *Schloß* ein pejoratives Porträt Milenas ist, Julie dagegen hat das Modell zur tapferen »Olga« in der »Pariafamilie« des *Schloß*-Romans geliefert. Sogar das Schusterhandwerk des Vaters stimmt. – Kafka charakterisiert im Brief an mich die neue Bekanntschaft J. W. sehr humorvoll zuerst als »Nicht Jüdin und nicht Nicht-Jüdin ... Besitzerin einer unerschöpflichen und unaufhaltsamen Fülle der frechsten Jargonausdrücke, im ganzen sehr unwissend. Will man ihre Volkszugehörigkeit genau umschreiben, muß man sagen, daß sie zum Volk der Komptoiristinnen gehört. Und dabei ist sie im Herzen tapfer, ehrlich, selbstvergessen.« Man lese die ganze, zugleich ironische wie schwärmerische Stelle nach, eine der köstlichsten im Briefband. – Sofort verlangt Franz, ich solle ihm für die Dame meine in Hardens »Zukunft« erschienene Programmschrift *Die dritte Phase des Zionismus* senden. »Sie wird es nicht verstehen, es wird sie nicht interessieren, ich werde sie nicht dazu drängen – aber trotzdem.« (Wie herrlich und echt klingen diese Worte Kafkas: »aber trotzdem«.) – Im nächsten Brief ist er dann entzückt, da sie meinen Artikel nicht nur gründlich gelesen, sondern »sogar auffallend verstanden hat«. Er schreibt, daß sie »nicht so beziehungslos gegenüber dem Zionismus ist, als ich anfangs dachte. Ihr Bräutigam, der im Krieg gefallen ist, war Zionist, ihre Schwester geht in jüdische Vorträge, ihre beste Freundin ist beim Blau-Weiß und ›versäumt keinen Vortrag von Max Brod‹«. (Anmerkung: »Blau-Weiß« war oder ist noch die Organisation der jüdisch-bewußten Jugendbewegung.) Man sieht aus all diesen, hier nur auszugsweise angeführten Stellen, was für Kafka bei Beurteilung eines jüdischen Menschen, den er kennenlernte, ins Gewicht fiel.

Ganz unrichtig ist, was Wagenbach über die Identifizierung von Julie mit dem von Dora Gerritt erwähnten »lebhaften Mädchen« vorbringt (»Neue Rundschau«, Heft 3, 1965), deren Erinnerungen an Kafka ich in meiner Kafka-Biographie anführe. Dora Gerritt berichtet, daß dieses Mädchen meinem Freunde »niemals etwas von sich erzählt hat«. Aber in dem zweiten der beiden oben zitierten Briefe erwähnt ja Kafka eine ganze Reihe von Details aus Juliens Vorleben, die sie ihm mitgeteilt hat. Außerdem stimmt das, was Julie über ihren Bräutigam sagt, der im Krieg gefallen ist, durchaus nicht zu dem, was jenes »lebhafte Mädchen« über ihren Bräutigam erzählt. Wagenbach arbeitet eben mit einer eigenartigen Mischung aus Pedanterie und Leichtgläubigkeit, die für seine Methode bezeichnend ist. Er hat überdies eine so dicke Haut, daß er gar nicht merkt, daß Dora Gerritt mit dem »lebhaften Mädchen« niemand anderen meint – als sich selbst.

Eben derselbe Wagenbach war eine der Hauptpersonen beim Kafka-Kolloquium in Berlin (Februar 1966). Wenn die Zeitungsreferate stimmen, daß als Ergebnis dieses Kongresses herausgekommen ist, man wolle von nun an nicht mehr nachforschen, was Kafkas Gedanken über die göttliche Weltregierung und menschliche Schuld, über Gericht und Sühne usw. waren – das sei zu sehr »Spekulation« –, man wolle sich lieber (beispielsweise) mit Sammlung von Material befassen, z. B. mit den »Geburtsdaten der Großonkel väterlicherseits und den Geburtsdaten von Kafkas Onkeln« (Wagenbach) – das nenne man dann neopositivistisch: – wenn das alles stimmt, dann glaube ich allerdings, daß man einen falschen Weg einschlagen will, der auf die Dauer am Kern der Sache vorbeigeht. Es ist, als wolle man Dante-Studien treiben, aber die Beziehung Dantes zu Kirche, Christentum und Staat dabei ignorieren. Oder bei Darstellung Goethes seine Beziehung zur Antike auslassen. Ich sehe auch gar nicht ein, warum man nicht das seelische, lebenslang betriebene Hauptanliegen eines Dichters (selbstverständlich genau im Anschluß an seine Texte und seine Äußerungen in Briefen, Gesprächen usw., wie ich es ja stets getan habe) und *gleichzeitig* die äußeren Lebensumstände, die Sprache, das Milieu, die »Geographie« seines Lebens untersuchen kann. Die Schlußresolution des Kongresses erweckt den Anschein, als wollte sie das Metaphysische, das Religiöse und Jüdische im Phänomen Kafka minimalisieren. Diese Resolution erinnert an eine Episode in einem der großen Romane Dostojewskis, in der erzählt wird, ein Klub habe darüber abgestimmt, ob Gott existiere, und habe mit 12 zu 8 Stimmen (das genaue Zahlenverhältnis habe ich vergessen) den Beschluß gefaßt, daß es keinen Gott gibt. – »Auch der Atheismus hat seine Pfaffen«, sagt Heine.

»Spekulation« ist es also nicht, wenn Wagenbach die *durch keinerlei mündliche oder schriftliche Äußerung Kafkas* fundierte Hypothese entwickelt, daß die Inspiration zum *Schloß* auf Kafkas Kinderzeit, auf einen Besuch in Wossek zurückgeht. Wiewohl diese »Entdeckung«

in Berlin manchem Teilnehmer als epochaler Fortschritt der Kafkologie erschienen ist, stellt sich heraus, daß es nicht den geringsten Schatten eines Beweises für die »Behauptung Wossek« gibt. Wagenbach stützt seine Hypothese einzig und allein auf eine angebliche jüdische Sitte: »Als ältester Sohn der Familie war er (Kafka) nach jüdischer Sitte verpflichtet, am Begräbnis des Großvaters teilzunehmen.« Diese Sitte, noch dazu auf den Enkel ausgedehnt, hat Wagenbach ad hoc frei erfunden. Sie existiert in dieser Form nicht. Es ist auch völlig unwahrscheinlich, daß die Familie ein sensibles, schwächliches, verwöhntes Kind von sechseinhalb Jahren mehr als 100 Kilometer weit zu einer so traurigen Expedition mitgenommen hätte. Eine Anwesenheit Franzens in Wossek ist durch nichts bezeugt. Die von Wagenbach beigebrachten Photos zeigen überdies eine fast völlig ebene Landschaft. Dagegen habe ich auf Kafkas *Tagebuch* (Seite 592 und Anmerkung dazu) verwiesen, auf das Schloß Friedland, das wie im Roman hoch auf einem Gipfel »überraschend übereinander gebaute« Schloß, das sich (wie im Roman) »lange nicht ordnet, da der dunkle Efeu, die grauschwarze Mauer, der weiße Schnee, das schieferfarbene, Abhänge überziehende Eis die Mannigfaltigkeit vergrößert«. »Die vielen Möglichkeiten, es zu sehn; aus der Ebene, von einer Brücke aus usw.« notiert Kafka. Sogar das Auftreten und das Amt eines »Kastellans«, das gleich am Anfang des Romans eine so große Rolle spielt, kommt auch in der Tagebuchnotiz vor. Übrigens schickte mir Kafka am 1. Februar 1911 eine Ansichtskarte mit dem Schloß Friedland und am 2. Februar eine zweite Ansicht des geheimnisvollen, »mit Epheu vollgestopften« Schlosses (siehe den Briefband). Im Roman ist dieser »Efeu« nicht vergessen. Friedland ist zwar kein Dorf, sondern ein kleines Städtchen, aber so winzig, so abgeschnitten von der großen Welt, daß, wie Kafka im Reise-Tagebuch (S. 593) bemerkt, ein Panorama die »einzige Vergnügung in Friedland« darstellt. Ferner notiert er: »So verlassen schien mir der Buchladen, die Bücher so verlassen. Den Zusammenhang der Welt mit Friedland fühlte ich nur hier, und da war er so dünn.« Übrigens habe ich ja nicht behauptet, daß Kafka im *Schloß* die Gegend von Friedland *genau* abgemalt hat, ich behaupte nur: »Der Eindruck des Schlosses Friedland hat vielleicht später im Vorstellungskreis des Romans *Das Schloß* nachgewirkt.«

Die erste Vorstudie zum *Schloß* 1914 *(Verlockung im Dorf)* liegt übrigens nicht allzu weit von Kafkas Amtsreise nach Friedland. – Ich habe ferner auf Kafkas Mittelschullektüre, die *Großmutter* von B. Němcová hingewiesen, in dem schönen Buch ist zweifellos das distanzierte Schloß, das Wirtshaus, die Sordini-Episode und das Dorf des Romans präformiert, sei es auch in naiver Art.

Leider ist die Angelegenheit Wossek nicht der einzige Irrtum, dem Wagenbach unterlegen ist. Ich habe in meiner Selbstbiographie dargelegt und exakt nachgewiesen, wie unrichtig seine Darstellung von Kafkas Beziehung zu Professor Alfred Weber (Seite 320 der gebundenen großen Ausgabe) wie auch zum Brentanismus (Seite 248 bis 250) ist, wie unwissend seine Behauptungen über das Prager Deutsch (Seite 219, 220), wie bedenklich seine Unkenntnis der tschechischen Sprache, ohne die man manches in Kafkas Umwelt nicht bis ins Letzte verstehen kann, ebenso seine Unvertrautheit mit dem Milieu des alten Österreich sowie sein Reinfall auf die Informationen des gutmütigen, aber zur Phantastik neigenden Michael Mareš. Wagenbach schreibt zum Beispiel auf den Bericht von Mareš hin, daß Kafka einen Kalabreser Hut getragen hat – er, der immer betont unauffällig gekleidet war. Mit diesen Lücken im Wissen Wagenbachs scheint es zusammenzuhängen, daß er im Katalog der Berliner Kafka-Ausstellung ein Dutzend und mehr Illustrationen aus meinen Büchern über Kafka (zum Beispiel das seltene Foto, das Kafka mit meinem Bruder in Riva zeigt und das nur in der 1. Auflage meiner Kafka-Biographie enthalten war) ohne Quellenangabe und ohne meine Autorisation abdruckt – und noch dazu am Schluß dieses Katalogs proklamiert, daß er diese Fotos *aus seinem Archiv* zur Verfügung gestellt hat. Die folgende Notiz »Nachdruck nicht gestattet« stammt gewiß nicht von Wagenbach. Es liegt aber eine gewisse Ironie darin, daß sie ausgerechnet auf die kühne Anzeige folgt, in der der eifrige Sammler unautorisierter Nachdrucke von »seinem« Archiv spricht. – Womit ich einige Verdienste Wagenbachs um die Kafka-Forschung, von den oben (beispielsmäßig) angeführten groben Irrtümern abgesehen, durchaus nicht in Frage stellen will. Ich habe sie, ohne sie zu überschätzen, in Rede und Druck oft erwähnt. *Mit* Quellenangabe!

Die Kafka-Mode treibt eben immer groteskere Blüten, wobei der eigentliche Wert der Dichtung Kafkas immer mehr verdunkelt wird. So meldete man kürzlich (Frühjahr 1966), es sei ein unbekanntes Stück von Kafka in Prag aufgefunden worden. Die Begleitumstände machen diesen Fund ziemlich wenig wahrscheinlich. Franz soll sogar einer Probe des Stückes beigewohnt haben. Einen solchen erstmaligen starken Eindruck hätte er wohl seinen Freunden oder seinem Tagebuch anvertraut. Nichts davon ist geschehen. Und die jiddische Löwy-Truppe, für die er angeblich das Stück skizziert hat, hat ja in den Jahren 1910 und 1911 (vor dem Weltkrieg) in Prag, und zwar in dem kleinen miserablen Café Savoy nahe dem Ghetto gastiert, nicht 1922 in einer der Hauptstraßengegenden im hocheleganten Café Louvre (in dem es, soweit ich mich entsinne, überhaupt keinen Theaterraum gab). Von einem Interesse Kafkas an einer zweiten jiddischen Schauspielertruppe, die 1922 in Prag gastiert haben soll, ist mir nichts bekannt. Auch der sehr grell anmutende Inhalt des Stückes, soweit ihn bisher die Berichte wiedergeben, hat gar nichts mit der Ideenwelt Kafkas gemein. Kurz und gut, solange keine besseren Belege vorliegen, zweifle ich daran, daß das jetzt so oft erwähnte Opus wirklich von Kafka stammt.

Im Mittelpunkt des ganzen Berliner Kolloquiums stand ein Trugschluß. Er ließe sich etwa folgendermaßen herausskelettieren: Es gibt viele Meinungen über Kafkas Einstellungen zu den zentralen Problemen der religiösen und gesellschaftlichen Existenz des Menschen. Das wurde sehr anschaulich, sehr geschickt vorgeführt.

Daher ist keine dieser Meinungen richtig. Sie widersprechen einander ja aufs heftigste. (Trösten wir uns! Uns bleibt die Erforschung der Geburtsdaten von Kafkas Großonkeln!)

In dem obigen »daher« liegt natürlich der Fehler. Aus der Tatsache, daß es viele divergente Meinungen über ein Problem gibt, folgt noch lange nicht, daß keine von diesen Meinungen (oder vielleicht eine bisher noch unausgesprochene) die richtige sein kann. Die vielen einander ausschließenden Interpretationen des *Lieds der Lieder,* der *Göttlichen Komödie,* des *Don Quijote* oder des *Faust* sind kein Beweis gegen die Möglichkeit einer richtigen Interpretation. –

Das »Kammertheater« in Tel Aviv (Direktion Milo) spielte meine Dramatisierung des *Schloß*-Romans. Leopold Lindtberg brachte die, wie mir scheint, richtigste, die Standard-Inszenierung mit, die er dem Stück in Zürich gegeben hatte.

In der Pause sprachen mich zwei Mädchen an: »Finden Sie auch, daß Kafka das Schicksal des ›ewigen Juden‹, des Heimatlosen, auf unvergleichlich große Art in der Gestalt des K. auf die Bühne gestellt hat?« – »Ja, das finde ich«, stimmte ich erregt zu.

Ich bezog mich (innerlich) dabei auf die eben gehörte Szene, in der der Schloßdiener-Aspirant Barnabas den heimatlosen K. »nach Hause« zu bringen verspricht. Wie so vieles, was K. erlebt und woran er überschwengliche Hoffnungen knüpft, erweist sich freilich auch diese Aussicht – nach Hause gebracht zu werden – als Irrlicht. Kein absichtlicher Betrug etwa, wie ein Autor von gröberem Schrot und Korn als Kafka es darstellen würde; sondern im Sinne der unzähligen Nuancen von Mißgriffen und labyrinthischen Mißverständnissen, die Kafka in den Beziehungen zwischen den »deiloi brotoi«, den armen Menschenkindern, entdeckt und als erster mit beispielloser Intensität geschildert hat. Und er hat sie geschildert, weil dies die Wahrheit ist: Die Fremdheit selbst zwischen befreundeten und dienstwilligen Personen, die einander vor lauter Wonne des gemeinsamen Mensch-Seins am liebsten um den Hals fallen möchten und die es doch nicht können – weil zu viel Mißtrauen, zu viel böses Schicksal, zu viel Irrtümer sich allzu oft zwischen diesen Menschen anhäufen. Durch die Wahrhaftigkeit dieser seiner Schilderung des Neides und des bösen oder doch allzu schwach-guten Willens erweist sich Kafka als der große Realist, der er war, als einer der wesentlichsten Wahrheitsfinder und daher auch Erzieher der Menschheit. Denn er fordert stets auf, die Isolierung des einzelnen zu überwinden, nie bleibt er am tatenlosen Pessimismus haften. Wie steht es nun mit Barnabas im *Schloß*? Barnabas meint mit den Worten »nach Hause«: daß er den verzweifelten K. in sein Heim, d. h. in des Barnabas Heim und Familie bringen will. Doch K. möchte ja in anderem Sinn »nach Hause« gelangen, er erträgt es einfach nach all seinen Irrfahrten nicht mehr, wurzellos zu sein, er will unter Menschen leben, die ihn verstehen, er will nicht als Fremder, als einzelner kontaktlos durch den Kosmos vagieren. In seiner eigenen Heimat, in einem Beruf will er sich nützlich betätigen, am Aufbau der Heimat und damit der Menschheit teilnehmen. *Mensch muß man sein* war der Titel eines ostjüdischen Stückes, das Kafka ganz besonders in sein Herz geschlossen hatte, als er es mit mir in dem kleinen Prager »Café Savoy« entdeckte, wo eine gestrandete ostjüdische Schauspielertruppe feurig und klar vor Zuschauern spielte, die solchen Feuers und solcher Reinheit kaum würdig waren. (Viele Seiten seines noch lange nicht voll erfaßten Tagebuches füllte er mit Aufzeichnungen über diese Truppe.) – Auch K. will also ganz einfach und direkt »Mensch« sein, kein Gejagter, kein Verfolgter, der sich vor seinen Verfolgern auch noch immerfort entschuldigen muß, um seine Existenz zu rechtfertigen. Und er hofft auf die Hilfe des eigentlich treuen, verständniswilligen, aber leider gänzlich unzureichenden Barnabas. Er wirft sich in die Arme des vermeintlichen Helfers, er läßt sich von ihm über die Bühne dahintragen wie in einem großen Sturmwind, er jubelt auf und wiederholt schreiend immer dasselbe Wort: »habájta! habájta! – Nach Hause! Nach Hause!« Und wenn die beiden schon abgegangen sind, hört man noch die erschütternden Worte als symbolhaftes Donnerwort.

Und dabei liegt sogar in der Täuschung, der K. unterliegt, vermöge der unendlichen Komplikation, ohne die es bei Kafka nie abgeht, eine gewisse Logik. Sehr weit entfernt ist er hier (und immer) von den »schrecklichen Vereinfachern«. Die Familie des Barnabas ist nämlich in der eigentümlichen Soziologie der *Schloß*-Umgebung, des »Dorfes«, etwas ganz Besonderes, etwas Einmaliges: eine Paria-Familie. Sie wird vom ganzen Dorf verachtet und gemieden. – Auch hier sagt Kafka die Wahrheit und nichts als die Wahrheit aus. Die Juden haben in all den Jahrhunderten ihres Exils und noch mehr ihres halbfreiwilligen Halb-Exils die Schmerzen und unnatürlichen Verrenkungen eines Paria-Daseins zur Genüge kennen gelernt. Ohne es zu wollen und ohne daß ein anderer es ausdrücklich gewollt hätte, gerät K. zu Seelen, die zwar ihm nicht gleich, aber doch in einem wichtigen Punkte verwandt sind: im Ausgestoßen-Sein. Wie auch Heine in seinen *Geständnissen* richtig anmerkt, hat der umherirrende, gehetzte, wandernde Jude »auf allen Schlachtfeldern des Geistes gekämpft«, hat sich (sofern er von der wahren Idee des Judentums erfüllt war) immer mit den Entrechteten, den Ausgebeuteten, den Leidenden solidarisch gefühlt. Er hat nie den messianischen Horizont auf die universale Menschheit hin aufgegeben, in deren Dienst zu stehen er sich wohl bewußt war.

Dies ist die Bedeutung von Kafkas religiösem Sozialismus, der sich als mächtige Teilprovinz seines humanistischen Judentums, im Ursinne der Gerechtigkeitsforderung, mit voller Wahrheit kundgibt. Nicht der zersplitterte, assimilierte Jude kann diesem Ursinn mit voller Kraft nachstreben, sondern nur der innerlich ganz gewordene, der seine Heimat, sein »Schloß« gefunden hat.

Und Kafka hat (nach mancherlei Anfechtungen, denen er in Momenten der Schwäche unterlag, aus denen er sich aber immer wieder emporrang) den Weg »nach Hause« nicht nur erkannt, sondern auch tätig beschritten. Seine persönlichen Vorbereitungen zum Aufbruch nach Palästina beschäftigten ihn innigst, seine hebräischen Sprachkenntnisse und Übungshefte wuchsen, wie Briefe und Nachlaß zeigen, von Woche zu Woche. Da warf der Tod ihn nieder. Dennoch hatte er noch Zeit gehabt, mit großer Deutlichkeit zu zeigen, was zu tun ist: Die Rückkehr zu einem arbeitenden Leben in Einfachheit und Größe. Man vergleiche dazu die Skizzen *Mehr Lampen!* und *Die besitzlose Arbeiterschaft,* die ich schon vor Jahrzehnten in meiner Biographie veröffentlicht habe. Die Heimkehr »nach Hause« oder vielmehr: die Sehnsucht nach dieser Heimkehr meldet sich aus Leben und Schaffen Kafkas, auch aus den Briefen, die (1963) die Prager

Zeitschrift »Plamen« erstveröffentlicht hat (beispielsweise in der Gestalt der rührenden Sorge um das Hebräischlernen seiner Nichte Vera).

Eine andere Erinnerung an meine Zusammenarbeit mit Franz Kafka finde hier ihren Platz. – Franz steckte wieder einmal in einer fürchterlichen Depression. Nach außen hin zeigte er sie nicht. Es entsprach seiner Eigenart, völlig selbstbeherrscht zu erscheinen (von seltenen Durchbrüchen seines glühenden Temperaments abgesehen). Er war auch in schlimmen Tagen äußerlich heiter, fast immer zu Späßen aufgelegt, zu den ihm eigenen launigen, höchst eigensinnigen Beobachtungen – le coeur triste, l'esprit gai. Es gab aber ein Mittel, seine wirkliche Gemütsstimmung zu erkunden: Ich brauchte ihn in solchen Zeiten nur zu fragen, ob er geschrieben habe. Dann sah man in einen Abgrund. »Nichts, gar nichts«, stieß er hervor, »seit vielen Wochen nichts. Ich werde überhaupt nie mehr etwas schreiben.« Ich wußte, wie weh ihm ein solches Geständnis tat; daher fragte ich ihn auch sehr selten, manchmal monatelang nicht. Ich wartete, bis er (unter Schmerzen, aber von innerstem Drang durchloht) sich selbst mitteilte, vorzulesen begann. Es war jedesmal von neuem ein Wunder.

Diesmal nun fragte ich gar nicht. Ich wußte ja den Grund seiner Bekümmernis. 1907 war er in einen praktischen Beruf eingetreten, nach Absolvierung der Universität, was 1906 stattgefunden hatte. Er plagte sich in der privaten Versicherungsanstalt, die »Assicurazioni Generali« hieß und ihren prunkvollen Sitz am Eck von Wenzelsplatz und Heinrichsgasse hatte. Er plagte sich, obwohl sein literarisch interessierter und ebenso gebildeter wie ironischer Chef, Direktor Eisner (ein naher Verwandter des später als Übersetzer ins Tschechische und Schriftsteller bekanntgewordenen Paul Eisner), ihn sehr wohlwollend behandelte. Franz brach unter der Arbeit zusammen, er *mußte* den Posten aufgeben und wechselte 1908 in das vergleichsweise mildere Klima der »Arbeiterunfallversicherungsanstalt« hinüber, die einen halbbehördlichen Charakter hatte, daher die Angestellten weniger ausnützte als die privatwirtschaftliche »Assicurazioni«. Anscheinend war das eine Verbesserung; doch realiter hatte sich seine Lage verschlechtert. Denn während die Arbeit in der »Assicurazioni« für Franz einfach unmöglich war, konnte er der sanfteren Marter der »Unfallversicherung« kein »Non possumus« entgegensetzen und war, seinem sehr entwickelten und wohl auch irregeleiteten Pflichtgefühl, seiner Elternbindung gemäß, nun an die Fronarbeit wenigstens vorläufig festgeschmiedet. Daher seine Verzweiflung. Das Selbstbewußtsein, die richtige Einschätzung seiner gewaltigen schlummernden Kräfte, fehlte ihm damals. Sonst hätte er sich schon früher von dem mechanischen »Beruf« losgerissen und wäre vielleicht gar nicht krank geworden.

Nicht als Losreißung, aber doch als zeitweilige Erleichterung unseres Schicksals (denn ich seufzte in denselben Banden) waren unsere gemeinsamen Urlaubsreisen gedacht, die wir im Herbst 1909, dann 1910, 1911 und 1912, später nochmals 1919 unternahmen. Auf dem Bahnhof vor der ersten Reise überraschte ich Franz, indem ich ihm ein kleines braungebundenes Notizbuch überreichte und für mich ein ganz ähnliches hervorzog. »Wir werden parallele Reisetagebücher führen«, erklärte ich mit Entschiedenheit. Und tatsächlich erlebte ich die Freude, daß Franz meinen Gedanken begeistert aufgriff. Aus den Notizen, von denen sich ein Teil erhalten hat, entstand unsere erste Gemeinschaftsarbeit, die Beschreibung des ersten Flugmeetings, das wir in Brescia (gemeinsam mit meinem Bruder Otto) in herrlicher Ferienfreude erlebten. Die Geschichte der zwei Artikel, die wir gleichsam in fingierter Konkurrenz verfaßten, findet man in meiner Kafka-Biographie (3. Auflage, Seite 127 bis 131) ausführlich erzählt. Ich hatte die Genugtuung, daß Kafka von da ab dem Tagebuchschreiben treu blieb; seine ersten Tagebuchaufzeichnungen schließen zeitlich 1910 an unsere erste Reise an. Und es ist bekannt, wie sich aus Franzens Tagebüchern zuerst die kleinen Stücke der *Betrachtung* entwikkelten; dann folgte *Das Urteil.* Die Stagnation seines dichterischen Schaffens war durch die kleinen braunen Notizbücher, die Vorläufer der inhaltsreichen Quarthefte, entscheidend durchbrochen.

Bei einer späteren Ferienreise (1911) entstand der Plan, aus unseren parallelen Tagebüchern einen Roman *Richard und Samuel* zu gestalten. Wir entwarfen gemeinsam einen Grundriß, wir arbeiteten mit großem Eifer, wobei wir einander Einfälle wie leuchtende Bälle zuwarfen – und am Elaborat des einen hatte der andere immer sehr viel auszusetzen. Schließlich einigten wir uns immer wieder, die vielen »Sitzungen« gingen nicht ohne Hemmungen und Meinungsverschiedenheiten vor sich. So kam es, daß das Ganze nicht aus Teilen besteht, die A oder B ausgearbeitet hat, sondern an der *ganzen* Arbeit sind beide, A und B, ununterscheidbar beteiligt. Die Einladung unseres jungen Freundes Willy Haas, einen Beitrag zu den »Herder-Blättern« zu liefern, nahmen wir gern an; wir schätzten diese Zeitschrift, die zum erstenmal dem, was dann später »die Prager Schule« hieß, einen klaren Ausdruck gab. Leider wurde nur das erste Kapitel fertig. Die Trümmer findet man außerdem in Kafkas *Tagebüchern,*

Seite 597ff. Wie sehr die beiden Figuren Richard und Samuel sich von uns loslösten und eigenständiges Leben gewannen, geht aus Kafkas Tagebucheintragung vom 24. August 1911 hervor, in der übrigens Richard noch Robert heißt. In der Vorbemerkung, die wir der Veröffentlichung in den »Herder-Blättern« mitgaben, ist der leider Skizze gebliebene Plan entwickelt. Zu ergänzen wäre etwa noch, daß der »Konflikt«, der das Freundschaftsverhältnis von Richard und Samuel vorübergehend trüben sollte, das Auftreten der Cholera in Mailand war (geheim geflüstert, in der Presse abgeleugnet). Die Freunde reagieren entgegengesetzt. Daraus entstehen Spannungen, die sich erst in Paris lösen. Ein Mehr an Handlung wollten wir nicht. Wir waren schon damals Vorkämpfer des Romans ohne Handlung und ohne äußerliche Exotik. »Eine kleine Reise durch mitteleuropäische Gegenden« sollte daher der Untertitel unseres Opusculums sein.

Einen unerwarteten Beleg für Kafkas zionistische Überzeugung, die so oft eigensinnig ignoriert wird, brachte am 19. September 1965 die im kommunistischen Prag erscheinende Tageszeitung »Lidová Demokracie« (= Volksdemokratie), indem sie Herrn Ph. Mag. Zdenko Vaněk interviewte, den, wie das Blatt bemerkt, einzigen in der Tschechoslowakei überlebenden Mitschüler Kafkas, vom Altstädter deutschen Gymnasium her. Frage: »Welche Mitschüler hatten Sie und wie fühlten Sie sich unter ihnen?« Antwort: »Es waren meistens Söhne aus reichen jüdischen Familien, Söhne von Fabrikanten und Großkaufleuten, nur wenige unter uns waren eines anderen Glaubensbekenntnisses, und wenn die jüdische Religionsstunde kam und der Rabbiner erschien, mußten wir deshalb die Klasse verlassen. Die damalige jüdische studierende Jugend stand unter der Herrschaft der zionistischen Bewegung, die auch mich interessierte. Ich stand unter dem Einfluß von Hugo Bergmann und Kafka, der schon in Studienjahren ein begeisterter Zionist war. Einige Male erklärte er mir die Grundlagen und Ziele dieser Bewegung, besonders wenn wir zusammen die Schule schwänzten. Kafka und ich waren in dieser Hinsicht unter dem starken Einfluß von Bergmann, der dann an der Prager Universität ein Anhänger des rationalen Theismus von Brentano wurde ... Bergmann war ein stiller, eindringlicher, besinnlicher Typ, er gefiel mir mit seinem sehr ruhigen Charakter. Er stellte das wahre Gegenteil von Egon Erwin Kisch dar.«

Durch dieses neu aufgefundene Dokument wird die oft geäußerte Meinung widerlegt, Kafka sei durch meine Einwirkung zum Zionismus geführt worden. Es ist nun durch die Bezeugung eines Mitschülers aus dem Gymnasium klar erwiesen, daß Kafka zu einer Zeit, in der ich nicht einmal das Wort »Zionismus«, geschweige denn seinen Inhalt kannte, bereits tätigen Anteil an der zionistischen Bewegung genommen hat. Die Tatsache hat mir nun überdies auch Hugo Bergmann, den ich danach fragte, bestätigt. – Die Begegnung mit mir hat also für Kafka nur die Bedeutung gehabt, daß der latent gewordene Zionismus in ihm neu auflebte. – Herrn Vaněk habe ich nie kennengelernt.

Die folgenden vier, bisher unveröffentlichten Briefe an mich stammen von Dora Dymant (2. Mai 1930, Berlin-Charlottenburg, laut Poststempel), von Ernst Weiß (Paris, 14. September 1937), Grete Bloch (Florenz, 20. Dezember 1937) und von Gerty Kaufmann, einer Nichte Franzens (London, 28. August 1947), und sind geeignet, einige Mißverständnisse zum Verschwinden zu bringen. Sie lassen (unter anderem) ahnen, welche Schwierigkeiten ich selbst im engsten Kreis bei Herausgabe des Nachlasses zu überwinden hatte, und geben auch sonst auf Fragen Auskunft, die sich vielleicht bei Lektüre meiner Kafka-Biographie aufdrängen.

Lieber Max. – Ich habe das von Dir übersandte Geld bekommen. Ich danke Dir, bin aber sehr traurig. Du schreibst kein Wort, ja nicht einmal einen Gruß. Du bist also böse auf mich. Das traurigste dabei ist, daß ich den Weg, der dazu führt, ahne, bin aber verzweifelt, weil ich meine Unbeholfenheit, dieses Mißverständnis zu entwirren, erkenne. Und um ein solches handelt es sich ja auch nur. Es war unverzeihlich leichtsinnig von mir, daß ich die Gelegenheit in Prag nicht dazu benutzte, denn man kann nur darüber sprechen in Rede und Gegenrede, sonst verwirrt es sich nur. Ich wollte eben versuchen, das in Form zu bringen, was ich meine, es geht nicht. Aber wie sollst Du es mir denn sonst glauben? Es ist geradezu trostlos. Ja, Du mußt mir eben glauben, daß ich all Dein Tun Franz und seinem Werk gegenüber voll und ganz bejahe, wenn auch ich selbst die Kraft nicht hätte, so zu handeln. Aber das ist die Feststellung eines Kraftunterschieds, der zu meinen Ungunsten ausfällt. Jeder Weg, der Dich bei der Herausgabe der Werke Franzens von der Entstehung des Gedankens an bis zu Entschluß und Ausführung geleitete, liegt klar vor mir. Es könnte vielleicht etwas überheblich klingen, was ich eben sagte. Aber ich hatte doch Franz zum Lehrer überhaupt allen Dingen gegenüber, die mir zugänglich sind, und Dich lernte ich doch nur mit Franzens Augen kennen, welches doch schon von vornherein einen Irrtum ausschließt. Ich weiß auch, daß Franz der *einzige* Mensch ist, der Dich kennt und dadurch, soweit es in meiner Sehfähigkeit nur möglich ist, nur faßbar ist, kenne ich Dich doch auch. Wie ist denn da noch ein Falschverstehen und ein damit verbundenes Unrecht möglich? Ich weiß nicht, ob es noch einen Menschen gibt, der eine Ahnung davon hat, wie Franz Dich liebt. Du selbst wirst es wohl empfunden haben, aber dies Glühen habe ich allein nur gesehen. Franz war vor mir offen, wie beim Beten, weil er wußte, daß ich nicht alles verstehe, nur empfinde. Liebster Max, es ist doch vollkommen unmöglich, daß wir auch nur einen Schatten von etwas gegeneinander haben. Die Größe dessen zu beurteilen, was Du noch jetzt Franz gegenüber tust, kann ich nur, wenn ich mir Franzens Blick zu Hilfe nehme. Ich allein genüge nicht. Ja, noch mehr, Max, ich weiß nicht, ob Du mich genug kennst, um zu glauben, daß ich ziemlich ehrlich bin, an und für sich, und alles, was mit Franz in Zusammenhang steht, von vornherein jeder Lüge unzugänglich ist. – Also ich allein, mit meinem Maß allein gemessen, kann und darf nicht urteilen. Denn da bin ich ein viel zu kleines – wenn auch in großer Liebe – besitzergreifendes Weib. Wie ich noch in so unmittelbarer Nähe von Franz lebte, konnte ich nichts anderes, als ihn und mich sehen. Alles, was nicht er selbst war, war halt unbedeutend und manchmal sogar lächerlich. Sein Werk war im besten Fall unbedeutend. Der Versuch, sein Werk als einen Teil von ihm darzustellen, war mir halt lächerlich. Das ist der Ursprung meines ablehnenden Verhaltens gegenüber der Herausgabe des Nachlasses. Außerdem kam damals das mir erst jetzt zu Bewußtsein kommende Gefühl des Teilenmüssens. Jede öffentliche Äußerung, jedes Gespräch betrachtete ich als einen gewaltsamen Einbruch in mein Reich. Die ganze Welt hat nichts von Franz zu wissen. Er geht sie nichts an, weil – ja, weil sie ihn ja doch nicht versteht. Ich hielt es – ich glaube, daß ich jetzt auch noch so denke – auch für vollkommen ausgeschlossen, Franz jemals zu verstehen oder nur eine Ahnung von ihm zu haben, wenn man ihn nicht kennt, und alle Mittel, es zu erreichen, waren aussichtslos, wenn sie nicht einen Blick oder einen Händedruck von Franz vermitteln konnten. Na und das können sie eben nicht. – Also, alles das ist sehr schön und gut, was ich da sage, aber eben sehr klein. Das weiß ich seit einiger Zeit sehr genau. Ich weiß auch, daß ich erst jetzt anfing, Franz auch nur zu verstehen, wo mir eben dies aufging. Jetzt erst wird mir auch manche aussichtslose Gebärde von Franz in einer Unterhaltung mit mir klar. Er war eben mit manchem allein. Vieles, vieles geht mir auf, was ich damals nicht einmal ahnte. Die Vorstellung vom Absoluten hatte ich nur in der Liebe und von früher her in dem Glauben an Gott. Die Ahnung davon in anderen oder in allen Dingen hat mir Franz gegeben. Und dies Ahnen ist noch jetzt in Entwicklung begriffen, nach so langer Zeit nicht gereift, wenn ich überhaupt einmal imstande bin, dies näher als im Ahnen zu empfinden. Also dieser in mir von Franz gesäte Ahnensinn läßt mich auch Dich in Deiner innersten Beziehung zu Franz vielleicht noch etwas mehr als ahnen. – Ob mit dem allem was gesagt ist? Ich würde glauben, alles gesagt zu haben, wenn ich wüßte, daß Du mich kennst. Da ich das eben nicht weiß, bin ich in großer Bangigkeit.

Lebe wohl und sei aufs herzlichste gegrüßt

Dora

Paris, 16eme, 155 Avenue de Versailles, Regillahotel
14. IX. 1937

Lieber Max Brod!

Ich danke Ihnen aufs herzlichste für Ihren freundlichen Brief und das Buch, das eben eintraf. Da ich den Aufsatz über den Nachlaßband unseres großen Freundes am 18. spätestens abzuliefern habe, konnte ich Ihr Werk bei dieser Gelegenheit nicht genügend würdigen, denn mir fehlt die Zeit, es gründlich zu lesen. Aber dies soll nicht zu Ihrem Nachteil sein, ich werde selbst jetzt, unter den so sehr erschwerten Veröffentlichungsmöglichkeiten, einen Platz finden, wo ich ausführlich und objektiv darüber schreiben kann.

Nun zu der Hauptfrage. Ich bin Ihnen sehr dankbar, daß Sie sich direkt an mich gewandt haben. Ich billige durchaus Ihre kategorische Antwort an Herrn Lion. Zwischen Ihnen und mir hat es niemals persönliche oder literarische Verstimmungen oder den üblichen kläglichen Schriftstellerzwist gegeben. Sie wissen, wie sehr ich Ihr Werk und Ihre Person schätze. Wenn ich bei meinem Aufenthalt 33/34 in Prag Sie nicht aufgesucht habe, so führen Sie dies bitte auf meine furchtbare Depression zurück, in welche mich ebenso die Zeitereignisse und Hitler, als ganz persönliche furchtbare Schicksalsschläge gestürzt hatten. Ich habe ja auch andere mir wohlgesinnte Menschen, z. B. Laurin, nicht aufgesucht. Die einzige Differenz, ja fast möchte ich sagen, das unblutige Duell, war das um die Lebensführung Kafkas. Ich habe niemals aufgehört, ihn Prag abspenstig zu machen. Sie haben ihn als der treue und herrliche Freund, um den ich K. beneide, dort gehalten. Die Tagebücher haben mir gezeigt, daß er in tragischer Weise Prag verhaftet war. Sie mußten also siegen, und er mußte an Prag zugrunde gehen. Über das bleibende Teil in Kafkas Werk bin

ich im Laufe der Jahre etwas unsicher geworden, nicht aber zweifle ich, daß Sie und Ihre produktive Freundschaft ihm eine Art Lebensatem eingehaucht haben; er und seine grandiosen Versuche wären nicht zu denken ohne die Atmosphäre von Güte und Liebe, die Sie geschaffen haben im Verein mit Weltsch und Baum.
Zuletzt: Sie tun meinem unvollendeten Roman *Der Gefängnisarzt* zu viel Ehre an, wenn Sie ihn in diesem Zusammenhang erwähnen. Auch er ist eine Folge jener Depression, von welcher ich eben sprach.
Ich hoffe, Sie werden meiner ab und zu wieder gedenken, so wie ich es auch bei Ihnen tue. Ich grüße Sie herzlich, Ihr

Ernst Weiß

Firenze, den 20/12. 37
Piazza Santa Croce 12 III

Lieber verehrter Dr. Max Brod!
In Ihrer Franz-Kafka-Biographie fällt eine Bemerkung über mich, die wenig gute Gedanken verrät. 1. Was für Anhaltspunkte haben Sie? Ist es vorstellbar, daß irgend jemand, der diesem Menschen, der ein Geschenk des Himmels war, und ihm näher kam (und das ist das entscheidende), zielbewußt böses tat und in seinem Leben eine »undurchsichtige Rolle« spielen wollte? Zugegebenermaßen ist mir, *gänzlich ungewollt* und ungeahnt, eine *sehr* unglückliche Rolle zugefallen, aber ich lege Wert darauf, daß sein bester Freund weiß, daß nur ich allein *dieses* mein Unglück trug, das schon darin im wesentlichen bestand, daß *ich* an dem seinen nichts ändern konnte und *niemand*, auch nicht Franz, soweit es mich persönlich traf, davon je etwas ahnte und ich, als ich vor der »unübersteigbaren Wand« stand, wortlos zurückwich. Ich will Ihnen gern offen und ehrlich alles mitteilen, 2. *wenn* es Sie interessiert. Aber Sie müßten mir 3. *vorher sagen*, daß ich gegebenenfalls nur allein zu Ihnen sprechen würde. Es wird durch das, was ich zu sagen hätte, nichts an dem Leid geändert, es wird nichts bewiesen, daß sich irgend etwas hätte besser gestalten können, aber ich glaube doch, daß ich Ihnen zumindest sagen kann, daß Franz durch mich nichts schmerzliches widerfahren ist, und das muß Sie, der Sie unlösbar mit ihm verbunden sind, doch etwas beruhigen. (Sofern Sie überhaupt beunruhigt waren.) Heute will ich nicht mehr darüber sagen. Beantworten Sie mir bitte beide Fragen, besser meine gestellten drei Fragen. – Dann will ich Ihnen mehr schreiben. Schriftstellerisch recht unbegabt, werde ich meine große Mühe haben, mich

Ihnen mitzuteilen, aber mein übervolles Herz wird mir helfen, mich Ihnen verständlich zu machen. – Wie geht es Ihnen? Und Frau Elsa? Und Ihrer lieben Schwester? Hören Sie von Felice? Ich lebe jetzt schon lange hier.

Viele gute Wünsche Ihrer
Grete Bloch

London, 27th of August 47

Sehr geehrter Herr Dr. Brod,
Sie fragten mich vor einiger Zeit, ob ich nicht versuchen könnte Erinnerungen an Franz Kafka aufzuschreiben. Da ich jetzt unfreiwillige Ferien habe und auf meine Passage nach Canada warten muß, will ich versuchen mich darauf zu konzentrieren.
Ich war ein Kind, als der Onkel starb, und ich habe also keine direkten Erinnerungen an Gespräche mit ihm oder gar an seine Handlungen. Trotzdem kann ich mich sehr genau an ihn erinnern, denn er warf seinen Schatten auf unsere Kindheit. Seine drei Schwestern standen ganz unter seinem Einfluß, sie liebten und verehrten ihn als eine Art höheres Wesen. Wir Kinder liebten ihn nicht sehr, er schien uns unnahbar und etwas unheimlich und wir wichen ihm gewöhnlich aus. Ich sehe ihn klar vor mir wie ich einmal in der Mikulášská třída an ihm vorüberging, eine große dunkle Gestalt mit einem Taschentuch vor dem Mund – er war damals schon krank und sehr darauf bedacht niemanden anzustecken. Er wurde von seiner Umgebung sehr verwöhnt, bekam immer ganz besondere Speisen, so kann ich mich zum Beispiel erinnern, daß er ganze Teller voll geschälter Mandeln und Nüsse bekam, die ich natürlich viel lieber selbst gegessen hätte. Die zwei älteren Schwestern heirateten Geschäftsleute, die jüngere einen Dr. juris und sie blieben auch nachher, als wir Kinder aufwuchsen, sehr unter dem Einfluß des Bruders. Meine Mutter hat mir erzählt, daß, als sie noch alle Kinder waren, sie sehr von dem Onkel tyrannisiert wurden, so wie es ja natürlich ist für einen Bruder mit drei jüngeren Schwestern. Diese, ich möchte fast sagen Anbetung hat sich erst in den späteren Jahren herausgebildet. Die Menschen in seiner Umgebung spürten seine Persönlichkeit auch ohne seine Bücher zu lesen und er wurde von den meisten Menschen sehr geliebt und geschätzt. Gewöhnlich reagierte er darauf gar nicht, denn er war ganz in seine eigene Welt versponnen. Er konnte aber auch sehr liebevoll in Kleinigkeiten sein, so kann ich mich zum Beispiel erinnern, wie er einmal der Haushälterin meiner Großeltern einen Regenschirm

zum Geburtstag schenkte. An der Spitze jedes Drahtes hingen, sorgfältig angebunden, Bonbons. Und plötzlich war das ein ganz besonderer Regenschirm. Der einzige in seiner Umgebung, der vollkommen negativ auf ihn reagierte, war sein Vater, dem wäre ein Sohn wie mein Vater viel lieber gewesen. Sein Sohn war ihm vollkommen fremd und eine große Enttäuschung. Er war ein Geschäftsmann, der sich von klein auf durch harte Arbeit, großen Fleiß und praktischen Sinn emporgearbeitet hatte. Er hätte sich gewünscht, daß sein einziger Sohn sein Geschäft übernehmen würde und in seinen Fußstapfen durch das Leben gehen würde. Mit einem Träumer, der unsichtbare Kämpfe führte und unverständliche Bücher schrieb, die damals kein Geld einbrachten, wußte er überhaupt nichts anzufangen. Der Onkel spürte das natürlich und das Verhältnis zu seinem Vater wuchs zu einem enormen Hindernis, über das er in seinem ganzen Leben nicht hinwegkam. Der Onkel, der selbst nicht verheiratet war, interessierte sich sehr für Kindererziehung. Er beeinflußte auch in dieser Hinsicht seine Schwestern und nahm Anteil an uns Kindern. Er schenkte uns Bücher, riet den Schwestern zu welchen Vorträgen und Theaterstücken zu gehen usw. Ich kann mich erinnern, daß er meiner Mutter einmal den Rat gab, mich mit 10 oder 12 Jahren wegzugeben von zu Hause und mich in eine Tanzschule nach Hellerau zu geben. Aus diesem Experiment wurde nichts, weil meine Mutter davor zurückschreckte mich so bald von zu Hause wegzuschicken. Er muß wohl eine sehr unglückliche Kindheit gehabt haben, denn ich erinnere mich noch an den Ruf »weg von zu Hause mit den Kindern«, der von ihm stammte. Die Atmosphäre, die von ihm ausging und sich in seinen Schwestern widerspiegelte, war sehr eigenartig. Wir Kinder wuchsen auf in einem gutbürgerlichen, sehr geregelten Milieu, das aber doch sehr verschieden war von dem anderer Menschen in derselben sozialen Schicht, eben durch diesen Einfluß, der von Franz Kafka ausging und sich auf seine Schwestern übertrug. Meine Mutter war seine älteste Schwester ... Aber alle drei Schwestern Franz Kafkas waren sehr sensitiv und hatten eine große Einfühlungskraft. Im Leben meiner Mutter spielten wir Kinder, ihr Mann eine sehr positive Rolle, die sie ausfüllte, aber all das war ihr irgendwie sehr selbstverständlich. Tiefer als das ging der Einfluß ihres Bruders. Durch ihn war sie mit allem Kostbaren und Schönen und auch Schwerem und Unerklärlichem verbunden und sie konnte sich einfühlen in seine Welt. Aber eben durch ihre passive Veranlagung konnte sie ihm nie viel helfen, sondern immer nur verstehen, sich einfühlen. Die jüngste Schwester war viel energischer und aktiver und sie stand meinem Onkel, glaube ich, am nächsten. Sie war ihm mehr ein Kamerad und sie verbrachten oft Ferien zusammen. Der Tod ihres Bruders war der erste schwere Schlag, den das Leben den drei Schwestern versetzte. Die Zeit verwischte etwas sein Antlitz, aber nie ihre Liebe und Verehrung für ihn. Und das Schicksal versetzte ihnen bald viele andere Hiebe. – Die Nazis sind mit der Familie Franz Kafkas so verfahren wie mit tausenden anderen. Alle drei Schwestern wurden irgendwo, irgendwann in Polen vergast. Am Leben sind noch vier seiner Nichten, von denen ich die Älteste bin. Und dann seine Freunde. –

Wie der »engere Prager Kreis« entstanden ist, habe ich schon im 2. Kapitel in den Grundzügen dargestellt. Ich werde noch einiges ergänzend hinzuzufügen haben. Auch daß wir keinen Lehrer und kein Programm hatten, habe ich schon hervorgehoben. Es sei denn, daß man Prag selber, die Stadt, ihre Menschen, ihre Geschichte, ihre schöne nahe und fernere Umgebung, die Wälder und Dörfer, die wir eifrig in Fußmärschen durchwanderten, als unseren Lehrer und unser Programm ansehen will. Die Stadt mit ihren Kämpfen, ihren drei Völkern, ihren messianischen Hoffnungen in vielen Herzen. – Dazu trat die Bibel in ihrer Ursprache, Homer, Platon, Goethe, Flaubert. Ein Kult der Wahrheit und der unverfälschten Natürlichkeit, die wir (im Gegensatz zu den Zieraten der Neoromantiker) verehrten und suchten. Felix Weltsch brachte uns Bergson und das Werk des großen Philosophen Prags, Professor Christian von Ehrenfels, des genialen Schöpfers der »Gestalttheorie«. Und vor allem seine eigene Einstellung zu den religiösen und philosophischen Fragen, die »Vertrauensentscheidung«, die Wendung zur Freiheit des Willens, die mich aus meiner Schopenhauer-Manie, dem »Indifferentismus« befreite. – Und über all dem eine Flut und Fülle von guter Musik; Berlioz, Brahms, Smetana, Carl Nielsen (der dänische Symphoniker), später Janáček. – Doch diese letzte Entwicklung führt schon tief in den Bezirk des Ersten Weltkrieges hinein.

Es war oben (im 2. Kapitel) vermerkt, daß die Beziehung zu Oskar Baum ein wenig anders war als die zwischen uns dreien (Kafka, Weltsch und mir). Ein Anders-Sein bedeutet in diesem Buch kein Schlechter-Sein, auch kein Besser-Sein. Das geht ja schon aus meiner These von der »Distanzliebe« hervor. In der Beziehung zu Oskar Baum entwickelte sich in uns dreien (in Kafka, Weltsch und mir, später auch in Winder) etwas wie eine mütterliche Seele. Wir liebten ihn, weil er so tapfer und männlich den Schwierigkeiten seines Lebens die Stirn bot. Und wir halfen ihm, weil er trotz seiner besonderen Tapferkeit und Resolutheit Hilfe brauchte. Denn auch die Schwierigkeiten seiner Lage waren von besonderer Art. Und bei seiner Feinfühligkeit hätte er jede kleinste Spur von Taktmangel hundertfach schwerer getragen als ein sogenannt »vollsinniger« Mensch. Das legte Pflichten auf, denen wir nicht immer ganz gewachsen waren; da jeder auch seine eigenen harten Krisen und Probleme hatte. Im ganzen haben wir aber diese Prüfung unserer sittlichen Kräfte nicht schlecht bestanden. Es gab niemals wirklichen Anstoß. Oft nahmen wir, jeder für sich, Oskar Baum zu langen Spaziergängen durch die Stadt oder ins Freie mit. Bei diesen Einzelduetten erschlossen sich die Herzen. Wenn einer von uns mit Oskar Baum ausging (manchmal waren wir auch zu dritt), so gingen wir stets im Schlußarm mit ihm. Das war schon deshalb nötig, weil man ihn in belebten Gassen durch das Menschengewimmel durchzusteuern hatte. Baum hakte sich nur leicht ein. Es gehörte Geschicklichkeit dazu, mit ihm Schritt zu halten. Wir glaubten daran (und Baum selber bestärkte uns durch sein ganzes unbefangenes Benehmen in diesem Glauben), daß wir manchmal durch irgendwelche geheimnisvollen Schwingungen ihm mitteilen konnten, was wir sahen. Der Blinde sah mit unsern Augen. Wir versuchten sogar, auf einem Aussichtspunkt, ihm das Gefühl des weiten Raumes, der fernen Stadt und ihrer verschwimmenden Farben zu vermitteln. Dann saßen wir auf einer Bank, Baum hatte schon seinen Braille-Apparat hervorgeholt, den er immer bei sich trug – schon war in die kleine zweiteilige Messingklappe ein dickes Papier eingeklemmt, und nun arbeitete Baum mit seinem Stichel flink drauf los, klapperte in den viereckigen Löchern der Metallfläche. Auf diese Art machte er seine Notizen; die er uns aber in dieser unfertigen Form nie vorlas, das hätte sein künstlerischer Geschmack nicht zugelassen. – Später las er dann wohl von dem dicken, mit unzähligen hervorstehenden Punkten bedeckten Papier das ab, was er ausgearbeitet hatte. Er las mit seinen fein empfindlichen Fingerspitzen, die er rasch über das Papier führte. Wir aber, indem wir ihn auf möglichst taktvolle Art korrigierten, unmerklich-behutsam zu belehren suchten, kamen uns manchmal in all unserem Freundschaftseifer grotesk vor, ähnlich jenen beiden gespenstischen Erziehungs-Experten, den famosen Biedermännern Herrn Bouvard und Herrn Pécuchet, wie Flaubert sie unerbittlich als halbe oder zu Zeiten gar ganze Dummköpfe geschildert hat.

Zu unserer Ehre muß ich übrigens anführen, daß wir drei uns nie über einen »Erziehungsplan« für Baum besprochen, daß wir nie gleichsam zugunsten Baums uns verschworen haben. Was geschah,

geschah von selbst, ohne Konspiration, ohne spezielles Einverständnis. Das war das Gute dabei.

Übrigens war Baum der Stattlichste von uns vieren. Kafka und Weltsch, von sehr ähnlicher Statur, beide schlank und hoch aufgeschossen, beide vielleicht etwas zu mager-ephebenhaft – ihre Gestalten konnte man aus einiger Ferne miteinander verwechseln. Baum dagegen war ein starker, schöner, breitschultriger Mann. Seine Augen hatten dem Anschein nach nichts Abnormales. Daß sie nicht sahen, sah man nicht. Eine Zeitlang trug Baum als ganz junger Mensch einen Vollbart, dicht und hellbraun; unter Jugendlichen war das damals nicht üblich. Aber Baums junge Frau hatte diese Pracht gewünscht. (Nebenbei: Baum war der erste unter uns vier fast Gleichaltrigen, der einen eigenen Hausstand gründete, uns in seiner eigenen Wohnung in der Mánesgasse, nicht bei seinen Eltern empfing.) – Später machte dieser berühmte Bart einer glatten Rasur Platz. In den Bart und in den ganzen temperamentvollen jungen Menschen hatte sich manches hübsche Mädchen verliebt, das ihn besuchte, um ihm gutherzig und offiziell um der Wohltätigkeit willen aus den von ihm gewählten Büchern vorzulesen. Und einmal soll es gar auf der Treppe des Baumschen Elternhauses zwischen zwei solchen »freiwilligen Vorleserinnen« zu einer richtigen Eifersuchts- und Zankszene gekommen sein, die an den bekannten Auftritt in *Carmen* (1. Akt) erinnert, den Auftritt in der Zigarettenfabrik, von dem in so schönem Fugato erzählt wird.

Außer bei den von allerlei Zauberei und von ehrlichen Selbstbekenntnissen erfüllten Spaziergängen kamen wir alle vier je nach vierzehn Tagen am Abend, nach dem Abendessen in einer unserer drei Wohnungen zusammen. Es wurde ein bescheidener Tee mit Kuchen serviert; wir waren ja alle vier völlig unbegütert, auf unsere Arbeit angewiesen, die anfangs noch sehr wenig Erträgnisse außer dem schmalen, um nicht zu sagen schmählichen Beamtengehalt erbrachte. Drei von uns waren allmählich in den Stand der Verheirateten gelangt, nur Kafka nicht. Wir hatten die strenge Verabredung getroffen, daß nichts außer Kuchen auf den Tisch kommen dürfe. Aber unsere Frauen überboten einander, aus den einfachen Kuchen wurden bald raffiniert zubereitete Torten plus Obstteller usw. Da half aller Protest nichts. Kafka allerdings pflegte mit einem Papiersäckchen zu erscheinen, Inhalt: geschälte Haselnüsse und Walnüsse. »Ihr verzeiht, ich habe mein Abendessen gleich mitgebracht«, sagte er lächelnd, gleich beim Eintritt.

Nach dem Tee las einer der Freunde aus seiner letzten Arbeit. Dann folgte eine meist sehr lebhafte Debatte, unter Beteiligung der

Frauen. Lob, aber auch Tadel wurde nicht zurückgehalten. – Später gab es die Ex-Kneipe. Ohne Alkohol. Aber mit spitzen Reden über Theater und Bücher, über politische Ereignisse und allbewegende Tagesfragen. Es ging oft sehr lustig her. Namentlich Kafka und Weltsch sowie meine Frau spielten mit Virtuosität auf dem Instrument des Humors. Erst gegen Mitternacht gingen wir heim. – Dieser Kreis besuchte nur selten, ausnahmsweise eines der Prager Kaffeehäuser. Was über das Café Arco gefabelt wird, ist unwahr oder doch stark übertrieben. Erst Werfel und die Seinen machten das (neue) Café Arco zu ihrem Stammlokal. Hierüber einiges im *Streitbaren Leben.* Wir gaben keine Edikte heraus, keine Proklamationen. Das, was wir einander zu sagen hatten, sagten wir einander zu Hause, oft auch nur im Zusammensein zu zweit, bei dem die tiefsten Sorgen und Sehnsüchte hervorbrechen.

Hier ist einzufügen, daß wir jungen Männer uns vortrefflich vertrugen, ohne die geringste Trübung. Niemand erwartete es anders. Auch die drei Frauen hatten Freundschaft geschlossen, da gab es aber doch hie und da Spannungen und manchen Tratsch. So wurde erzählt, daß zur Zeit, als mein *Rëubeni* herauskam (ich hatte vorher im Freundeskreis öfters von meinen Studien in Archiven und Dokumenten berichtet), Frau Baum den bald nachher einsetzenden Erfolg im Gespräch mit einer »Freundin« mit den Worten quittiert haben solle: »Das Buch von Max? Abgeschrieben!!« Dieses Wort »abgeschrieben«, in der besonderen Singweise, in der Frau Baum es hervorgebracht hatte (das Präfix »ab« um eine Oktave höher als das Grundwort »geschrieben«), wurde dann in unserem Kreis insgeheim als Kennwort und Marke für eine verständnislose Kritik benützt. – Auch habe ich bei einer der erwähnten Vorlesungen etwas erlebt, was ich nie für möglich gehalten hätte. Eine der Frauen hat es vorexerziert: Daß man aus purer Bosheit sogar auch einschlafen kann.

Mit diesen der brüchigen Menschennatur gezollten Einschränkungen, die aber nur gleichsam an den Rändern wirkten, bezeuge ich, daß unser Kreis (der Männer-Kreis) eine Erscheinung der lautersten Wahrheitsliebe und Aufrichtigkeit war, wie diese wohl selten kollektiv in Erscheinung treten. Bei uns galten die Worte Emersons: »Ein Freund ist ein Mensch, gegen den ich aufrichtig sein kann. In seinem Beisein darf ich laut denken. In ihm steht endlich einmal ein Mensch mir gegenüber, der wirklich in meinen Augen ein Mensch, der so völlig mir gleichwertig ist, daß ich sogar die letzten Hüllen von Verstellung, Höflichkeit und Hintergedanken abwerfen darf, die wir Menschen sonst niemals ablegen, daß ich gegen ihn mich so einfach, so wesensganz geben kann, wie ein chemisches Atom einem andern gegenübersteht.« – Einfacher und treffender definiert Aristoteles: »Freundschaft – eine Seele, die in zwei Körpern wohnt.« In unserem Fall waren es vier Körper.

In Oskar Baums erstem Buch, *Uferdasein*, einer Sammlung von Novellen (1908, Axel Juncker), findet sich der charakteristische Satz: »Er saß gleichsam außerhalb, vielleicht auf einem Damm, und zuweilen rasteten mitleidige Schwimmer bei ihm und plauderten über das Wasser, als dächten sie, es sei auch sein Element.«

In diesem Satz hat Baum mit unübertrefflicher Schärfe und Bildhaftigkeit zwei Dinge gezeichnet, die seinem Leben und seinem Werk die besondere Eigenart gaben: 1. sein persönliches Schicksal, 2. das, was ihm aus diesem Schicksal als Aufgabe erwuchs: Der Kampf gegen alle Illusion, deren Gefahr er erkannte wie kaum ein zweiter, der Kampf für die Wahrheit und für die Gerechtigkeit.

Oskar Baum war blind. Das eine Auge war von Geburt an schwach, später ganz unbrauchbar gewesen. Ein tückischer Zufall wollte es, daß dem elfjährigen Burschen in Pilsen bei einer Rauferei unter Schulkindern das zweite Auge verletzt wurde, so daß es nach kurzer Krankheit völlig erblindete. Nun sah er überhaupt nichts mehr. – Allerdings ist die Tatsache, daß er bis zu seinem elften Jahre gesehen hat, ungeheuer wichtig. Sie ermöglichte es ihm, die Welt der Sehenden aus der Erinnerung, kraft eines Gedächtnisses, dessen Genauigkeit ans Wunderbare grenzte, so zu malen, daß niemand, der es nicht wußte, gesagt hätte, dies seien Schilderungen, die ein Blinder schreibt.

Seine ersten beiden Werke aber (die Novellen *Uferdasein* und der Erziehungsroman *Das Leben im Dunkeln*) haben selbstverständlich Erlebnisse blinder Menschen im Mittelpunkt. Es wäre ja unnatürlich gewesen, wenn Baum nicht zunächst von dem gesprochen hätte, was das entscheidende und schreckliche Erlebnis seiner Jugend darstellte.

Aber hier ist es sofort wichtig, zu verstehen, nicht *was* Baum darstellte – sondern *wie* er es tat, in *welchem* Sinne. Bald nach dem Unfall, bei dem er die Sehkraft einbüßte, hatten ihn die Eltern nach Wien ins jüdische Blinden-Institut »Hohe Warte« gegeben. Der beste Teil der Erziehung, die er dort genoß, bezog sich auf seine musikalische Ausbildung. In Klavierspiel, Musiktheorie, Komposition erlangte Baum einen hohen Grad von Kenntnissen, die ihm in der Berufswahl halfen und die auch in seinen Büchern immer wieder die Gestalten und ihre Schicksale mitbeeinflußten. – Von diesem musikalischen Unterricht abgesehen scheint aber der Geist des Instituts, in dem Baum aufwuchs, ein sehr enger, konservativer, für die jungen Seelen der Schüler verständnisloser gewesen zu sein. Denn das, was sich in Baums erstem Werk entlädt, ist vor allem ein glühender Protest gegen seine Lehrer, der sich darüber hinaus zu einer Anklage gegen die Familie, gegen alle Erzieher, gegen die ganze Welt der Sehenden steigert.

Was gibt die Welt der Sehenden den Blinden? Mitleid, im besten Fall. Manchmal auch dieses nicht. Was verlangt der Blinde in seinem tiefsten, oft unausgesprochenen Gefühl von den Sehenden? Gleichberechtigung, Gerechtigkeit. – So macht sich Oskar Baum sofort zu Beginn seiner Laufbahn zur Stimme von Tausenden. Der revolutionäre Ton seines ersten Buches wurde nicht überhört. Im Lager der Blinden begann ein Kampf, in dem Oskar Baums Bücher führend waren und blieben.

Das Bedeutende an Oskar Baum aber liegt darin, daß er seinen Kampf von Anfang an als Symbol für jeden Kampf unterdrückter Menschen gegen jegliche Art von Ungerechtigkeit empfand. So sagt er, gleich im ersten Buche, über seinen blinden Helden: »Es war ihm, als sei sein Kampf um den eigenen Wert eine Etappe im Kampf um das allgemeine Bedürfnis der Würde aller.« – Wichtig ist, daß sich Oskar Baum in diesem Kampf um die Würde des Menschen mit halben Erfolgen nicht zufrieden gibt. Auf dem Damm sitzen, zuschauen, wie die andern schwimmen, sich mit ihnen über Erlebnisse beim Schwimmen unterhalten, als ob er selbst auch schwimmen könne – das lehnt er streng ab. Mit Bitterkeit, mit Gram, mit einer besonderen Art von Humor kämpft er gegen das Mitleid, das sich ihm aufdrängt. Er will auch nicht dankbar sein. »Immer nur Liebe aus Liebe. Dankbarkeit ist dürr und häßlich.« Und voll Ironie beginnt er die fingierten Memoiren eines jungen Blinden mit den Worten: »Die Blindendirektoren, die untereinander ausgemacht haben, daß die Undankbarkeit ein integrierender Bestandteil der Blindheit sei, könnten mich als Beispiel verwenden. Meine Angehörigen wenigstens sind über mich dieser freundlichen Meinung ... Sie fanden es auch sträflich undankbar, daß ich die 34jährige Köchin unbedingt nicht heiraten wollte, die mir eine rastlos sorgende Tante zugeführt hatte.«

Nichts von der muffigen Wohltätigkeitsatmosphäre rings um den Blinden wird von seiner Kritik geschont. Er will etwas ganz anderes und ganz Einfaches: Arbeit, die ihn freut, eine Frau, die er liebt, und Kinder – Einordnung in eine gerechte menschliche Gesellschaft.

Mit Sturm und Drang, mit Kraft und Kompromißlosigkeit schlägt sein erstes Buch drein. – Und der *Mensch* Oskar Baum ist vom *Dichter* Oskar Baum nicht zu trennen. Gerade das gehört zu seiner Kompromißlosigkeit, zu seiner Größe. Baum lebte so wie einer seiner von Energie sprühenden, dem Leben trotzenden Helden. Sehr bald fand er seinen Weg zur Selbständigkeit, zum Beruf: Zuerst als Orgelspieler in einer Synagoge (wobei es gleich einen Kampf gegen die »Frommen« gab, die es durchsetzten, daß am Sabbat wegen der den Juden gebotenen Sabbatruhe nur ein Nicht-Jude spielen durfte und dem Juden nur Nebenarbeit blieb, vor Beginn und nach Ausgang des Sabbat). Dann als Klavierlehrer, zuletzt als einer der angesehensten Musikkritiker in Prag, dessen Urteil unbestechlich und voll von tiefem Verständnis war. Die Romane, von denen einige auch englisch, tschechisch und hebräisch erschienen sind, die Arbeiten im Rundfunk und in der Zeitung »Prager Presse« traten später in den Vordergrund. Und schon in jungen Jahren heiratete Baum, gründete einen eigenen Hausstand, während wir alle, seine gleichaltrigen Freunde, noch bei unseren Eltern wohnten.

Anfang März 1941 ist Baum an den Folgen einer Operation in Prag, das schon unter Naziregime stand, gestorben. »Er wurde in einem Ehrengrab beigesetzt« – heißt es in dem Bericht, den ich bekam. Und der Bericht schließt mit den Worten: »Wir haben hier einen großen Weisen verloren.«

Man könnte Baum nicht treffender charakterisieren. Ein großer Weiser! Das Feuer seiner Jugend ist ihm treu geblieben – als wir einander »Auf Wiedersehen« sagten, stand es für uns fest, daß er uns bald nach Palästina nachkommen würde. Der heiße Wunsch ging nicht in Erfüllung. Die britischen Einwanderungsgesetze waren stärker als alle unsere Bemühungen.

In unserem Kreise war Oskar Baum gewiß der Stärkste, Ungebrochenste, obwohl (oder weil) er gegen die schlimmsten Widerstände zu kämpfen hatte. Nur selten einmal schien sogar seine Kraft zu erlahmen. Aber rasch raffte er sich wieder auf. Unermüdlich half er allen, die sich an ihn wandten. Und namentlich seit 1933 wurde ja der Hilfeschrei immer dringender, immer mehr Schriftsteller und Journalisten kamen aus Deutschland als Flüchtlinge nach Prag. Es war oft völlig zum Verzweifeln. Aber Oskar Baum blieb äußerlich ruhig – innerlich glühte er, und auch in dieser Leidenschaft des Helfens kannte er keinen Kompromiß, kein Schlaffwerden, wußte immer noch eine Hilfe, einen letzten Ausweg (für andere – für sich selbst leider nicht).

Und diese Glut drückt sich auch in seinen Büchern aus. Immer wieder schildert er einen Menschen, dem geholfen wird, obwohl Hilfe schon *fast unmöglich* scheint. *Dies ist das Grundthema seiner Bücher.* Baums Energie verfolgt das Böse auch noch in seinen Nuancen, in seinen Schlupfwinkeln, stöbert es da auf, wo andere, weniger feine Menschen es nicht spüren. So heißt es in einer Novelle, *Drei Frauen und ich:* »Glauben die Menschen wirklich, daß es nichts Böses ist, jemand *in seiner Abwesenheit* weh zu tun, über ihn schlecht zu reden? Ist es so sicher, daß er es nicht fühlt? Muß es sich nicht irgendwie, irgendwann bis zu ihm auswirken?«

Ich zitiere diese Stelle, um zu zeigen, bis zu welcher Subtilität der moralische Sinn in Baum geschärft war. Vielleicht hing diese Feinheit mit seinem Blindsein, das alle seine anderen Sinne schärfte, im Tiefsten zusammen.

Gerade diese Subtilität des moralischen Sinnes war es, die Baum veranlaßte, sich der *besonders schweren Fälle* anzunehmen, sowohl im Leben wie im Dichten, jener Fälle, die anderen schon als verloren galten. *Die Türe ins Unmögliche* heißt ja einer seiner Romane. Um das Unmögliche, um das Wunder, das in jeder echten Hilfe liegt, wird bei Baum immer gerungen. Nicht auf geradem, leichtem, ebenem Wege, nicht billig ist Hilfe zu haben. So wie Baum in seinen ersten Büchern billige Hilfe für die Blinden ablehnt, so erweitert er (in großartigem Aufstieg) seine Thematik und verurteilt alle halbe, billige Hilfe, die man unter Sehenden, ja in der ganzen Geschichte der Menschheit spenden will. Dokumentarisch ist sein jüdischer Kleinstadtroman *Die böse Unschuld.* Wer jemals wird erkennen wollen, wie es vor dem Ersten Weltkrieg in einem kleinen tschechischen Landstädtchen zwischen Tschechen, Deutschen und Juden zugegangen ist, wird dieses Buch lesen müssen. Es ist mit absoluter Ehrlichkeit der Schilderung gesegnet. – Noch mehr gilt dies von seinem letzten Roman *Das Volk des harten Schlafes,* der die schöne Widmung trägt: »Meinem Sohn und Freund Leo gewidmet.« Auch in diesem Werk, das zur Zeit der »Chasaren« spielt, schildert Baum Hilfe in höchsten Not, Hilfe in einer Situation, in der Hilfe kaum mehr denkbar erscheint.

Hilfe in äußerster Not: Dieses sein Hauptthema hat Baum in vielen Formen variiert. Sein Reichtum an Fabuliertalent war unerschöpflich, er war der geborene *Erzähler,* dem natürlicherweise immer neue Gestalten und Intrigen zufließen. Im Roman *Die böse Unschuld* geht der Held fast an dem Geklatsch der Kleinstadt unter, in den *Memoiren der Frau Marianne Rollberg* an einer falschen Anklage, in *Nacht ist umher* kämpft der Blinde, in dem merkwürdigen Doppelroman *Zwei Deutsche* kämpft der letzte Funke der Menschlichkeit in Hitler-Deutschland um seine Existenz. Und die Rettung des Helden gelingt immer nur dadurch, daß er sich selbst treu bleibt – so sehr auch diese Treue alle Hindernisse zu steigern, die Rettung zu vereiteln scheint. Dieser Glaube an den Eigenwert des Guten ist das tiefste Geheimnis, das aus Baums Werken und ihrer durchaus realistischen Farbengebung, oft in seltsamem Gegensatz zu diesem Realismus, seine dunkle, eigensinnig-harte Stimme erhebt. – Mit der Erkenntnis, daß das Gute immer in Gefahr des Unterliegens steht, tritt Oskar Baum in den erhabenen Bezirk des Tragischen ein.

Und er hat auch wirklich eine große soziale Tragödie geschrieben, die an der Prager Bühne und anderwärts Erfolg hatte. Dieses Werk *(Das Wunder)* behandelt das Schicksal eines Erfinders, der aus Holz Brotmehl zu machen weiß und am Unverständnis der Welt scheitert. Zuletzt schließt er sich gegen die ihn attackierende Welt in seinem Haus ab und schießt auf die Angreifer wie aus einer Festung. Das »Fort Chabrol« in Paris, in dem sich ein Wahnsinniger tagelang gegen Gendarmerie und Militär verteidigte, war das aktuelle Vorbild dieses Untergangs.

In der »Deutschen Arbeit« (Jahrgang 1906) finde ich ein Gedicht Oskar Baums, das deutlicher als alles den dunklen Untergrund zeigt, von dem sich Baum trotz aller positiv dem aktiven Leben und Helfen zugewandten Tapferkeit nicht ganz freimachen konnte. Baum ist nur selten als Lyriker hervorgetreten. Das Gedicht führt den Namen »Gespenster«. Die Schwierigkeiten im Verkehr mit ihm, vor denen Kafka einmal auch berechtigte »Angst« hatte, werden fühlbar. Hier die schönen Verse:

Der Tag ist tot: Wir sitzen bang,
Als sei ein Mörder unter uns,
Und durch die dumpfe Stille tönt
Ein naher, leiser Quellensang.

Wir sitzen um den Gartentisch,
Wir Freunde sind uns lang schon gut,
Die Luft ist müd' – und mancher denkt:
»Was jetzt der Andern Seele tut?«

In stummer Runde fühlen wir,
Wie fremd uns auch der Liebste bleibt,
Und fröstelnd ist das Grauen hier.
Wer spricht das Wort, das es vertreibt?!

Die Verbindung zwischen Baum und mir stellte mein erster Jugendfreund Max Bäuml her. So hängen diese zwei Erscheinungsformen meiner Freundschaften früher Jahre zusammen. Baum und Bäuml: Die Namensähnlichkeit ist auf fast tückische Art komisch, doch natürlich ganz und gar ein Zufallsspiel. Die beiden waren aber auch Vettern. Bäuml brachte mich mit Baum zusammen. Ich führte meine Freunde Kafka und Weltsch zu Baum. Über Bäuml berichtet Oskar Baum in dem schon zitierten Buch *Dichter, Denker, Helfer:*

»Er war es, der mir bei seinem Besuch in Wien, von wo ich mich nur ungern und zögernd löste, von Brod erzählte, einen ganzen Nachmittag lang, den wir in dem sommerlich schwülen Anstaltsgarten auf und nieder gingen. Er wollte mir die Prager Sphäre dadurch verlockend erscheinen lassen. Er freute sich in unbeschreiblicher Weise darauf, uns miteinander bekannt zu machen. Er schilderte so fesselnd, farbig und mit dem Blick auf das Unverwechselbare, daß ich beinahe diese Stunden schon als meine erste Begegnung mit Brod bezeichnen könnte und auch wirklich fast mit ihm vertraut zu sein glaubte, als ich zum erstenmal mit ihm beisammen war. Seine Liebe zu Brod oder richtiger: die Liebe zwischen ihnen beiden kann nur ermessen, wer Männerfreundschaft von frühen Knabenerlebnissen an immer unlöslicher zusammenwachsend kennt, und auch unter diesen glücklichen Wahlbruderschaften ist eine so innige, untrübbare, selbstverständliche Seelenkorrespondenz selten, nur bei besonderer Begabung für diese edelste Form der Liebe denkbar. Die Originalität der Persönlichkeit Bäumls war ein fast unbegreiflicher Ausgleich von Überschwang und Nüchternheit. Immer wieder von tragischen Schicksalsschlägen erschüttert, blieb sein leidenschaftliches, allzu weiches Herz umsichert von ironischer, selbstironischer Heiterkeit, von bezauberndem Charme, ohne je auch nur an die Grenze des Zynismus zu geraten. Niemals ließ er sich aus der ihm so naturgemäßen Bescheidenheit hervorlocken. Er fühlte sich wirklich – auch mir und anderen gegenüber – immer nur als der Empfangende und war doch so sehr der Gebende! Vielleicht wurde er nur deshalb nicht selbst produktiv, weil seine Gabe, zu genießen, seine Lust, sich in Geschaffenes zu versenken, ihn wie eine alles ausschließende Passion beherrschte und er Ehrgeiz nicht kannte; besonders aber wohl, weil das *Mit*leben mit den entstehenden Schöpfungen Brods, die Begeisterung, mit der er jede Einzelheit ergriff – besonders die Einzelheiten gemäß unserem damaligen Ideal Flaubert –, eine ästhetische Spannung bedeuteten, die keiner Steigerung bedurfte.

Bäuml, Brods Schulkamerad im Gymnasium, war Beamter der

Union-Bank geworden, Brod studierte. Täglich trafen sie einander mittags auf dem Graben, die Erlebnisse und Denkergebnisse des halben Tages ihrer Trennung auszutauschen. Abends Theater, Konzert, Spaziergänge auf der Kleinseite, auf dem Hradschin bis tief in die Nacht. Einmal – ich war nur selten der Dritte und fühlte mich auch immer recht überflüssig – gerieten wir nach einem Konzert, der Erstaufführung der Zweiten Mahlersymphonie, so außer uns vor Entzücken, daß wir irgend etwas tun mußten. Wir sandten ein Jubel- und Danktelegramm, mit unseren unbekannten Namen unterfertigt, an den Hofoperndirektor Gustav Mahler nach Wien.

Nur einer war der legitime Dritte, zumal auf den Sonntagsspaziergängen im stillen morgendlichen Baumgarten. Ein im anstrengenden Sprachlehrerberuf hart geplagter älterer Verwandter Brods, der in unerschöpflichem Temperament an den Gedankenkämpfen der jungen Menschen leidenschaftlich teilhatte. Ihn, der sich jene stürmende Stimmung der zwanziger Jahre bis ins Alter, bis zum Tode bewahrte, hat Brod in der Gestalt des Reb Hirschl in seinem *David Rëubeni* in höherer dichterischer Wirklichkeit festgehalten. Während vom Niederschlag der ersten Begegnungen mit mir vielleicht etwas in der Gestalt des Lo *(Tod den Toten)* zu finden ist, der an seiner Zimmerinsel die Welt vorbeifluten läßt. Auch ein frecher Spaßvogel, der Bäuml in seiner Vorliebe für alle Formen von Heiterkeit anzog, wird aus jener Zeit als Poledi in *Schloß Nornepygge* auf die Nachwelt kommen.

Als Bäuml zum erstenmal Brod zu mir brachte, war es zumindest ebenso oder mehr noch Musik als Dichtung, worin sich unsere Kreise berührten. Ich war eben frisch aus der Anstalt gekommen und nach achtjährigem Internatsleben Menschen gegenüber, mit denen ich nicht täglich zusammenkam, scheu und befangen. Wir sprachen übrigens nicht viel, spielten einander schöne Stellen aus unseren Lieblingswerken vor, um unseren Geschmack zu konfrontieren.«

Zu der Darstellung Oskar Baums habe ich zu bemerken, daß ich viel später (1961) in meiner Erzählung *Die Rosenkoralle* den Englischlehrer Emil Weis als Onkel Rapp wesentlich lichter und richtiger dargestellt habe. Aber das hat Baum nicht mehr erlebt. Onkel Rapp, Oskar Baum, ihr lieben Menschen, valete!

Baum war kein Zionist, stand aber den zionistischen Bestrebungen und vor allem den Hilfs- und Erziehungsaktionen nahe, beteiligte sich an ihnen, sei es auch gelegentlich mit leichten Vorbehalten. – Nach meiner Abreise bewährte er sich in dem nazibesetzten Prag als

Stütze für die jüdische Gemeinschaft. Man kam zu ihm um Rat und Hilfe. Man teilte mir nach Palästina mit, daß er Übermenschliches leiste, daß man zu ihm und seiner Uneigennützigkeit aufsah, daß er in vielen Fällen rettend eingreifen konnte, oft gemeinsam mit dem edlen, selbstlosen Menschenfreund, dem Arzt Dr. Salomon Lieben, der alle Armen unentgeltlich behandelte und ihnen noch aus seiner eigenen Tasche die Arzneien zahlte. Diesem Arzt ohne Furcht und Tadel bereiteten die Nazis den Märtyrertod. Baum starb an einem Magenleiden in Prag im jüdischen Krankenhaus, von Dr. Lieben betreut. Seine Frau kam nach Theresienstadt und hat es nie wieder verlassen. Der einzige Sohn hatte schon vorher Palästina erreicht, wo ich ihn wiederfand und viel mit ihm beisammen war. Er fiel als Zufallsopfer eines (jüdischen) Terroranschlags.

Oskar Baum hat einmal acht Tage lang bei Kafka in Zürau gewohnt, in der Bauernwirtschaft, die Kafkas Schwester Ottla gepachtet hatte. Kafka suchte dort im ersten Stadium seiner Krankheit Zuflucht und Heilung. Aus intimer Kenntnis des Freundes hat Baum Notizen hinterlassen, die jetzt im *Almanach 1902 bis 1964* des »Jüdischen Verlags Berlin« neu ans Licht gezogen worden sind. Da heißt es u. a.: »Franz Kafka, der Dichter aus Prag, von wenigen gekannt, aber von diesen als einer der größten heutigen Meister der deutschen Prosa bewundert, ist am 3. Juni 1924 im Sanatorium Kierling bei Wien einem schweren Leiden erlegen ... Was könnte ich Fremden über ihn aussagen? Wer ihn nicht kannte, kann sich vielleicht ein so bis ins Letzte singuläres Wesen nicht vorstellen. Die geringste Reflexbewegung noch hatte etwas von dieser persönlichsten Eigenart. – Mit einer nicht überbietbaren Schärfe und Klarheit des Blicks prüfte und entzauberte, entschälte er das Echte des äußeren und inneren Lebens bei sich und anderen. Er verurteilte nie; er stellte fest. Ohne Haß und Scheu, aber auch ohne verzärtelnde Empfindsamkeit faßte er das Skelett jeder Seele, jeder Begebenheit, jeder sich ereignenden Situation. Sicher, aber doch dabei mit so zarten, behutsamen Fingern, daß auch die Kälte des unbarmherzigen Durchschauers – war es die Grazie des Ausdrucks, war es die unverwelkliche Güte des reinen Willens? – nie wehtat, niemals frösteln machte. Daß ihm die Liebe zum Irrweg, die Verliebtheit in das Nebenher, in das Kleid der Dinge nicht fehlte, braucht man bei einem so bildkräftigen Dichter nicht zu betonen, aber er wußte das Wie, das Nebenher, das Kleid der Dinge so durchsichtig und dahinter die Wahrheit des Kerns so greifbar existent zu finden, zu erfinden, daß die Einheit des Ewigen und des Zufälligen, des Wesentlichen und seines zufälligen, wechselnden Gesichts zu einer magischen, unwiderstehlichen Selbstverständlichkeit wurde. – Er war von Natur ein Fanatiker voll ausschweifender Phantasie, aber dieses Glühen zügelte er mit inbrünstigem Ringen nach strenger Sachlichkeit. Seine beispiellose Überwindung alles verführerischen, süßlichen Schwärmens und Schwelgens in Gefühlen und verschwommenen Träumereien war ein Teil seines religiös anmutenden – körperlich ins Spleenhafte sich auswachsenden – Reinlichkeitskults. Er schuf mit der subjektivsten Bildform, aber es mußte als die äußerste Objektivität wirken.«

Noch aufschlußreicher sind die Zeilen, die Baum über Kafka in der Zeitschrift »Witiko« 1929 veröffentlicht hat. Er schreibt u. a.:

»Unsere erste Begegnung steht mir noch in klarer Erinnerung. Max Brod vermittelte sie. Er brachte Franz Kafka zu mir und las uns an jenem Herbstnachmittag 1904 seine eben vollendete Novelle *Ausflüge ins Dunkelrote* vor. Wir waren damals wenig über zwanzig Jahre alt. Aus dem begeisterten Meinungswechsel, in den uns die Probleme der Erzählung verwickelten und der in äußerst gezügelter Wortsparsamkeit nach unserer damaligen Art geführt wurde, ist mir noch mancher Ausspruch erinnerlich. So sagte unter anderem Kafka: ›Wenn man nicht nötig hat, durch Stileinfälle vom Geschehen abzulenken, ist die Verlockung hiezu am stärksten.‹ – Den tiefsten Eindruck hatte mir die erste Bewegung, mit der Kafka in mein Zimmer getreten war, hinterlassen. Er machte mir, während der vorstellenden Worte Brods, eine *stumme* Verbeugung. Das war, sollte man glauben, eine sinnlose Förmlichkeit *mir* gegenüber, der ich sie ja nicht sehen konnte. Sein glattgestrichener Haarscheitel berührte indes, wohl infolge meiner etwas zu heftigen gleichzeitigen Verbeugung flüchtig meine Stirn. Ich fühlte eine Ergriffenheit, deren Grund mir im Augenblick nicht in vollem Umfang klar war. Hier hatte einer als *Erster* unter allen Menschen, die mir begegnet waren, meinen Mangel als etwas, das nur mich allein anging, nicht durch Anpassung oder Rücksicht, nicht durch die geringste Veränderung seines Verhaltens, festgestellt. – So war er. So wirkte seine einfache und natürliche Entfernung vom Zweckhaft-Üblichen, so überbot seine strenge kühle Distanz die landläufige Güte (die ich sonst bei ersten Begegnungen durch grundlos gesteigerte Wärme der Reden, des Tonfalls, des Händedrucks kennen lerne) an Tiefe der Menschlichkeit. – Solche Einordnung jeder unwillkürlichen Bewegung, jedes alltäglichen Wortes in seine ganz persönliche Weltauffassung gestaltete trotz der abstrakten Kämpfe, die ständig seinen Geist beherrschten, sein Auftreten, seine äußere Erscheinung ungemein lebensvoll. – Wenn er vorlas – das war seine besondere Leidenschaft –, dann unterordnete sich der Ausdruck des einzelnen Worts bei voller Klarheit jedes Lauts, in zuweilen schwindelerregendem Zungentempo, ganz einer musikalischen Breite der Phrasierung von endlos langem Atem und gewaltig sich steigernden Crescendi der dynamischen Terrassen – wie ihn ja auch seine Prosa hat, deren abgeschlossene Stücke zuweilen wie *Die Zirkusreiterin* im Wunderbau eines einzigen Satzes gewachsen sind. – Durch gewisse eigene Züge prägte sich mir die Zeit ein, da Kafka an seinem Drama schrieb, von dem niemand je ein Wort zu lesen bekam. Es sollte, glaube ich, die *Grotte* oder die *Gruft* heißen und spielte – folge ich den Andeutungen, die ihm zuweilen in der aufgeschlossenen Freude nach der Arbeit entschlüpften – unter Hirten und Schäfermädchen vor dem Eingang zu bereitstehenden Grabgewölben. Ein Kampf gegen und für den Tod in einem heitern Spiel der Gefühle, die ihre Macht und Süßigkeit aneinander messen. Man schämt sich des Todes wie etwas beinahe Ungehörigen und Unanständigen, weil er als Strafe gilt, ohne daß es sich freilich herausbringen ließe, für welche Art von Sünde er verhängt wird, denn es werden ja auch andere Strafen verteilt. Wenn junge Menschen sich den Tod zuschulden kommen lassen, fühlen sie es als besonders beschämend. Die Ehrfurcht vor alten Menschen kommt daher, daß sie so lange schon leben und ihn noch nicht verdienten. Daß ihn einer nie verdienen würde, auf den Gedanken kommt man überhaupt gar nicht, aber sicher ist, daß sich immer nur vor ihm hüten, nur an das Nicht-Sündigen zu denken, die schlimmste und gefährlichste Sünde ist. – Von der Handlung des Dramas verriet er nichts. Er erzählte nur, wie er in der Zeit, da er daran schrieb, nach der Arbeit immer in Seligkeit federnd die endlosen Stufen der Treppe vom Goldmachergäßchen zum Klaarplatz hinabschwebte. Er kam dann an einer Buchhandlung vorbei, wo eine neue Shakespeare-Ausgabe im Schaufenster ausgelegt stand. Der Anfang des *Hamlet* war als Druckprobe aufgeschlagen, und da las er täglich die Reden des Horatio und seiner Freunde bis zu der Zeile, die das darunter stehende Buch verdeckte. Er zerbrach sich den Kopf darüber, wie es dort weiter hieß; er hätte es um alles in der Welt gern gewußt; er grub in seinem Gedächtnis nach, es verfolgte ihn, diesem Ideal dramatisch bewegter Rede nachzugehen – aber daheim in den Bücherschrank zu greifen – nein, das hätte ja jede Möglichkeit, nachzusinnen, vereitelt. – Als das Drama vollendet war, weigerte er sich, daraus vorzulesen. Wir wußten von manchem frühern Werk her, was es damit auf sich hatte, wenn er es für mißlungen erklärte;

aber er schlug unsere innigsten, schlauesten und derbsten Angriffe ab. ›Das einzig Nicht-Dilettantische an dem Stück ist, daß ich es *nicht* vorlese‹, sagte er. – Es war dann wohl unter der großen Zahl von Manuskripten, die er, vor seiner Abreise von Berlin an seine Sterbestätte, langsam eines nach dem andern ins Feuer warf. – Um die Zeit, als jenes Drama entstand, hatte er drei Wohnungen. Er, der sonst so Lufthungrige, wählte für die Arbeit eines der niedrigen, engen Zwerghäuschen mit einem einzigen Gelaß, in denen der Überlieferung nach die Alchimisten Kaiser Rudolfs gehaust haben. Der Ofen qualmte, aber hier war es unüberbietbar still, vollkommene Einsamkeit. – Für den Schlaf mietete er einen der überhohen luftigen saalartigen Räume mit riesigen Fenstern in einem alten Adelspalais, den freilich im Winter kein Ofen der Welt erwärmen konnte. Für das unausweichlich Übliche: für Mahlzeiten, menschlichen Umgang diente sein Zimmer in der Wohnung seiner Eltern. – Das war eine für sein Schaffen sehr günstige Einteilung, die ihn aber die Gesundheit kostete. – Zu Anfang 1918 war ich acht Tage lang mit ihm in Zürau, einem damals tief verschneiten Dorf bei Saaz, wo seine tapfere Schwester ein Gütchen bewirtschaftete. In den langen Nächten, die wir bis zum Morgen durchplauderten, erfuhr ich mehr von ihm, als in den zehn Jahren vorher und den fünf nachher. Vielleicht gelingt es mir einmal, ein einigermaßen zusammenhängendes Bild seines damals sehr bittern und lebensabgewandten Seelenzustandes wiederzugeben. – Von den vielen Entwürfen und Plänen, die er mir in jenen Nächten ohne die Hoffnung, ja ohne die Absicht sie je auszuführen, erzählte, möchte ich hier nur eine kleine phantastische Geschichte andeuten. Ein Mann will die Möglichkeit einer Gesellschaft schaffen, die zusammenkommt, ohne eingeladen zu sein. Menschen sehen und sprechen und beobachten einander, ohne einander zu kennen. Es ist ein Gastmahl, das jeder nach seinem Geschmack, für seine Person bestimmen kann, ohne daß er irgendwem beschwerlich fällt. Man kann erscheinen und wieder verschwinden, wenn es einem beliebt, ist keinem Hauswirte verpflichtet und ist doch, ohne Heuchelei, immer gern gesehen. Als es zum Schluß tatsächlich gelingt, die skurrile Idee in Wirklichkeit umzusetzen, erkennt der Leser, daß auch dieser Versuch zur Erlösung des Einsamen nur – den Erfinder des ersten Kaffeehauses hervorgebracht hat.«

Eine besonders wichtige Aufgabe war in dieser Gemeinschaft der Freunde dem stillen und an Bescheidenheit mit Kafka wetteifernden Felix Weltsch zugedacht: Er formte in strengen Gedankenketten das, was uns Bild-Trunkene in unseren Wachträumen bewegte. Das begann mit seinem Buch *Gnade und Freiheit* (Kurt Wolff, München, 1920). Ein Auftakt dazu war *Anschauung und Begriff* (Kurt Wolff, München, 1913), das Werk, an dem ich mitgearbeitet habe, dessen origineller Grundeinfall aber, in der »verschwommenen Vorstellung« die Urzelle des Begriffes zu sehen, durchaus nur von Felix Weltsch herstammt.

Besonders mir kamen die vielen Diskussionen, die wir über Freiheit oder Unfreiheit des Willens führten, ganz gewaltig zu Hilfe. – Seit dem Jahre 1900 (das Datum habe ich mir leicht gemerkt – die Eltern waren zur Weltausstellung nach Paris gefahren, ich konnte in der Einsamkeit der Sommerfrische ungestört und unbeobachtet lesen), seit meinem sechzehnten Lebensjahr also, hatte mich Schopenhauer völlig in seinen Bann genommen. Onkel Weis (Rapp) als Mentor zu den Geheimnissen der Welt. Ungeheure Aufregung und das Gefühl, täglich namenlos bereichert zu werden, sei es auch auf schmerzhaft traurige Weise. Es war doch auch, den Pessimismus mit einbezogen, unsagbar viel Schönes, Großes, verführerisch Funkelndes dabei! Mein Vater warnte vor Schopenhauer, aber vergebens. Ich las *jahrelang* nichts als Schopenhauer und die von ihm empfohlenen Autoren: Calderon, Cervantes, Goethe, Lord Byron, buddhistische Schriften. Ich war der typische »lector unius libri«. War ich mit dem 6. Band Schopenhauers zu Ende, so begann ich sofort wieder mit dem ersten. Fanatisch. Mein Vater hatte eine schöne Klassikerbibliothek; ich lebte in ihr wie in den Gymnasialautoren der Antike, die ich durchaus als heutige Autoren empfand und mit Schopenhauer verglich, an ihm, dem Einzigen, maß. Mein Freund Bäuml war über diese Verlebendigung der Schulpensen oft erstaunt. Mit dem »Nil admirari« (»Nichts anstaunen«) des Horaz begann ich mein erstes Buch *Tod den Toten* – auf das auch die großartig weltumspannenden *Phantasien eines Realisten* meines wesentlich älteren Landsmannes Josef Popper-Lynkeus Einfluß hatten. – Diesen Popper-Lynkeus, in der tschechischen Stadt Kolin bei Prag geboren, möchte ich gleichfalls zu den Stammvätern des »Prager Kreises« zählen. Sein oben genanntes, einziges novellistisches Werk, durchblitzt von kühnsten Einfällen, sowie seine ebenso kühnen staatsreformerischen Vorschläge (»Die allgemeine Nährpflicht des Staates als Lösung der sozialen Frage« – eine Synthese oder richtiger: zeitliche Aufeinanderfolge von strengem Sozialismus und absolut freiem Individualismus) fanden bei uns ein stürmisch zweifelndes und ebenso heftig zustimmendes Auditorium. Seine Werke gehören zu den Büchern, die heute neu aufgelegt werden müßten.

Doch alles wurde von der Frage überschattet: » Ist der menschliche Wille frei? Oder wird er, wie Schopenhauer sagt, ›nezessitiert‹, mit Notwendigkeit zu seinen Entschließungen gebracht?« Ich fand nirgends eine Lücke in den Beweisen meines Gottes Schopenhauer und mußte mich dreinschicken. Diese »Waffenstreckung der Ethik« wurde mir zum »Indifferentismus«, in dem ich das Böse wie das Gute gleich preisenswert (»omnia admirari«) und gleichberechtigt, weil auf gleiche Weise zwanghaft kausiert fand. Wir haben keine Möglichkeit zu wählen. Wir sind der Kausalkette, dem grausamen Apparat verfallen, den Kafka die »Totschlägerkette« nennt.

Wir alle litten an unsern Irrtümern, fanden keinen Ausweg. Vorübergehende Erleichterung bot die »Operettenhaftigkeit« des großen Dichters Jules Laforgue. »Ach, warum ist nicht alles operettenhaft«, schluchzt er – und möchte das Universum als einen leichten Witz nehmen, spielerisch, verträumt, in melancholischer Metaphysik das Ernsthafte aufhebend. Das ergab die schönsten Fernsichten, voll von Überraschungen und mit ergreifender Innerlichkeit gesegnet; doch das Herz starb unaufhaltsam weiter ab. Bis mich die Liebe zu einem armen, verworrenen, schönen Mitmenschen einen Ausweg ahnen ließ. Meine Erzählung vom *Tschechischen Dienstmädchen* (1909) bedeutete den Wendepunkt. Auch in meinem Roman *Schloß Nornepygge* ist es das Element des Eros, das die Befreiung ankündigt. »Hoch soll die Freiheit leben«, schrieb ich als Leitspruch aus Mozarts *Don Giovanni* über das ganze Buch und ließ den lebenstüchtigen Don Juan Tenorio persönlich auftreten, um dem ausweglos »indifferenten« Helden (oder vielmehr Unhelden) des Buches die Spitze zu bieten.

Felix Weltsch war inzwischen dem grauen Gespenst des Indifferenten (grau, auch wenn es in allen Farben schillert – und gerade dann) auf den Wegen der Überlegung kämpferisch an den Leib gerückt. Neben Franz Kafka wurden nun er und Hugo Bergmann für mein weiteres Leben und Schaffen bestimmend – Bergmann mit seinem leuchtenden Imperativ des Ethos, des wirklichen Eingreifens ins politische und soziale Leben, der zionistischen Vertiefung in die welterlösende Idee des Judentums im Geiste unserer Propheten und der Kabbala, natürlich weitab von allem chauvinistischen Nationalismus: Ein Akt der Einkehr in sich selbst, eine Grundverbesserung des Ich zur Gemeinschaft hin, eine religiöse Entscheidung zum Wohl der ganzen Menschheit. – Felix Weltsch debattierte eigentlich sein Leben lang mit mir über diesen Punkt der freien Willensentscheidung (und späterhin, als er in der Hauptsache gesiegt hatte, über einige andere, gleich wichtige Positionen der Seele, in denen wir in aller Freundschaft uneinig blieben: Plato kontra Aristoteles, Sein gegen Werden). Die beste Zusammenfassung über das Problem Nummer eins, die Freiheit, gelang ihm in seinem schönen Buch *Gnade und Freiheit,* das Kafka immer wieder las und mit Recht ein »Erbauungsbuch« genannt hat.

Hier gibt sich Felix (im 4. Kapitel) zunächst so, als ob er den Indeterminismus (also die Freiheit) in Grund und Boden schlagen, ja ganz vernichten wollte. Im Reich des Werdens, also des Geschehens und der Erscheinungen, verlangt ja Notwendigkeit (Kausalität) die Alleinherrschaft. »Die allgemeine Notwendigkeit ist das allmächtige und durchgängig herrschende Prinzip der Wissenschaft. Es ist ausnahmslos gültig, denn allgemeine Notwendigkeit heißt schon: Unmöglichkeit von Ausnahmen. Das ist der schwerste Hieb, der den Gedanken der Freiheit (der freien Entschließung des Willens) trifft.« – Doch Weltsch pariert aufs glücklichste diesen Hieb, indem er die begrenzte Bedeutung aller Naturgesetze erkennt. Ich gebe hier unsere Debatte in ihrem endgültigen Ergebnis, wie sie viele Jahre später (1947) in meinem Buch *Diesseits und Jenseits* erscheint (es ist mein wichtigstes – und mein am wenigsten bekanntes Buch). Im ersten Band behandle ich den sehr komplexen Gegenstand auf mehr als hundert Seiten in aller Ausführlichkeit. Es heißt da: »Das geistige Ich braucht die Naturgesetzlichkeit, um irgend etwas in der Welt, nicht aber um *sich selbst* (in den freilich seltenen Augenblicken seiner freien Entscheidung) zu verstehen. Diese eine und einzige Ausnahme muß die Kausalität einräumen. Der Versuch, die naturwissenschaftliche Gesetzlichkeit auf die geistige Entscheidung anzuwenden, ... ist (laut Felix Weltsch) eine Überspannung des Kausalitätsbegriffs, eine Anwendung auf ein Gebiet, das ihm fremd ist, wo er nur zu Antinomien führen kann. – Die Freiheit als innere Erfahrung ist also mit der *nachträglichen Deutung* nicht zu verwechseln, die wir dem ausnahmsweisen Aufleuchten der Freiheit in uns geben können – weil wir diese Deutung schlechterdings allem anhängen und ihre vielen Netzmaschen über alles auswerfen können. Aber dieses nachträgliche Einfangen in das übliche Schema beweist keineswegs, daß es im Augenblick der Tat schemamäßig zugegangen ist; hierüber hat uns damals, eben im Moment der freien Tat, unser eigenes Erleben anders belehrt. Ihm ist zu glauben, nicht der nachhinkenden Schematik. Denn gerade durch ihre allgemeine Anwendbarkeit entlarvt sich die Kausalität als stets gebrauchsfertige Form des Intellekts, als Postulat, als Tautologie. Die Allgemeingültigkeit des Kausalgesetzes ist nicht etwa ein logisch beweisbarer Satz, sondern spricht nur, wie Gomperz treffen ausführt, ›unsern Entschluß aus, alle Mittel anzuwenden, um jede gegebene Tatsache als eine gesetzmäßig bedingte aufzufassen, und, solange uns die Ermittlung ihrer gesetzmäßigen Bedingtheit nicht gelungen ist, diese Umstände nicht als Beweis für die Widerlegung des Kausalgesetzes, sondern als Zeichen für das Vorhandensein einer ungelösten Aufgabe zu betrachten‹. – So energisch-deterministisch diese Sätze von Gomperz klingen: sie sind doch mit unserem Begriff eines *ausnahmehaften* Indeterminismus zu vereinen. Die freie Willensentscheidung als Tat muß eben als eine solche ›ungelöste‹, aber auch unlösbare Aufgabe betrachtet werden – die nachträgliche kausale Deutung des außerordentlichen, alle Erfahrung sprengenden Freiheitserlebnisses ist eine Fälschung.« –

Schopenhauer hat zwar den berühmten Satz ausgesprochen, daß die Frage der Willensfreiheit ein Probierstein sei, um die tiefdenkenden Geister von den oberflächlichen zu sondern. Dabei zweifelt er nicht daran, daß die tiefdenkenden Geister (wie Paulus, Augustinus, Spinoza und er selbst) für die durch Notwendigkeit gebundene Willensentscheidung eintreten und nur die oberflächlichen für die freie Wahl stimmen. Ironischerweise ist es nun aber genau umgekehrt: Die Illusionisten sehen nur den Zwang der Kausalität, der sich in Analogie der Naturgesetze, ja dem Scheine nach immer aufdrängt – die echten Philosophen aber sind der Meinung, daß – nicht etwa immer, aber in Ausnahmefällen, in Feststunden des Daseins – der menschliche Wille die Kausalkette zerbricht, sich für die freie Wahl und in Freiheit entscheidet. – Die Worte »Feststunden des Daseins« in diesem Satz sind wesentlich; sie charakterisieren die Ansicht von Felix Weltsch und meine eigene Ansicht entgegen der Meinung Bubers, dem wir viel an Erkenntnis verdanken, doch in *diesem* Punkt immer ein »Nein« entgegengesetzt haben. Schon damals, als er seine erste Rede über das Judentum (1909) in Prag hielt. Buber nämlich visiert, wie seine frühe Terminologie »Realisierung contra Orientierung« sowie die später entwickelte Lehre von der Ich-Du-Beziehung klar anzeigt, auf ein *dauerndes* Hinüberwechseln in die Welt der Zweckfreiheit; wir kennen ein solches Hinüberwechseln nur als himmelstürmenden Ausnahmezustand. Dieser Zustand kann eine relativ kurze oder längere, aber immer nur begrenzte Dauer in der Zeit haben (es sei denn im Ausnahme-Habitus des Heiligen). Er kann auch durch zeitliche Folgen gewissermaßen in die Welt der Erscheinungen festgehämmert werden; sein wirkliches Erlebtwerden aber kann nur außerhalb der Norm, in einer Art von göttlichem Wahnsinn, schreckenerregend und Berge versetzend stattfinden (wie zum

Beispiel in der Schöpfung echter Kunst, im Einswerden mit inspirierter Musik, in echter Frömmigkeit und in beglückend gutem Tun aus der Herzmitte hervor u. ä. – was ich l. c. die »heilige Tetraktys« genannt habe). – Das ganze Problem verlangt in Einzelheiten nach genauer Untersuchung. Bleibe ich noch eine Weile am Leben, so will ich mich an sie heranwagen.

Dagegen scheint mir, daß das parallele Problem der Motivation (das heißt ob sie mit Notwendigkeit vor sich gehe oder dem freien Willen Raum lasse) von Weltsch endgültig gelöst worden ist, und zwar in *Glaube und Freiheit* Seite 85 ff., wo er gegen Schopenhauer das Folgende anführt: »Ist uns die allgemeine Notwendigkeit von *vornherein* Gesetz, auch für den Willen (sc. wie bei Schopenhauer), so ist es selbstverständlich, daß ... das Motiv nur die Rolle der eisernen Notwendigkeit spielen kann. Betrachten wir aber das Erlebnis der Motiviertheit unvoreingenommen, so ist das Motiv keineswegs dieser Zwang, sondern *gleicht eher einem Antrag an das Willens-Ich,* welcher von diesem angenommen oder abgelehnt werden kann. Es liegt in der Freiheit des Ich, ein Motiv zum *ausschlaggebenden* Motiv zu machen. Gewiß wirkt also das Motiv auf das Ich, aber nicht als mechanische Ursache, sondern in jener einzigartigen Weise der Beeinflussung, die wir eben als Motivation bezeichnen.« – Das sind Worte, deren Klarheit, deren »heilige Nüchternheit« (die überhaupt ein Wesenszug unseres Felix war) in der zeitgenössischen philosophischen Literatur nur wenige Rivalen haben. Weltsch führt dann in weiteren Abschnitten seines bedeutsamen Buches noch viele gute Argumente der gleichen Art für seine Auffassung an, die das Tautologische, also Leere, Unwirksame in der rein-deterministischen Beschreibung der Willensentscheidung aufzeigen.

Die Folge der Wahrheitserkenntnisse, die Kafka und ich, indirekt auch Baum, aus dem Umgang mit Weltsch gewannen, machte sich in unserem Leben allenthalben segensreich geltend. Man kann das unter anderem auch in Kafkas Briefen an Weltsch nachlesen; diese Briefe an uns alle drei geben ja überhaupt ein lebendiges und völlig unverfälschtes Bild unseres Lebens und Auf-einander-Wirkens. Bei mir führten die Debatten mit Weltsch, unter Assistenz der Unterweisung durch Hugo Bergmann, zum Durchbruch in die Freiheit. Mein Buch *Tycho Brahes Weg zu Gott* (beendet 1914 knapp vor dem Krieg, erschienen erst 1916, durch den Kriegsausbruch verzögert), bezeichnet die Entscheidung. Schon vorher gab es einzelne Ansätze zu dieser meiner neuen aktiven Weltschau, wie schon oben dargelegt. So auch in dem knapp vor dem *Tycho* entstandenen Band *Weiberwirtschaft,* in dessen zweiter Novelle *(Aus einer Nähschule)* meine mir in inniger Freundschaft verbundene junge Frau Elsa (Taussig) mitgearbeitet, ja wichtige Partien allein geschrieben hat, nach einem gemeinsam entworfenen Plan. Auch diese Frau gehörte zum innersten Prager Kreis, von uns allen auch um ihrer hochgradigen Ironie, um ihres alldurchdringenden Witzes aufs höchste geschätzt. Sie wurde mir 1942 in Palästina durch den Tod genommen, nachdem wir gemeinsam viel Schönes, auch viel Abenteuerliches und Schmerzliches erlebt hatten.

Was ich vor dem *Tycho Brahe* geschrieben habe, betrachte ich mehr oder weniger als literarischen Tastversuch. Manches kündigt sich an (z. B. im *Tschechischen Dienstmädchen)*, was erst später deutlich geformt erscheint. Der Wohlwollende wird das gern da und dort herausfühlen.

Über den Reichtum an Erkenntnissen, der aus dem Lebenswerk von Felix Weltsch hervorleuchtet, habe ich in meinem Nachwort zum Neudruck von Felixens *Wagnis der Mitte* (siehe Bibliographie) Rechenschaft abzulegen versucht. Richtigerweise und besser lernt man natürlich diesen Reichtum aus den Werken von Weltsch selber kennen. Denn mag Schopenhauer auch in vielem fundamental irren: In der immer wiederholten Mahnung, man müsse einen Autor stets aus seinen eigenen Schriften, nicht aus Darstellungen eines Dritten verstehen lernen, in dieser Mahnung (und in manchem andern) hat er durchaus recht, und sein Wort bleibt zu beherzigen. – Das nachgelassene Buch von Weltsch, *Sinn und Leid*, eine wahre »Summa« seiner Lebenserfahrungen und seiner Einsichten, ist noch ungedruckt. Dieses Werk bringt, um mit Cusanus zu sprechen, eine Durchsiebung (cribratio) der entscheidenden Lebensfragen, im thematischen Umfang etwa mit der *Ethik* Spinozas oder mit der *Welt als Wille und Vorstellung* Schopenhauers vergleichbar. Die entscheidende Neuerung des Buches liegt im Begriff der »absoluten Steigerung«. Der »absolute Komparativ«, wie dieses Novum von seinem Schöpfer manchmal genannt wird, ist ein paradoxer Ausdruck, genauso wie »Wagnis« und »Mitte« eigentlich Gegensätze sind, deren dialektische Sprengwirkung Weltsch einst zum Ausgangspunkt seiner Forschung gemacht hat. Denn im Wesen des »Komparativs« liegt ja eine Vergleichung, ein »mehr«, also deutlich etwas Relatives, das der Subsumtion unter die Kategorie des »Absoluten« recht hartnäckigen Widerstand entgegensetzt.

Eben in diesem Widerstand und seiner Überwindung findet Weltsch neue Wege, eine Blickrichtung, die produktiv zur Stellungnahme reizt, fast die gesamte philosophische und theologische Entwicklung alter und neuer Zeit in Frage stellt, halbverschüttete Diskussionen zu loderndem Feuer entfacht. »Die Inthronisierung des Komparativs auf den Thron des Absoluten und die Absetzung des Superlativs erfordert eine Umstellung unserer Wertungen, unserer Hoffnungen, der Auffassung unseres Lebenssinnes, unserer Erlöservorstellungen«, sagt der sonst so bescheidene, in Selbstunterschätzung exzedierende Autor. Das Werden erscheint in dieser Sicht (die ich persönlich nicht teile) als das einzig Wirkliche, es gibt kein vollkommenes Sein, es gibt nur eine potentielle, keine aktuelle Unendlichkeit und Makellosigkeit. – Das Buch von Weltsch stellt die Konsequenzen dieser seiner Schau mit nicht zu überbietender logischer Klarheit und mit der Leuchtkraft seines unbestechlichen, illusionsfremden Wahrheitswillens dar. Ich kann ihm nicht in allem Recht geben – aber ihn in allem bewundern, das kann ich. Es ist keine Spur von Kleinheit oder Geltungsbedürfnis an seiner Linie des Lebens wie des Denkens zu bemerken.

Zum *Wagnis der Mitte* sei noch bemerkt: Sedlmayrs berühmt gewordenes Buch *Der Verlust der Mitte* hat mit dem Hauptwerk von Weltsch (welch letzteres, wenn ich nicht irre, früher entstanden ist) nicht nur eine Ähnlichkeit des Titels gemeinsam. Es gibt auch Querverbindungen im Inhalt, wiewohl Sedlmayr hauptsächlich das Gebiet der Künste behandelt und öfters zu konservativen Schlußfolgerungen kommt, die Weltsch, dem Matador des »Wagnisses« im Phänomen der Mitte, fernliegen. – Hier spielt sich vor unseren Augen ein interessantes Kuriosum ab: Anscheinend wußten die beiden Verfasser, deren Denkart in manchen Punkten einander so nahe kommt, nichts voneinander. Sie haben unabhängig gedacht und haben auch später voneinander keine Notiz genommen. – Die Geistesgeschichte eilt ja nicht. Sie kann ruhig warten, bis die beiden Philosophen (allenfalls von dritter Seite) miteinander verglichen werden und ein gemeinsamer Beitrag zur Ideologie unserer Zeit sich herauskristallisiert. Nicht nur Bücher, auch Doktrinen haben ihre Schicksale.

Als Felix Weltsch 80 Jahre alt wurde (ein Datum, dem leider sein Ableben bald nachfolgte), würdigte ihn Uri Naor, Israels Botschafter in Chile, der einst in Prag, als er noch Hans Lichtwitz hieß, unter der Ägide von Weltsch in der Redaktion der »Selbstwehr« mitredigierte, in dieser ideologisch wichtigen zionistischen Wochenschrift, die vor der Ära Felix Weltsch führende Geister wie Leo Herrmann, Emil Margulies, Robert Weltsch, Siegmund Kaznelson unter oft schwierigsten Bedingungen geleitet hatten. Man spottete damals in Prag: »Wie geht denn unser Blatt?« Antwort: »Ausgezeichnet geht es. Da niemand es hält.« – Oder der andere Witz: »*Selbst wer* sie hält, liest sie nicht.« – Beide Witze wurden allmählich durch die Wirklichkeit Lügen gestraft. Ohne die jungen Männer aber, die sich an der anfangs aussichtslos scheinenden Aufgabe abrackerten, wäre der »innere Prager Kreis« nie das geworden, was er war. Wir alle (auch Kafka, wie aus seinen Briefen an Weltsch hervorgeht, in denen er immer wieder ungeduldig die neue Nummer anmahnt), wir alle waren eifrigste Leser der »Selbstwehr«; sie ruhe in Frieden! – Botschafter Uri Naor nun schrieb zu Felixens Jubiläumsjahr in einem Schweizer Blatt u. a.: »Lieber F. W. – In dieser kurzen graphischen Form habe ich Sie zunächst als einen Journalisten kennengelernt, der auch, wenn er, was ihm gar nicht lag und wozu er sich immer wieder zwingen mußte, politisch-polemische Artikel schrieb, mehr Schriftsteller als Tagesjournalist war. Sie wurden mein journalistischer Lehrer, und all der große innere Reichtum und die zuweilen echte Befriedigung, die dieses Metier ihrem Träger einbringt und die auch ich oft genießen durfte, habe ich Ihnen zu verdanken. Ich habe bei Ihnen viel gelernt, darunter einiges, das so typisch für Sie erscheint, daß ich es bei dieser Gelegenheit erwähnen möchte. In unserer ersten Zusammenkunft im Juli 1925, knapp nach meinem Abitur, gaben Sie mir in Ihrer herzlich-freundlichen und so warm-sarkastischen Weise die erste Lektion in Journalismus, und ich erinnere mich noch ganz genau an Ihre Worte: ›Merken Sie sich vor allem eines: in unserer Sprache, der Sprache ernster Journalisten, kommt das Wort ›ich‹ nicht vor.‹ – Ich habe niemals in Ihren allwöchentlichen tiefschürfenden und doch in einem so klaren, sauberen und leichten Stil geschriebenen Leitartikeln in der ›Selbstwehr‹ das Wörtchen ›ich‹ gefunden. – Sie waren auch in Ihrem ganzen Leben so bescheiden und zurückhaltend und haben Ihre große Stellung an der Prager Universität, im Kulturleben jenes in allen geistigen Sparten so anspruchsvollen Prags, in der zionistischen Bewegung und dann später in Jerusalem nur Ihrer Persönlichkeit und Ihrer großen geistigen Kapazität und nichts anderem zu verdanken. – Ich erinnere mich auch oft an eine andere Ihrer Maximen: *Dem Artikel die scharfen Zähne ziehen* – so nannten Sie die Tätigkeit, die wir jeden Mittwochnachmittag in der kleinen Redaktionsstube der ›Selbstwehr‹, zuerst in der Celetná und dann in der Dlouhá ulice, und Donnerstag vormittags, knapp vor dem Umbruch und der Drucklegung der Zeitschrift in Ihrem womöglich noch kleineren Büro in der Universitätsbibliothek vornahmen: den polemischen Ton der Beiträge unserer zahlreichen Mitarbeiter auf ein erträgliches Maß zu dämpfen und vor allem alle, welche Personen auch immer verletzenden und herabsetzenden Stellen zu streichen. – Die agressiven Naturen blickten etwas spöttisch und sehr mißbilligend auf diese Zensur, der Sie alle Manuskripte – und in erster Reihe unsere eigenen – unterwarfen, und auf den zionistischen Jahreskonferenzen traten regelmäßig die unerbittlichen Kritiker der ›Selbstwehr‹ auf und richteten sehr spitze und zuweilen genug giftige Pfeile gegen Ihre ungewappnete Brust. Sie haben gar nicht gerne öffentlich das Wort ergriffen und fühlten sich viel mehr beim geschriebenen und verbindlicheren Wort zu Hause. Aber wenn Sie sich manchmal doch auf der Tagungstribüne den Gegnern stellten, dann erzielten Sie mit ein paar unpathetischen, geistreichen und in einem leicht-sarkastischen Tone vorgetragenen Bemerkungen einen viel größeren Publikumserfolg als all die großen Oratoren der Tagung. – *Eine gute, unhysterische und anständige menschliche Atmosphäre* bildete für Sie eine unabdingliche Voraussetzung jeder ernsthaften geistigen und politischen Auseinandersetzung; nur in einer solchen Atmosphäre konnten Sie wirken. Dort, wo es eine solche Atmosphäre gab, standen Sie, oft gegen Ihren Willen, gleich und mit Recht im Vordergrund. – Ich habe Sie in all jenen Jahren nicht ein einziges Mal unbeherrscht oder in einer schlechten Stimmung erlebt, die Sie an Ihren Mitarbeitern und Angestellten abreagiert hätten. Über alle Schwierigkeiten und Widerwärtigkeiten, die ein Redakteur so oft und so zügellos über sich ergehen lassen muß, brachte Sie Ihr kluger und feiner Humor hinweg, vielleicht auch zuweilen Ihre besondere Vorliebe für Abstraktion und eine philosophisch-psychologische Durchleuchtung und Katalogisierung der menschlichen Schwächen – sind Sie nicht der Erfinder des modernen Zettelkataloges für Bibliotheken oder haben Sie nicht zumindest ein neues System dieser Katalogisierung konstruiert? A propos Humor: Ich habe seit Ihrem unvergeßlichen Vortrag über den jüdischen Humor keine wesentlichere und gültigere Arbeit zu diesem endlosen Thema mehr kennengelernt.«

Ein weiteres Zeugnis eines Mannes, der mit Felix zusammengearbeitet hat, mag diese Aufzeichnungen über ihn beschließen. Das Fehlen der Ichbezogenheit – das war mehr als ein journalistisches Glaubensbekenntnis. Es war das Programm eines ganzen Lebens. Weltsch hat dieses Programm in strengster Form verwirklicht. Er hat seine Philosophie wirklich gelebt. Dr. Leo Kraus, der gleichfalls in der »Selbstwehr« unter Patronanz von Felix Weltsch seine ersten Schritte in unserer Bewegung getan hat, jetzt einer der Leiter der »Vereinigung tschechoslowakischer Einwanderer« in Israel, berichtet u. a.: »Damals erschien ein Buch über die sogenannte ›Kameradschaftsehe‹. Dr. Weltsch gefiel dieses Buch und er hielt darüber auch Vorträge. In diesem Buch wurde empfohlen, daß junge Paare, ehe sie die Ehe juristisch abschließen, erst ein Jahr in einer Kameradschaftsehe, sozusagen auf Probe, leben sollen. Bei einer Unterhaltung über dieses Buch sagte ich zu Dr. Weltsch: ›Was würden Sie dazu sagen, wenn Ihre Tochter mit achtzehn Jahren zu Ihnen käme mit der Ankündigung, daß sie mit Herrn X, den sie Ihnen gleichzeitig vorstellte, eine Probeehe eingehe?‹ Er dachte nach, lächelte – sein berühmtes selbstironisches Lächeln – und antwortete: ›Junger Mann, einige Male habe ich Ihnen schon gesagt, Sie sollten sich mehr abstraktes Denken angewöhnen.‹ – Wenn ich über Menschen oder Handlungen mit meinem damaligen jugendlichen Elan Urteile abgab wie ›Gut‹ und ›Böse‹, pflegte er zu sagen: ›Lieber junger Freund, es gibt nicht ›Schwarz‹ und ›Weiß‹, es gibt nur annähernd schwarz und annähernd weiß.‹ «

Auch mit Ludwig Winder, der Oskar Baum besonders nahestand, hielt ich viele Jahre lang enge Freundschaft. Wir machten auch öfters Spaziergänge zu zweit – das beste Mittel, einander nahezukommen. Die schönen Gärten und Parkanlagen, vor allem der »Baumgarten«, Prags Prater, luden zu solchen Spaziergängen ein. Mit Winder sprach ich gern von ganz persönlichen und von literarischen Angelegenheiten, selten von Politik. Dabei waren wir beide leidenschaftliche, wenn auch kritische Demokraten, etwa in der maßvollen Richtung Masaryks, dem wir freilich nicht in allem beipflichteten; jedenfalls entschiedene Gegner jeglicher Diktatur. Das jüdische Problem wurde nur selten berührt. Ich wußte, daß Winder in diesem Punkt anders dachte und fühlte als ich. Und gegenüber einem so reifen, durchgebildeten Mann wie Winder hatte ich mich damals zum Diktum Oscar Wildes durchgerungen: »Nur die verlorenen Seelen streiten.« – Ich respektierte Winder in jeder Hinsicht. – Er war Theaterkritiker der »Bohemia«, ich die Gegennummer des »Prager Tagblatt«. So trafen wir einander bei Premieren, hatten auch manches Berufliche gemeinsam, zumal er wie ich in unseren Redaktionen Ansichten vertrat, die denen der Leitung in vielem strikt widersprachen. Man hatte aber uns beiden eine gewisse unabhängige Sonderstellung im Redaktionsstab eingeräumt. Wir beide waren einander wesentlich näher als jeder dem Team seiner Mitredakteure. Dieser Eindruck drängte sich mir auf, ohne daß er je ausgesprochen wurde. – Im Verkehr war Winder sehr ernst und sehr witzig zugleich. Oft ließ er ein kurzes bitterverlegenes, niemals zynisches Lachen hören. Er litt. – Im erneuerten Kreise der vier las er, der an Kafkas Stelle getreten war, häufig aus seinen werdenden Werken vor, und wir liebten ihn um seiner reichen Invention, um seiner Redlichkeit, erzählerischen Strenge, um seiner an Flaubert geschulten Objektivität willen. Nur empfand ich, daß Flauberts Objektivität meist nur starre Schale um einen glühenden Seelenkern ist. Bei Winder schien mir die leidvolle Erstarrung oft bis in den Kern zu reichen – wie dies ja auch bei Flaubert zuweilen in den Krisen seiner Verzweiflung vorkommt, z. B. gerade in seinem letzten unvergleichlichen Buch *Bouvard et Pécuchet.*

Winder kam aus Mähren. Von seiner Jugend sprach er nie. Sie muß traurig gewesen sein. Das fühlte man aus seinen, gleichsam mit zusammengebissenen Lippen hervorgepreßten Romanen *Die jüdische Orgel, Die nachgeholten Freuden, Die Peitsche, Dr. Muff.* Einige erschienen bei Ullstein und hatten starken Erfolg, setzten sich bei Publikum und Kritik langsam, aber stetig durch. *Die rasende Rotationsmaschine* warf trübe Reflexe auf die Zeitungswelt, in der Winder (wie ich) stets zur undankbaren Rolle des Opponenten verurteilt war, der sieht, aber das Richtige und Gute nicht durchsetzen kann. Auf die Politik angewendet erschien die Satire auf das Schlemihltum in Winders Roman *Der Thronfolger* (in dem Franz Ferdinand Este die Hauptfigur war) und in seinem erschütternden Drama *Dr. Guillotin,* dessen Aufführung am Prager deutschen Theater ein Ereignis darstellte, das mir noch heute nachgeht. Dieser Dr. Guillotin erfindet die nach ihm benannte Hinrichtungsmaschine – aus Menschenfreundschaft, aus Abscheu vor dem rohen Henkersamt und den Leiden der Verurteilten. Er führt in einer äußerst wirksamen Audienzszene ein herziges kleines Modell seines Apparats dem liebenswürdigen König Ludwig XVI. vor, der dem Philanthropen bei seiner Verrichtung und dem niedlich funktionierenden, säuberlichen Spielzeug beifällig-gnädig zusieht. Auch in den folgenden Akten ist die Handlung äußerst ironisch geführt, mit immer unerwarteten Wendungen den Vermutungen des Hörers ausweichend. Der Apparat, der das Schlimmste erleichtern und ersparen sollte, wächst zum wütenden Dämon, der das Böse in den gemeinsten Massenbetrieb und Alltag zieht. Er wird in seinem Wüten eingehalten, indem der Erfinder sich opfert. Er selbst wird guillotiniert. – Es ist erstaunlich, daß ein so bühnensicheres und bedeutendes Werk vom Repertoire verschwinden und in Vergessenheit geraten konnte. Es stellt alle Fragen der Humanität in originaler Art neu zum Durchdenken, zum erregten Durchfühlen hin.

Wenn mich meine Erinnerung nicht täuscht, hat Winder noch, knapp ehe unser Kreis durch Hitlers Einmarschdrohung auseinandergesprengt wurde, ein zweites sehr starkes Drama vorgelesen – bei jenen letzten Zusammenkünften, in denen die Freude am Künstlerischen noch nicht ganz vor den drängenden Problemen der Auswanderung zurückgewichen war. Thema des Stücks: der mißglückte Versuch einer fanatischen Frau, Napoleon aus seiner Gefangenschaft auf St. Helena zu entführen.

Dieses Drama ist meines Wissens nie gedruckt, nie gespielt worden. Dagegen entstand in Winders Londoner Exil der ergreifende Roman *Die Pflicht*. Dieser Roman erschien nach Winders Tod, im Steingberg-Verlag Zürich (1949), liegt also vor. – In London brachte sich Winder während des Krieges schlecht und recht nach Emigrantenart durch. Das Schicksal hatte den stolzen Mann tief verletzt; denn bei der Flucht (oder irgendwie im Zusammenhang mit dieser Flucht) wurde eine seiner beiden Töchter von einer Nazi-Grenzwache erschossen. Sie war Studentin, ein schönes, höchst begabtes und liebes Mädchen, die Freude der Eltern und aller, die sie kannten. – Der schauerliche Vaterschmerz durchzittert Winders letzten Roman. Aber nach der rigoros distanzierenden Methode, die er sich auferlegte, läßt er diesen Schmerz nicht frei ausströmen. Im Mittelpunkt der Erzählung von der »Pflicht«, die, vielleicht nicht unbeeinflußt von Kafka, in diszipliniert ruhiger Art vorgetragen wird, steht ein kleiner tschechischer Beamter, »Herr Josef Rada, ein Mann mit rosigen Wangen und ernsten, graublauen Augen«, der nichts anderes im Sinne hat, als unauffällig, von den Augen der nazistischen Okkupationsbehörde möglichst unbemerkt zu bleiben und im Prager Eisenbahnministerium seine Tarife zu errechnen wie bisher. Darin ist er ein Meister. Seine subalterne, aber schwierige Arbeit wird allseits anerkannt, als unentbehrlich angesehen. Aber das Unglück will, daß er einmal etwas sehr Gutes getan hat: Er hat im Gymnasium einem Mitschüler das Leben gerettet. Der Mitschüler, einer reichen Familie entstammend, war am Ertrinken. Auf ihn stößt er viele Jahre später im Amt wieder, da wird zufällig der reiche Mitschüler Vorgesetzter unseres Herrn Rada. Das Verhängnis zieht sich zusammen, denn dieser Vorgesetzte ist kein patriotischer Tscheche, er arbeitet aus Angst auf Seiten der Nazis, es ist wohl auch Karrieremacherei mit dabei – kurz, der Vorgesetzte ist bald bei allen guten Tschechen im Amt verhaßt und bildet sich ein, in Rada seinen einzigen Vertrauensmann und Freund zu haben. Rada würde gern im Hin und Her der Intrigen neutral bleiben. Aber sein Sohn, ein Student, gehört der Untergrundbewegung an, wird ins Konzentrationslager gebracht und stirbt. Vater Rada, der gegen seinen Willen einen hohen Posten bekommen hat, das Protektionskind malgré lui, wird aus Pflichtgefühl (dem toten Sohn und der Nation gehorchend) zum Saboteur. Die Aufdeckung seiner Taten geht in einer Spannung vor sich, die sich dem Leser mit eiskaltem Entsetzen mitteilt. Man fliegt mit, durchrast einen der wirksamsten Anti-Diktatur-Romane, die ich kenne; und dabei ist das Buch mit den saubersten Mitteln gearbeitet, auf den kühlen Gipfeln des Gewissens. – Eine englische Ausgabe der *Pflicht* erschien 1944 unter dem Titel *One Man's Answer*. Der Autor zeichnete mit dem sprechenden Pseudonym G. A. List. Übersetzer: Basil Creighton. Verlag George G. Harrap and Co., London.

Winder ist einer jener früh vollendeten Dichter, denen die Nachwelt Ehre und Liebe schuldet. Ich zweifle nicht daran, daß man ihn neu entdecken wird – wie den andern Dichter aus Mähren, Ernst Weiß, der in seinem harten kämpferischen Elan und Stil Winder geistesverwandt ist und den man, nach langer Pause, jetzt wieder zu lesen beginnt.

FÜNFTES KAPITEL

Der weitere Kreis und seine Ausstrahlungen

Eine wichtige Bereicherung unseres Prager Daseins ist durch das Auftauchen Franz Werfels gekennzeichnet, der damals in der obersten Gymnasialklasse saß (nach österreichischer Zählweise: in der Oktava, der reichsdeutschen Oberprima entsprechend). Der junge Werfel hatte damals (1909) schon begonnen, die *Weltfreund*-Gedichte zu schreiben, die bald darauf seinen Rang als den eines der größten Lyriker seines Jahrhunderts sicherten.

Nach dem Weltkrieg traten seine ebenso bedeutsamen Romane und Essays dazu. Ganz zuletzt, nach dramatischen Versuchen von ungleichem Wert (die wundervolle Tragödie *Juarez und Maximilan* unter ihnen, in der Ernst Deutsch, sein Altersgenosse und Freund, exzellierte), ganz zuletzt erlangte er auch noch den in deutscher Sprache so raren Preis der guten Komödie – mit *Jacobowski und der Oberst,* dem geist- und kontrastreichen Stück, für dessen Durchsetzung in Israel ich wieder einiges tun konnte. Den Faden damit aufnehmend, den ich in früher Jugend fallen gelassen hatte, da meine Hilfe damals nicht mehr nötig war.

Doch ich bin den Ereignissen um ein ganzes Leben, um Werfels leider allzu knapp gezählte Jahre der erlebten Triumphe, weit, weit vorausgeeilt. – Als ich Werfel kennenlernte, hatte er noch keine Zeile veröffentlicht. Willy Haas, sein treuer Pylades und Mitschüler, brachte mir einige Gedichte Werfels, die mich sofort enthusiasmierten. Dann ihn selbst. Ich war, als Werfel (wie immer auswendig) seine Verse rezitierte, von stürmischer Bewunderung erfüllt. Mir schien es, als hätte ich soeben einen der Homeriden, einen göttlichen Rhapsoden vernommen, aus dem eine höhere Stimme sprach. – Werfel inzwischen hatte Mühe, seine Schularbeiten zu bewältigen und nicht durchzufallen (was ihm äußerst knapp gelang).

Aus dieser Zeit, in der Werfel tausend Ängste und Anfechtungen, meist leichtsinnigen Blutes, durchzumachen hatte, ist mir eine Anekdote im Gedächtnis geblieben, die der Schülerautor selber mit dramatischer Wucht vorzuführen liebte. – Werfel, dessen Familie sehr reich war (zum Unterschied von der meinen, recht mäßig ausgestatteten, wenn auch nicht dürftigen), Werfel hatte einen Hauslehrer; ein armer Lehramtskandidat erteilte ihm Nachhilfestunden und fristete davon vermutlich sein karges Leben. Werfels Mutter ging von Zeit zu Zeit in die Gymnasialdirektion, um sich nach den Fortschritten ihres Sohnes zu erkundigen. Der Hauslehrer fürchtete die (meist recht ungünstigen) Ergebnisse dieser Nachforschungen mehr als der Schüler. Er, der Lehrer, konnte ja entlassen werden, wenn der Erfolg ausblieb, und dann war's aus mit dem schönen Posten; Franz selber hatte, auch wenn er durchkrachte, nicht gerade Enterbung zu befürchten. So saßen also wieder einmal Lehrer und Schüler im »Kinderzimmer« der Werfelschen Wohnung, während sich Mama Werfel auf den fatalen Weg zur Oberleitung begeben hatte. Der Kandidat schlotterte vor Angst und brachte, statt die Lektion durchzunehmen, den ärgsten Unsinn vor. Werfel wurde nicht müde, die Redeweise des Hauslehrers prächtig zu imitieren; der Lehrer stammte aus der Wiener Leopoldstadt, dem alten Judenviertel, und das bezeugte auch sein vertrackter Dialekt. – Jetzt hörte man draußen vom Stiegenhaus her die Türe ins Schloß fallen: Frau Werfel war von ihrer Exploration heimgekehrt. Der Lehrer seufzte tief auf: »Scho do« (= Schon da) – und dann nochmals ritardando, in tieferer Stimmlage, dumpfer: »Scho do«. Mit den tragischen Akzenten eines Verdischen Schicksalsspruches. – Werfel mußte uns das immer wieder vormachen. Er spielte es virtuos; wie viele komische Szenen aus seinem Umkreis. »Scho do« wurde unser Geheimwort für das unabwendbar hereinbrechende Verhängnis.

Ich glaube, daß es mir damals gelungen ist, meinen jungen Freund und Schützling über eine trübe Zeit gelinde hinwegzusteuern. Ich war um ganze sechs Jahre älter als er, war aus dem Ärgsten, aus Scylla und Charybdis der Jugend heraus, hatte schon einiges literarisches Ansehen erlangt. Sein Gedicht über die Prager Gärten, das ich an die Wiener »Zeit« geschickt hatte, wurde gedruckt – es war sein Debüt. Neulich hat auf Grund der Angaben in meiner Selbstbiographie eine ostdeutsche Literaturhistorikerin, Renate Saubert, Bibliothekarin der Deutschen Bücherei in Leipzig, dieses durch Jahrzehnte verschollene Gedicht wiederentdeckt. Es handelt sich, laut einem Brief, den mir die Bibliothekarin freundlicherweise geschrieben hat, eigentlich um zwei Gedichte, die gemeinsam unter dem Namen »Die Gärten der Stadt« am 23. Februar 1908 in der Sonntagsbeilage der Wiener »Zeit« erschienen sind. Werfel hat diese seine Erstveröffentlichung meines Wissens in keinen seiner Gedichtbände aufgenommen.

Werfel lernte durch mich meine besten Freunde Kafka und Weltsch kennen. Wir nahmen ihn mit auf unsere Wanderungen in die Prager Umgebung, in die tiefen, dunkelgrünen, duftenden Wälder von Všenor, Dobřichovice, in die Freibäder der böhmischen Flüsse und Bäche, ans Ufer der Sazava. Werfel brachte uns seinen Freund und Altersgenossen Ernst Deutsch, dessen künftigen Ruhm wir, von seinen privaten Rezitationen begeistert, bald zu ahnen begannen. Es wurde im »genialischen Treiben« viel gelacht, viel in Dithyramben deklamiert. Eine schöne Zeit. Es war unser »Ilmenau« – das Ilmenau der Prager deutschsprachigen Literatur. – Bis der scheußliche Krieg 1914 alles in Trümmer schlug.

Meine Freundschaft mit Werfel blieb, obwohl zeitweise durch ideologischen christlich-jüdischen Gegensatz ein wenig getrübt, bis an sein Lebensende bestehen, ja erfuhr gerade in seinen letzten Jahren einen neuen Aufschwung. Es gab immer wieder Leute, die Mißtrauen zwischen uns säen, uns auseinanderbringen wollten. Es gelang nie. Einen dieser wackeren would-be-Zwischenträger habe ich als »Professor Gestertag« in meinem *Zauberreich der Liebe* aufgespießt. Nichts Besonderes. Exemplare wie ihn findet man in jeder besseren Insektensammlung. Auch er hat an unserer, im Metaphysischen wurzelnden Freundschaft (so kann man sie wohl nennen) nicht das Geringste zu verhäßlichen vermocht.

Hier berühr ich dich. Dort wird's gelingen,
Flamme, daß wir Flammen uns durchdringen.

Dumpfer Druck von Unempfindlichkeiten
Dünkt uns dann der Kuß aus Erdenzeiten.

Und ich brenne tief, was wir hier litten,
Dort im Geisterkuß dir abzubitten.

In Werfels schönstem Gedichtband *Gedichte aus den Jahren 1908 bis 1945*, den Alma Maria Mahler-Werfel 1946 als »Privatdruck der Pazifischen Presse« herausgegeben hat, finden sich diese Verse. Sie sind selbstverständlich nicht an mich gerichtet, sondern an eine Frau – wohl an seine Frau. Als ich sie aber las, nahm ich mir heraus, sie gleichnisweise und in ferner Anspielung auch auf uns beide, Werfel und mich, zu beziehen – und über ihnen zu weinen.

Ein wahres Dokument der Anhänglichkeit und Freundschaft, die Werfel für Kafka empfand, bildet der im folgenden abgedruckte Brief

Werfels an mich; von diesem Brief habe ich einige Zeilen in meiner Kafka-Biographie gebracht – hier publiziere ich einen größeren Teil desselben Briefes. Werfel schrieb mir aus Venedig am 28. April 1924, also kurz vor Kafkas Hinscheiden, u. a. das Folgende:

»Ich bin drei Tage lang in Wien gewesen und habe alles mir mögliche getan, das Schicksal Kafkas zu erleichtern, d. h. ich habe befreundete Ärzte dringendst gebeten, sich seiner anzunehmen.
Kafka hat dringend gewünscht, daß ich *nicht* zu ihm komme, so bin ich einmal schon von der Spitaltür zurückgekehrt. –
Die Sache selbst ist nun so. Professor Hájek hat behauptet, es wäre für K. die einzige Möglichkeit, daß er im Spital bleibt, weil alle Heilbehelfe und Kurmöglichkeiten bei der Hand sind. Er hat sich geradezu gesträubt, ihn wegzulassen. – Meine Freundin Frau Dr. Bien hat mir versichert, daß er binnen kürzester Zeit ein eigenes Zimmer bekommen wird.
Wie mir aber Dr. Weltsch am Tag meiner Abreise erzählt hat, ist K. in ein Sanatorium in Klosterneuburg gebracht worden. Bitte schreib mir ein paar Zeilen, wie es ihm geht.
Das ist ein entsetzliches Unglück. Es geht mir nicht aus dem Kopf. Vielleicht ist es aber keine Kehlkopftuberkulose. Weltsch hat erzählt, daß K. relativ gut ausgesehen hat.
Ich bitte Dich nochmals um eine Nachricht. – Wenn ich etwas tun kann (Ärzte, Sanatorien), mach mich darauf aufmerksam.«

In den »Herder-Blättern«, die jetzt in einem von Rolf Italiaander edierten, tadellosen Faksimiledruck (siehe Bibliographie) vorliegen, ist zweifellos Werfel die zentrale Figur. Und neben ihm sein »alter ego«, der große Anreger und Organisator Willy Haas, der sich hier zum erstenmal als Redakteur wie auch als tief-gedankenreicher Essayist auszeichnete. Im ersten der vier Hefte (das letzte ist ein Doppelheft) publiziert er die bedeutsame Abhandlung *Rationalistische und transzendente Morallehre.* Im Anhang des Neudrucks 1961 läßt er sich auch über die pittoreske »Entstehung der Herder-Blätter« vernehmen.

Er berichtet, daß die »J. G. Herder-Vereinigung« ein Jugendverein war, den die jüdische Loge »Bne-Brith« in Prag gründete. Der Name wurde auf Antrag von Haas gewählt, weil Herder »alte jüdische Poesie geschätzt und übertragen hatte«. (Gemeint ist hier in erster Linie wohl Herders Essay *Vom Geist der ebräischen Poesie.*) Der Herder-Verein sollte der Loge einen Nachwuchs sichern (was allerdings nicht gelang, wohl auch gar nicht ernstlich angestrebt wurde). Der gegründete Verein ging nämlich sehr bald seine eigenen Wege, veranstaltete unter Leitung von Willy Haas viele Vorlesungen und Vorträge. Auch Kafka sagte zu, im Herder-Verein zu lesen. Diese Vorlesung, die einzige öffentliche Vorlesung, die Kafka in Prag, in einem mäßig großen Zimmer des Palace-Hotels hielt, fand dann wirklich auf Veranlassung des Herder-Vereins statt. – Haas erwähnt ferner als größte Veranstaltung des Herder-Vereins eine »Akademie« mit Hofmannsthal, Professor Oskar Bie und der Tänzerin Grete Wiesenthal, die im großen Saal auf der Sophien-Insel stattfand. Ich erinnere mich, daß Kafka und ich bei dieser Gelegenheit Hofmannsthal vorgestellt wurden, ohne daß wir beide vor lauter Verehrung für diesen großen Dichter auch nur den Mund zu öffnen wagten. Ich habe dann viele Jahre später mit Hofmannsthal in Salzburg einige Worte gewechselt, wie ich es in meinem Roman *Mira* beschreibe. Kafka ist nie wieder mit ihm zusammengetroffen. – Humorerfüllt ist, was Haas über die steten Geldnöte der von ihm und einem später verschollenen Dichter (Dr. Norbert Eisler) redigierten »Herder-Blätter« erzählt. Die erste Nummer wurde »prachtvoll« in der berühmten Leipziger Druckerei Poeschel und Trepte produziert. Dann ging das Geld aus. »Die folgenden Nummern, bei billigen Prager Druckern hergestellt, brachten wir durch einfache Bettelei, das heißt durch immer neue Geldforderungen an den ›Herder-Verein‹ zustande. Es gab da gewisse, keineswegs großartige, doch immerhin verfügbare Fonds, und der Präsident des Vereins, Schiffres, half uns, die kleinen Beträge zusammenzubringen. Ich fürchte, beträchtliche Honorare wurden von den ›Herder-Blättern‹ nicht bezahlt.« – Die Richtigkeit dieses letzteren Satzes kann ich, der in jedem der vier Hefte mit Beiträgen vertreten war, ehrlich bezeugen. Ich habe da nie auch nur einen Heller an Honorar bezogen. – Haas fährt fort: »Es war eine kleine Prager Winkeldruckerei, die diese Nummern druckte, in einem Keller. Der brave Besitzer und die Setzer waren durchweg Tschechen, die kaum Deutsch verstanden; das Korrekturlesen glich dem langsamen Vorgehen in einem unwegsamen und gefährlichen Dschungel. Und doch brachten es diese tüchtigen Menschen zustande, einen korrekten Text zu liefern, in einer Sprache, die sie nicht beherrschten ... Wenn wir das Geld zusammen hatten, ließen wir eben eine neue Nummer drucken. Sie erschienen als eine Studentenzeitschrift, wie es deren Tausende gab und gibt. Doch es lebten zufällig zu dieser Zeit der junge Werfel, Franz Kafka, Max Brod, Max Mell, Robert Musil, Albert Ehrenstein, Ernst Blaß, Kurt

Hiller und noch viele andere schreibende junge Menschen, und so wurden die ›Herder-Blätter‹ anders als andere Studentenzeitschriften um 1910.«

Ergänzend sei angeführt, daß unter diesen »jungen Menschen« außer den Genannten und solchen, deren Namen in den kommenden Sturmjahren untergingen, die folgenden in den Herder-Blättern zu Wort kamen: Hugo Bergmann – Franz Janowitz, der naiv-rustikale, kosmisch-trunkene Lyriker, ein nahezu noch kindlicher Jüngling, der gleich am Anfang des Krieges fiel – er wurde in den Herder-Blättern zum überhaupt erstenmal gedruckt, 1913 dann mit fünfzehn Gedichten in meiner »Arkadia«, noch später in einem von Karl Kraus herausgegebenen Buch. Er hätte sich, so scheint es mir manchmal, über uns alle hinausentwickelt, wenn er länger gelebt hätte. – Unter den andern Autoren findet man: Oskar Baum – Jules Laforgue (übersetzt von Otto Pick, der einer der rührigsten Mitarbeiter war) – zwei sehr schöne Gedichte von Paul Kuh (von dem ich überhaupt nichts weiß und dessen Name mir nie wieder begegnet ist) – Hans Janowitz, der wie sein Bruder Franz in dem tschechischen Landstädtchen Podiebrad auftauchte; später wurde er der Mitautor des Skripts zum Caligarifilm und auch sonst erfolgreich – Berthold Viertel – Robert Michel – Martin Beradt – Franz Blei (mit einem sonst unveröffentlichten, sehr gelungenen Operntext *Scaramuccia auf Naxos*) – Rudolf Fuchs – und der Herausgeber selber. Alles in allem: das Dokument einer reichen Zeit, die in großer geistiger Bewegung war.

Eine interessante Parallele und in gewissem Sinne eine Art Fortsetzung zu den Herder-Blättern bildet die 1917 von der »Selbstwehr« (Kaznelson) herausgegebene Sammelschrift *Das jüdische Prag*. Auch hier beteiligen sich Nichtjuden z. B. in essayistischer Form: Alfons Paquet, der Abgeordnete Engelbert Pernerstorfer, Hermann Bahr, Paul Leppin *(Eine jüdische Kolonie)*. – Zeichnungen von Friedrich Feigl, Max Oppenheimer (Mopp), Jilovsky, Max Horb zieren das 56 gehaltvolle Seiten starke Heft, das heute sehr rar geworden ist. Kafka bringt den Erstdruck seines klagend-leuchtenden Prosastücks *Ein Traum*. Eine Zeichnung von Hermann Struck zeigt den freundlich dreinblickenden berühmten Prager Gettodichter S. Kohn, der sich auf seiner Visitenkarte »Verfasser des *Gabriel*« nannte, einer Erzählung, die in meiner jugendlichen Phantasie einst allerlei erotische Verwüstungen angerichtet hat. Weiter: Reproduktionen seltener alter Drucke und Photos. Eine fürchterliche Orgie des Prager jüdischen Selbsthasses hat Herbert von Fuchs, den Schwager Werfels und stürmischen Zionisten, zum Verfasser: *Unsere tägliche Höllenfahrt*. Beiträge des Philosophen Max Wertheimer, ferner von Březina (übersetzt von Otto Pick), Machar und anderen tschechischen Lyrikern – Rudolf Fuchs *(Feuerfugen vor dem Volke Israel)*, Werfel, Else Lasker-Schüler (dieses farbenreiche, allerdings kriegerische Gedicht »Der alte Tempel in Prag« steht jetzt in der Gesamtausgabe ihrer Gedichte), Salus, Adler, Oskar Wiener, Auguste Hauschner, Ernst Weiß, Kornfeld und vielen anderen. Wertvolle historische Regesten aus dem Prager Jüdischen Archiv, über die Prager Flüchtlingsfürsorge. – Mit Rührung lese ich in einem Bericht von Dr. Theodor Weltsch, dem Vater Roberts, auch den Namen Adolf Brod, den Namen meines geliebten Vaters. –

Wir sind mitten im Krieg. Es folgten die sogenannten »goldenen Jahre«, das sind die zwanziger Jahre. »Golden?« Gegen diese Bezeichnung wurden mit Recht Einwände erhoben. Man hat darauf hingewiesen, daß in diesen Jahren doch auch schon die Weltverdunklung der dreißiger Jahre, die Hitlerei, vorbereitet wurde. Mein Freund Willy Haas hat in einem Essay behauptet, man habe in Berlin zwischen 1920 und 1930 gar nichts Neues hervorgebracht, sondern in einer Art von Alexandrinertum nur die Resultate vorangegangener Entwicklungen genossen. Das scheint mir allerdings zu weit gegangen. Und mag es etwa für Berlin zutreffen oder nicht, über dessen innere Kräfte ich mir kein Urteil zutraue (ich war nur hie und da als Gast dort): in Prag ist es jedenfalls anders zugegangen.

Prag war 1918 Hauptstadt des jungen Staates geworden, in dem die Tschechen nach drei Jahrhunderten immer ungeduldiger ertragener habsburgischer Herrschaft wieder zu selbständiger Regierung gelangt waren. Der Ausspruch Platons schien sich zu erfüllen oder doch in eine gewisse Annäherung gerückt zu sein, nach dem nur dann die irdischen Dinge richtig geordnet werden können, wenn Philosophen die Herrschaft ergriffen hätten oder Könige zu Philosophen würden. Alles schien damals neu zu beginnen. Der Philosoph Masaryk war Präsident. Er traf, wenn es nur irgend ging, an jedem Freitag in der Villa Karel Čapeks mit den führenden Geistern der Nation, mit einem ausgewählten Kreis von Dichtern und Philosophen zusammen (ich habe diesem intimen Zirkel nie angehört; wenn ich zu Privataudienzen zu Masaryk geladen wurde, so fanden diese in der Burg auf dem Hradschin statt). Im Kreis der »Freitagsmänner« (pátečníci, so wurden sie genannt) beteiligte sich Masaryk als Gleicher unter Gleichen an sozialpolitischen und kulturellen Diskussionen. So hat man mir erzählt. Von den Freitagsmännern gingen bedeutsame Anregungen aus, die teilweise in den Schriften von Professor Rádl und der Brüder Čapek, auch in einigen ihrer Science-fiction-Romane und Dramen hervorleuchten. Auch mit deutschen Gelehrten wie Professor Christian von Ehrenfels, einen der ursprünglichsten Denker aller Zeiten, und mit den Verwaltern des Husserlschen Nachlasses hielt Masaryk dauernd den Kontakt aufrecht. – Daß trotzdem viel Unrecht geschah, muß wohl der brüchigen Natur der Menschenseele und menschlicher Zustände zugutegehalten werden. Immerhin hatten wir stets die wache Hoffnung auf grundlegende Verbesserungen. –

Das gesellige und künstlerische Leben in Prag hatte damals etwas Charakteristisches: Die tschechischen und deutschen Kreise verkehrten wohl meist jeder für sich, in sich abgeschlossen. Es gab aber weitgehende Ausnahmen. In den letzten Jahren der ersten Republik besserte sich das Verhältnis, die Chinesische Mauer wurde durchbrochen. Berührungspunkte gab es ja viele. Es existierte ein »Gesellschaftlicher Klub« in einem Palais auf dem »Graben«, der beiden Sprachen offenstand und von der Regierung subventioniert wurde. – Ferner besuchten Deutsche die tschechischen Theater, Konzerte; und umgekehrt. Es war selbstverständlich, daß über alle kulturellen Ereignisse im tschechischen Leben (Theater, Musik, bildende Kunst, Literatur) in einigen deutschen Blättern (nicht in allen) immer ausführlich berichtet wurde – und umgekehrt genauso. Ein »Klub der Schauspieler« veranstaltete eine Theateraufführung und wählte dazu das alte Lustspiel *Der Tscheche und der Deutsche* aus den Anfängen der modernen tschechischen Literatur. Das Stück ist dadurch interessant, daß eine oder zwei Rollen (genau entsinne ich mich nicht) in deutscher Sprache geschrieben sind, die andern tschechisch. Es stellt in harmloser Weise Mißverständnisse zwischen den beiden Nationen dar, die aber zum Schluß durch ein Liebesidyll zumindest im engsten Kreis überwunden werden. Die Aufführung, die bereits in die kritischen Monate der Republik vor Einbruch des Hitlerismus fiel, einige Monate vor der Münchener Kapitulation (1938), war eine Sensation für Prag. Präsident Benesch erschien zur Aufführung in seiner Loge, und man sah ihn eifrig applaudieren. Das Haus war ausverkauft. Die Vorstellung wurde wiederholt. Die tschechischen und deutschen Faschisten hielten sich fern, griffen in ihrer Presse diesen Versuch einer kulturellen Verständigung heftig an. – Bemerkenswert ist, daß ein hervorragender Schauspieler des tschechischen Theaters, Herr Vydra, der untadelig deutsch sprach, die Rolle des Deutschen in diesem Stück spielte, während ein Schauspieler und Regisseur des deutschen Theaters, Herr Taub, auf der Bühne ein schönes Tschechisch sprach. Man machte aus der alten harmlosen Posse ein Politikum, es wurde auf beiden Seiten viel guter Wille gezeigt – aber die zerstörenden Mächte waren vorläufig stärker. Ich sage: vorläufig, denn ich glaube an den endlichen Sieg des Friedens und der Vernunft.

Das lebhafte schöpferische Vorwärtsdrängen beflügelte damals, in den zwanziger Jahren, die Tschechen in ihrem Neuaufbruch. Es griff auch auf die Schwungräder der andern Bevölkerungsgruppen und nationalen Minderheiten über, die übrigens über ihre starken stammeseigenen Kräfte verfügten, um den kulturellen Wetteifer ebenbürtig zu bestehen. Im deutschen Sektor wirkte noch das große Vorbild des Friedensstifters nach, der ja wirklich »Stifter« heißt. Nicht zufällig dieser symbolische Gleichklang, wie mir scheint; und nicht zufällig hieß auch die führende deutsche Literaturzeitschrift damals »Witiko«, nach Stifters grandiosem Spätwerk, das er einst der Bürgerschaft Prags gewidmet hat. – Wer es nicht miterlebt hat, kann sich nicht leicht einen Begriff davon machen, welch nervenanspannendes, aber auch erfreuendes Erlebnis damals die Premiere eines der führenden tschechischen Dichter wie Čapek, František Langer war – oder eine Opern-Uraufführung von Janáček in Brünn oder Prag, sei es am tschechischen Theater (Kvapil, Hilar, Kovařovíc), sei es am künstlerisch ebenbürtigen deutschen Theater unter der Direktion von Teweles, Kramer, Volkner, Eger, Gellner, Demetz. Als Dramaturgen am deutschen Theater hatten wir lange Zeit Fritz Bondy, der heute unter dem Namen Scarpi als einer der gelesensten Autoren Zürichs wirkt. Lange Zeit leitete er auch einen dramatischen Kreis, an dem u. a. mein unvergeßlicher Bruder Otto seine ersten deklamatorischen Gehversuche machte. Den Taktstock führte im deutschen Theater Zemlinsky, der Lehrer und Schwager Arnold Schönbergs, oder Wilhelm Steinberg, der dann in Amerika führend wurde. – An solchen Premierenabenden fieberten die vielen Freunde und Verehrer Janáčeks, Čapeks usw., ob es dem Meister diesmal gelingen würde, den schon eroberten höchsten Rang zu halten – oder gar zu noch wesentlicheren Erkenntnissen und Tonverschränkungen vorzustoßen. So gingen die Jahre hin, von strahlenden Werken wie von riesenhaften Datumszeigern erleuchtet. Wir orientierten uns vor allem nach den stets sensationshaft einschlagenden Neuschöpfungen der Brüder Čapek, ihren dioskurisch ersonnenen Romanen und erzhumoristischen Reisebeschreibungen, die manchmal auch nur die Reise in den Garten ihrer Villa (nur?) zum Thema hatten, an ihren Theaterstücken, für deren Mehrzahl wohl Karel Čapek allein zeichnete. Welch Glücksgefühl – die Uraufführung von R. U. R., den *Robotern,* den Arbeitsautomaten, in denen zuletzt plötzlich die Menschlichkeit unverhofft zu rumoren beginnt – oder das phantastische Märchen, frei nach *Brehms Tierleben*, das Märchen vom *Leben der Insekten*, grausam, tückisch – »Sind Sie eßbar?« als Begrüßungsformel, wenn zwei Insekten einander begegnen – doch nach all den Greueln des sogenannten »Natürlichen«, der niederen Ordnungen des Daseins, welch ein Schluß, mit den Holzfällern im Wald, die zur gesegneten und allsühnenden Arbeit schreiten! Es verlautete, daß diesen Schluß Masaryk selber angeregt habe. – Einer späteren, schon kritischen Periode gehören Čapeks *Mutter* und *Weiße Krankheit* an. Ich entsinne mich, daß an dem Abend, den die Uraufführung der pazifistischen *Weißen Krankheit* festlich zeichnete, die Kunde vom Einmarsch Hitlers in Österreich eintraf. In der Pause vor dem letzten Akt. Es war dann schwer und herzbedrückend, nach der Vorstellung die wenigen Schritte vom Nostizschen Landestheater in die Herrengasse, Redaktion des »Prager Tagblatt«, zu klimmen und in dieser zerrissenen Stimmung einige Zeilen verfluchter Nachtkritik über das bedeutende literarische und sittliche Ereignis hinzuschmeißen.

Von gleicher Intensität wie Čapeks und Janáčeks Premieren war die Tragödie des Geständniszwanges *Peripherie*, die František Langer für die Prager Bühne und für viele Bühnen Deutschlands gestaltet hatte. Wie viele Ähnlichkeiten zwischen *Peripherie* und Kafkas *Prozeß!* Die Übernahme dieser wortkarg-bildhaften Moritat Langers durch Reinhardt eröffnete von Berlin aus Perspektiven auf eine europäische Zusammenarbeit der Kulturen. Leider blieb diese Perspektive nur angedeutet. Der Punkt, an dem die Parallelen zusammenstoßen, wurde nicht erreicht.

Doch die Tschechen spielten Mahlers Symphonien (Uraufführung der Siebenten Symphonie, Prager Ausstellungsgelände, Mahler selbst dirigierte). Eine großartige Übersetzung von Schillers *Wallenstein;* Goethe im Tschechischen Nationaltheater; ebenda die *Meistersinger*, Alban Bergs *Wozzek*, fast alles von Richard Strauss. – Am deutschen Theater in Prag waren die Premieren Dietzenschmidts (die gotisch-legendenhafte Tragödie von der *St. Jakobsfahrt*, in der die »Miselsucht, Miselsucht« ihre Gottesgeißel schwingt) und Josef Mühlbergers drastisch zupackender *Wallenstein* (ein Prosadrama) analog eingreifende Einschnitte in unserem Kalender guter Kunst. Wenn auch Direktor Kramer, so erzählt der humorvolle Dramatiker Hans Regina von Nack, dem Stück nicht ohne Widerstreben seine »Kleine Bühne« eingeräumt haben soll und nach der Premiere zu Dietzenschmidt sagte: »Bravo, lieber Dietzenschmidt, bravo! Haben Sie nicht vielleicht ein Stück, in dem weniger Aussätzige vorkommen?« – Den *Komödianten Hermelin*, eine genial witzige Zirkuskomödie des tschechischen Dichters Vilém Werner, übersetzte ich und brachte das wirksame Stück unter dem Namen *Glorius der Wunderkomödiant* auf die Prager deutsche Bühne, viele andere Bühnen folgten, auch die hebräische »Habimah«. Ich übersetzte den *Volkskönig* von Arnošt Dvořák, mit seiner eigenartigen Problemstellung: der König populär, lebendig, frivol – das Volk der Hussitenzeit aber wünscht ihn starr und ernst. Es macht Revolution, weil der König nicht streng genug ist.

In all diesen Ausstrahlungen des »engeren« und »weiteren« und weitesten Prager Kreises sehe ich die schöne und unbändig lockende Stadt Prag als Mittelpunkt. Die Stadt, von der es in Hebbels Tagebüchern heißt (4. Juli 1854): »...Rückblick auf Prag: die großen, breiten Straßen, die dennoch nichts Berlinisches haben; die seltsamen Türme mit spitzigen Nebentürmchen, die als Auswüchse des Urturms erscheinen; die mit Heiligenstatuen besetzte Brücke, unter der die Moldau schäumt und die zum Hradschin hinaufführt! Alles wirkt auf die Phantasie und dennoch kommt der Verstand dabei auch nicht zu kurz; es ist ein Glück, in einer solchen Stadt geboren zu sein, denn wenn die als ein ungeheures Lebendiges mit ihren Rätseln und Wundern in die frühste Kindheit hineinnickt, so wirkt es durchs ganze Leben fort und nach...« Leider erfreute sich Hebbel bei den Tschechen einer historischen Unbeliebtheit. Er hatte einst ein Gedicht über die Slavenvölker Österreichs geschrieben, in denen diese als Sklaven »ihr struppiges Karyatidenhaupt schütteln«. Das konnten ihm unsere tschechischen Freunde nicht verzeihen. Wahrscheinlich haben sie die schönen Tagebuchzeilen nie gelesen.

Ein weiterer Farbenfleck in diesem turbulenten, überlebendigen Prag: Georg Langer, auch Jiří Mordechai Langer benannt, der Bruder des berühmten Dramatikers, wandelte als eine bizarre, vielfach zu Protest, dem Tieferblickenden aber zu erregenden Studien einladende Persönlichkeit unter uns. In Prag gebürtig, doch dem ostjüdischen Chassidismus zugeschworen, ließ er es nicht bei bloßem Buchwissen bewenden. Er lebte jahrelang das Leben der Chassidim in Ungarn, in Galizien am »Hofe« eines Wunderrabbi praktisch mit. Heimgekehrt trug er, zum Schrecken seiner tschechisch assimilierten großbürgerlichen Familie, eine Zeitlang die chassidische Tracht: den seidenen Kaftan und den breitkrempigen Pelzhut, wie ihn die Meistersinger auf der Bühne tragen – diesen Hut, den die Juden aus Süddeutschland nach Polen gebracht und dort beibehalten haben; als ein Menschenschlag, der hartnäckig an alter Sitte hängt, während Deutschland seither einigemal die Tracht radikal gewechselt hat. – In dieser Gestalt ging Langer als Rudiment des Mittelalters durch die neuzeitlichen Straßen Prags und ließ sich eines schönen Tages bei mir melden. Eine Szene, die aus Meyrinks *Golem* ins Leben herübergeschlüpft sein könnte. Langer erklärte mir nämlich mit schöner Offenheit, er sei nur gekommen, um den Mann zu sehen, »der ein so schweinisches Buch geschrieben habe«. Gemeint war, wie sich zeigte, meine Erzählung *Ein tschechisches Dienstmädchen.* Und dieses einigermaßen skurrile Gespräch bildete den Anfang einer langjährigen großen Freundschaft. Ich verdanke Georg Langer unendlich viel Belehrung in den kabbalistischen und in sonstigen jüdischen Wissensgebieten. Ohne seine Unterweisung und Hilfe hätte ich meinen *Rëubeni* nie schreiben können, nie mein Oratorium vom *Überschreitungsfest* (Pessach-Hagada – Musik von Paul Dessau), hätte auch nie an meinen *Reuchlin* herangehen können. – Interessanterweise war Langer auf seine gründlichen und abgründigen Kenntnisse viel weniger stolz als auf seine Virtuosität im Schlittschuhlaufen, gern führte er vor den Augen meiner Frau und vor mir seine zierlich gezirkelten Künste im Prager Eislaufstadion auf der Hetzinsel vor. – Er schrieb in tschechischer, deutscher und hebräischer Sprache, ein echter Sohn Prags und der hier zusammenstoßenden drei Volkskulturen. Das etwas unbeholfene Deutsch seines ersten Buchs *Die Erotik der Kabbala* habe ich stilistisch durchgesehen, das Buch im kleinen Prager Verlag Flesch zum Druck befördert. Später erschien tschechisch das grundlegende Werk *Neun Tore* (über Leben und Lebensstil der Chassidim), das jetzt auch deutsch in der Übersetzung von Thieberger, ferner englisch vorliegt. Es wird seine Stelle neben den Darstellungen des gleichen Themas bei Dubnow, Buber, Scholem usw. einnehmen. – Georg Langer hat auch noch die Bedeutung einer historischen Wegmarke: er ist aller Voraussicht nach (oder wenigstens auf lange Zeit hin) der letzte Dichter, der in Prag hebräische Verse geschrieben und veröffentlicht hat. – Für einen Klumpen reinen Goldes erkaufte er sich die Fahrt auf einem illegalen Schiff, die geheime Einwanderung nach Palästina. Bald nach den unausdenkbaren Reisestrapazen ergriff ihn in Tel Aviv eine tödliche Krankheit. Eines seiner letzten Gedichte feiert (in hebräischer Sprache) den Tod Kafkas, die Hochzeit einer reinen Seele mit dem Unendlichen.

Auch Georg Langer, sein Andenken sei gesegnet, gehörte eng zu unserer Gruppe, stand mit Kafka, Felix Weltsch und meiner Frau in bestem Einvernehmen. Zu uns kam er mit all seinen Bedrängnissen.

Wichtige Freunde hatten uns inzwischen verlassen. Gustav Meyrink saß, ungerechterweise, in Untersuchungshaft, wie es in seinem *Golem* geschildert ist und in der bitterbösen Skizze *Prag* zwischen den Zeilen spukt. Rilke lebte im Ausland, kam nur zu gelegentlichen Vorlesungen nach Prag; einmal gemeinsam mit Ellen Key. Werfel war in Wien, Haas in Berlin zu Hause. Dennoch lebten die Ausstrahlungen, die von diesen »Pragern im Exil« ausgingen, bei uns, die zu Hause geblieben waren, mit besonderer Energie weiter. Werfels Drama aus den Hussitenkriegen, *Das Reich Gottes in Böhmen,* erfuhr im tschechischen Nationaltheater eine glanzvolle Aufführung. Und die einfalls- und aufschlußreiche Zeitschrift »Die literarische Welt«, die Willy Haas in Berlin herausgab, wurde nirgends lebhafter diskutiert als in Prag. Später, während der Hitlerjahre in Deutschland, wurde die Zeitschrift als »Neue literarische Welt« mitsamt ihrem Chefredakteur für eine Zeit nach Prag repatriiert.

Ich zitiere aus einem Brief, den mir Thomas Mann am 24. Februar 1935 geschrieben hat: ». . . seitdem war ich ein paar Wochen in St. Moritz zur Erholung, aber nicht, ohne die Arbeit an meinem kuriosen biblischen Schmöker wieder aufzunehmen, dessen dritter Band wohl so umfangreich sein wird wie die beiden ersten zusammen. Es ist eine absonderliche Plage und Unterhaltung damit, eine beständige stille Aufregung, und ich bin eigentlich ein schlechter zerstreuter Leser für alles, was nicht irgendwie »einschlägig« ist. – Dennoch hat mir Ihres Bruders Roman, den ich nun richtig bekommen habe, sehr angenehme Stunden bereitet. Er fesselt durch seine kluge klare Schreibweise und durch sein Wissen um menschliche Dinge, das weder boshafter noch sentimentaler Art ist, weder herzlos noch »alles verzeihend«, sondern von einer gewissen männlichen Wärme, die sich mitfreun und auch mitleiden kann, aber nicht auf weichliche Art, sondern im Geist einer gefestigten sozialen Moralität und menschlichen Gesundheit, der wohl wirklich immer der Geist der Sittenschilderer sein sollte. Mich hat die Abwandlung des »Rausch«-Themas, die ins Gebiet des Drogenlasters hinüberspielt, besonders berührt, weil in meiner eigenen Familie – nicht der von mir gegründeten, sondern der meines Ursprungs – ein trauriger und letaler Fall dieser Art vorgekommen ist. – Bitte beglückwünschen Sie Ihren Herrn Bruder in meinem Namen zu seiner wohlgelungenen Arbeit! Natürlich hat er keinen leichten Stand, aber es kann nicht fehlen, daß die literarische Welt seinen Namen neben dem Ihren fortan mit Achtung und Freude nennen wird.«

Es handelt sich um den Roman meines Bruders *Die Berauschten,* 1934 bei Allert de Lange in Amsterdam erschienen. – Mein geliebter

Bruder, um vier Jahre jünger als ich, war mir mehr als Bruder, er war mein vertrauter Freund von Kindheit an, ich hatte keinen vertrauteren, er stand mir genauso nahe wie Kafka und Weltsch. Diese Vertrautheit wurde noch dadurch gesteigert, daß wir einander unserer ganzen Veranlagung nach, trotz einzelner Unterscheidungen, im ganzen doch sehr ähnlich waren, in musikalischen, poetischen (auch in politischen) Angelegenheiten hatten wir nahezu dieselben Verliebtheiten (wir glühten beide für Berlioz, Mahler, Schubert, Smetana usw.) und die gleichen Antipathien. Wir spielten beide gut Klavier; und im Vierhändigspielen fanden wir immer wieder gemeinsame Freuden ohne Ende. »Es waren glückliche Zeiten.« – Es gab nur in den oberen Klassen der Mittelschule eine kurze Trübung unserer Freundschaft; die schönen Jahre der ersten Jugend und Jugendgemeinschaft vorher habe ich in meinem Roman *Der Sommer, den man zurückwünscht* festzuhalten versucht – dann trat ein Mitschüler in Ottos Leben, dessen Einfluß auf ihn ein durchaus bildender war, ihn aber doch in Gebiete des eleganten High-life entführte, die mir fernlagen. Nach einigen Jahren näherte sich mir mein Bruder von neuem – und jetzt entschiedener als je. Diese zweite Freundschaftsperiode dauerte dann bis zu unserem (beklagenswert endgültigen) Abschied.

Während des Intermezzos neigte mein Bruder zu besonderer Pflege des Äußeren, für die er übrigens auch später eine (maßvolle) Vorliebe behielt. Unter dem Einwirken des erwähnten Freundes entwickelte er sich fast zum Dandy. Dieser sehr selbständig denkende Freund hieß merkwürdigerweise so wie mein Mentor, nämlich gleichfalls Bergmann, war mit ihm aber nicht verwandt und auch sehr wesensverschieden von ihm. Ein merkwürdiger Mensch mit scharf ausgeprägten Meinungen und energischen Willensäußerungen war es, dem mein Bruder Züge für die Hauptperson der *Berauschten* entlehnt hat. Dort führt er den Namen Robert Lagarde. In der Einleitung wird die Beziehung zwischen Robert und meinem Bruder sehr anschaulich an konkreten Beispielen entwickelt. Nachher, im Hauptteil des Buches, erscheint das ganze Erlebnis diesem Robert als Mittelpunkt zugeteilt – das Erlebnis, das ich nach Andeutungen, die mein Bruder sich hie und da, trotz seiner gewöhnlich sehr disziplinierten Zurückhaltung in solchen Dingen, entschlüpfen ließ, als teilweise oder fast ganz von ihm selber durchlitten betrachten muß. Die Liebe zu einer schönen und hochbegabten Morphiumsüchtigen entfaltet sich mit giftsprühender Eindringlichkeit. Daß Cilly dem Morphium verfallen ist, kommt zunächst gar nicht ans Licht. Sie ist nur in manchem »geheimnisvoll«, von jener »geheimen Sphäre« umgeben, die Lawrence als eine wesentliche Eigenschaft der Frauen beklagt und anklagt. Nur nach und nach beginnt der Leser zu ahnen, daß sich hinter anscheinend unlogischen Launen und Handlungen der als vornehm, sehr klug und sehr gesund geschilderten Schönen vielleicht etwas Scheußliches verbirgt. – Mein Bruder und ich waren (merkwürdig genug) an zwei besondere Frauenexemplare gestoßen, die viel miteinander gemeinsam hatten. Ohne daß wir einer vom Schicksal des andern wußten, hatten wir beide Ähnliches erlebt. (Ich in etwas gröberem Stoff, wie mein *Annerl* erweist.) *Annerl* ist drei Jahre nach dem Roman meines Bruders erschienen. Unsere Gefühlsdispositionen waren wohl einander so nahe, daß auch unsere Lebensläufe und das, was aus ihnen und zur Heilung der uns geschlagenen Wunden in einer geistigen Welt entstand, recht deutliche Ähnlichkeiten aufweisen mußte. Mein Bericht endet allerdings mit einer Art »Rettung« der Betroffenen, Roberts Abenteuer bringt ihn dazu, selber Morphinist zu werden. Damit schließt der Roman *Die Berauschten,* in dem es zu Anfang heißt: »Und wenn ich diese Berichte und Notizen mehr für mich als für andere hier zusammengestellt habe, so geschah es deshalb, um zu zeigen, wie ein umfassender Geist, ein von Natur offensichtlich zu Erfolg und Glück bestimmter Mensch, vielleicht ohne eigene Schuld, durch ein merkwürdiges Schicksal gebrochen und vernichtet wurde. Auch könnte aus dieser Erzählung vielleicht erkannt werden, wieviel Kraft wir armen Menschen brauchen, um dieses Erdenleben zu ertragen und wieviel Verständnis und Mitleid diejenigen, denen es gelingt, sich am Rande des Abgrundes zu halten, für jene Anderen haben müssen, welche abstürzen.«

Stevensons *Schatzinsel* mit dem Seeräuberlied »Jo-Ho-Ho, and a bottle of rum« wechselt in Ottos Roman (als Hintergrund) mit der antiken Größe und Einfachheit von Mendelssohns Antigone-Musik ab, die wir beide gemeinsam im Gymnasium in unvergeßlichen Gesangstunden chorgesungen haben – die immer wieder angeführten Zitate aus Berlioz-Liedern und aus seiner unsterblichen *Damnation de Faust* erinnern mich an unsere Stunden am Klavier. Der grausiger Beliebtheit sich erfreuende Doktor Mirakel aus Offenbachs Meisterwerk tritt auf, dazu gibt es Betrachtungen über Individuum, Gemeinschaft und Sex. Viel Originales, Richtiges lebt in dieser Gedankenwelt. Und die detektivisch geführte Handlung, deren Geheimnis nur behutsam und ganz allmählich gelüftet wird – der Frieden schöner Landschaften und die Glut der Herzen –, all dies, Thema wie auch Begleitung im Baß der Variationen, machen mir das Buch zu einem brüderlichnahen Phänomen, dem ich nur in Rührung nahen, das ich nicht zerpflücken kann. Mein hochpositiver literarischer Befund wird durch Thomas Manns Briefworte bekräftigt; allein, ohne diese Stütze würde ich mir in diesem Fall kein objektives Urteil zutrauen, da ich mich (glücklicherweise) durch Liebe sehr befangen weiß. Was kann es Besseres geben als solche Befangenheit! – Ceterum censeo: das Buch sollte neu gedruckt werden. Denn die in Holland erschienene Auflage ist vernichtet. Und mein Bruder ist in Auschwitz gleichfalls untergegangen, sei es auch nur in physischer Sicht. –

Er hinterließ außer den *Berauschten* das Manuskript eines zweiten Romans, *Hold und Unhold,* Lyrik und – was wohl das Wesentlichste ist – fünf Kapitel (112 Schreibmaschinenseiten zu 31 Zeilen) eines Romans aus dem Leben Voltaires, den er ganz besonders verehrte. Der Roman hat den Titel *Es siegte das Recht.* Im Mittelpunkt steht der Fall Calas. Die ersten Seiten schmücken zwei Motti: Zuerst aus Jesaja I, 11: »Lernet Gutes tun, trachtet nach Recht, befriedigt, dem Gewalt geschehen, sprechet Recht der Waise, führet den Streit der Witwe.« – Dann zwei Zeilen von Voltaire: »J'ai fait un peu de bien; c'est mon plus bel ouvrage.«

Das mit besonderer Sorgfalt durchgearbeitete Werk meines Bruders setzt mit einer hübschen Szene zwischen Voltaires erzgetreuem Sekretär Wagnière und seiner gleichfalls treuen, aber allzu weltlich gesinnten, etwas beschränkten, auf Ruhm und Geld für ihren Herrn allzu bedachten Wirtschafterin ein (Madame Denise, seiner Nichte und Wirtschaftsvorsteherin). Die ärgerlichen Worte der »rundlichen Frau Denise« wachsen sich später zu einem der kontrapunktisch verwendeten Leitmotive des Romans aus: »Er (Voltaire) ist gut, viel zu gut, deshalb wird er von aller Welt ausgenützt. Jedem gibt er Geld, als hätt' er's unerschöpflich, zu einer vernünftigen Arbeit kommt er ja überhaupt nicht mehr vor lauter Besuchen und Bittstellern.« – Einer dieser Bittsteller wartet denn auch schon während dieser kleinen Zankszene »kaum hundert Schritte entfernt auf dem Gartenweg«. Es ist der Kaufmann Dominique Audibert aus Marseille, der zufällig in Toulouse Zeuge eines grauenhaften Geschehnisses geworden war: Der Kattunhändler Jean Calas wurde auf offenem Markt vor der Kathedrale zwei Stunden lang in fürchterlicher Art gefoltert – schließlich gerädert. Er schrie immer wieder, auch noch sterbend: »Ich bin unschuldig.« – Den Protestanten Calas hatte man angeklagt, seinen Sohn erwürgt zu haben, weil dieser angeblich zum Katholizismus übertreten wollte. Mit großer Kunst schildert der Roman, wie Voltaire anfangs gar keine Lust hat, sich in diese Sache einzumischen, Ankläger gegen den Justizmord zu werden, den vielleicht, vielleicht der Gerichtshof in Toulouse, das dortige sehr mächtige »Parlament« auf dem Gewissen hat. Voltaire hält die Hugenotten (Protestanten der Richtung Calvin), unter deren Genfer Fuchtel er allerlei Schlimmes auszustehen hat, für nicht geringere Fanatiker als manche katholischen Machthaber, seine Hauptgegner in Paris. (Mit dem Papst in Rom steht er in gegenseitig respektvollem Briefwechsel.) Soll er sich neue Feinde zu den vielen schaffen, die er schon hat? Und die viele Arbeit, die auf ihm liegt! Die Neuausgabe Corneilles, die mehreren begonnenen Bücher, die er zu Ende bringen will. Zudem sind die Angaben Audiberts unexakt, wiewohl der Kaufmann, durch das Gesehene aufgepeitscht, schon einige Nachforschungen in Toulouse angestellt hat. Aus diesen Nachforschungen scheint hervorzugehen, daß Calas, der Sohn, ein Melancholiker, Selbstmord durch Erhängen verübt hat, daß er nie konvertieren wollte oder daß er solche Absichten nur vage ausgesprochen hat, da er unbedingt aus dem Händlerstand in die Advokatie aufzusteigen wünschte – dies war allerdings in dem damaligen Frankreich für einen Protestanten unmöglich. Die ganze bürgerlich-angesehene Familie nebst einem zufällig anwesenden Gast war des Einverständnisses mit dem Vater, der Mordbeihilfe angeklagt gewesen, aber freigesprochen worden. Dann war die Mutter mit zwei Töchtern nach Rouen, der jüngste Sohn nach Genf geflohen (ein älterer Sohn war schon früher Katholik geworden, was nicht wenig zur Scheinstütze der Anklage gedient hatte). Das ganze Vermögen der Calas ist konfisziert, das Glück einer Familie vernichtet. – Nun, zunächst wird Audibert mit unklaren Zusagen, mit Zweifelsfragen belastet (»Bin ich nicht alt, bin ich nicht krank?« stößt Voltaire in grimmiger Laune hervor). Es folgt ein virtuos geschildertes Abendessen mit vielen Gästen, großem Luxus, doch ohne den Hausherrn – dann erscheint Voltaire doch, nimmt aber inmitten all der Tafelfreuden nur Gemüse und Wasser, spricht über Shakespeare, Friedrich von Preußen, gegen den Krieg ... zuletzt über die »Affaire Calas«, die ihm nicht aus dem Kopf geht. Die ganze Gesellschaft gibt auf verschiedene Art, aber durchaus deutlich kund, daß sie einen wahren Horror davor hat, die peinliche Sache aufzurühren. Voltaires göttliche Gaben, seine Ruhe und Arbeitskraft dürften (nach Meinung des jüngeren Richelieu und der andern) an solch eine unklare Schauergeschichte nicht verschwendet werden. – In der Nacht darauf weckt Voltaire den jungen, ihm auf Tod und Leben ergebenen Sekretär, um ihm den entscheidenden Brief an den Kardinal von Bernis zu diktieren, in dem er (vorläufig noch unsicher) die ersten Schritte zu einer Revision des Prozesses hin mehr andeutet als wirklich unternimmt.

Das dritte Kapitel exponiert die Gewissensfragen Voltaires, die ungemeine Klugheit dazu, in der er als ein alter Fuchs an die komplizierten Recherchen herangeht; er will in der Frage »War Vater Calas schuldig oder nicht?« keine Dunkelheit dulden, er will unbedingt überzeugt sein. Dann erst läßt er sich los, dann freilich führt er den Streit mit einer alles in den Schatten stellenden Unbedingtheit und Zähigkeit, ein wahrer Berserker der Gerechtigkeit, zugleich auch als ein überlegener weiser Ingenieur realistischen Durchsetzenwollens. Er möchte, um Erfolg in der Sache selbst zu haben, die Mächtigen nicht reizen – er wünscht gar keinen spektakulären Triumph, sondern ganz sachlich eine Rehabilitierung der Familie, Wiedergutmachung des Schadens, soweit er gutgemacht werden kann, Sicherheit für die Geflüchteten, Wiederherstellung des guten Namens für das ermordete Familienoberhaupt. Einem Schriftsteller, der allzu heftige Argumente für die gute Sache schleudern möchte, kauft er sein Manuskript ab, läßt es ungedruckt, entschädigt ihn aus eigenen Mitteln – wie er überhaupt sein ganzes Vermögen geradezu verschwenderisch für die Neuaufnahme des Prozesses zur Verfügung stellt, in Paris drei große Advokaten beschäftigt, um vorbereitend die Schwierigkeiten wegzuräumen, die in vielen Stufen und nach der damaligen Rechtsordnung höchst zeitraubende Hindernisse einer etwaigen Revision sind. Diese Revision erscheint zeitweise ganz unmöglich. Schon die Vorstufen der Vorstufen sind mit Stacheln und tückischen Falltüren dicht besetzt. Doch die eigentlichen Schwierigkeiten sind seelischer Natur. Da ist die begreifliche Angst der Witwe, die ihre prekäre, aber vorläufig unbehelligte Flüchtlingsexistenz in Rouen einem offenen Kampf gegen die unbeschränkte Diktatur staatlicher und kirchlicher Instanzen in Paris weit vorzieht. Diese Frau ist gebrochen oder scheint doch es zu sein; sie will Ruhe, Ruhe, wobei sie freilich fürchten muß, daß man ihr ihre Töchter zur »Bekehrung« wegnehmen und in Klöster sperren könnte (was dann auch wirklich geschieht). Der Versucher tritt noch in anderen, weit gefährlicheren Gestalten auf, und zwar in Voltaires Überlegungen selber: Die provinziellen Parlamente (wie das von Toulouse) waren Errungenschaften, die eine lange Entwicklung im Namen der Freiheit des Volkes gegen das absolute Königtum erzielt hatte. Sollte man nun diese quasi-fortschrittlichen Institutionen schwächen? Die Autorität der Krone, die ohnehin dem Zenith zustrebte, durch Angriffe auf ein Parlament festigen? Durfte man das tun? Durfte sentimentales Mitleid für einen Einzelnen und dessen Familie (so die Stimme des Versuchers) den politischen, rationalen Entwicklungselan stören? Und noch etwas: Ähnliche Fälle werden Voltaire, dem ohnehin mit Briefen Überschütteten, eifrig gemeldet. Er wird aufgefordert, aufgerufen, für den und jenen einzutreten, nachdem seine Vorbereitungstätigkeit für Calas bekanntgeworden. Das kann er nun wirklich nicht leisten, ohne sich zu zersplittern, geradezu zu zerstören. Was nützt es also, gegen das eine Unrecht zu wettern, wenn daneben hundert andere Unschuldige gleicher Art auf der Strecke bleiben? – Mit Umsicht und Kaltblütigkeit hatte der temperamentvolle Philosoph eine Ordnung festzusetzen, sie gegen gutgemeintes, aber chaotisches Übermaß zu verteidigen. – Ich finde, daß mein Bruder in der Darstellung dieser kaum überblickbaren Wirrnisse (der eine Rückschau auf Voltaires abenteuerlichen Lebenslauf, auf die »göttliche Emilie« usw. vorangeht) viel von Kafka gelernt hat, dessen Werk er studiert und den er persönlich sehr geliebt hat – eine Liebe, die von Kafka ebenso herzlich erwidert wurde (hiervon einiges später!).

Die Entscheidung als Meisterung all der verräterischen Skrupel wird durch den jüngsten Sohn des Calas herbeigeführt. Voltaire lädt ihn zu sich nach »Les Délices«, seinem Landgut, das, zum Unterschied von dem französischen Ferney, bereits auf Schweizer Boden liegt, unberührt von der ärgsten Willkür des monarchischen Systems. – Der fünfzehnjährige Donat kommt befangen, mit einer auswendig gelernten Ansprache an den großen Mann. Voltaire unterbricht ihn, flößt ihm sehr menschlich Vertrauen ein. Die Wahrheit, die für die Familie Calas in allen Punkten günstig ist, bricht an den Tag, durch eines unschuldigen Kindes Mund.

»Criez et faites crier!« ist nun der Wahlspruch, den Voltaire in den Briefen an seine Freunde wiederholt. Jeder einzelne wird eingespannt, Herzöge und mindere Aristokraten, Generalpächter, Damen der Gesellschaft, Philosophen, die Enzyklopädisten, die Voltaire »die Engel« nennt. Sogar der Gegner: Rousseau! Auch eine edle Nonne, die von der schlichten Ehrlichkeit einer Calas-Tochter gerührt ist und, zur Beobachterin und »Bekehrerin« ausersehen, wehen Herzens (für diesen einen Ausnahmefall) zur Gegenpartei übergeht. »Ich möchte diese brave Fromme von beiden Seiten abküssen«, schreibt der greise Voltaire an den Übermittler der Nachricht. – Man hat beide Töchter der Mutter weggenommen, die sich jetzt als sehr tapfer erweist. – Neue Pläne werden in Ferney geschmiedet. Sehr anschaulich beschreibt mein Bruder viele Einzelheiten von Voltaires Wohnräumen. Seine Lebensgewohnheiten. Vor allem läßt er den Grundsatz seines Helden hervortreten, daß der Literat sich nicht damit begnügen darf, schöne Worte für Recht und Selbstlosigkeit zu schwingen – er muß selber

in die Arena steigen und das, was er schreibend exklamiert und deklamiert, mit dem eigenen Leib und Leben durchzukämpfen suchen. – Dazu immer wieder der Kontrapunkt. Das Stubenmädchen Barbara, ein altes Hausmöbel der Madame Denise, sagt es Voltaire ins Gesicht, am Ende einer langen Diskussion (es geht um einen Bauern, dessen Dach abgebrannt ist): »Also den Kerl noch beschenken anstatt ihn für seinen Leichtsinn zu bestrafen! Das sieht dem gnädigen Herrn wieder einmal ähnlich. Ich sag ja immer, daß der gnädige Herr keinen Funken gesunden Menschenverstand hat! Und da sagen die Leute, er wäre der gescheiteste Mann der Welt! Na – ich gehe den Kaffee holen.«

Geradezu frenetisch heiter besteht mein Bruder darauf, die Herzensgüte Voltaires zu zeigen. Er hat jahrelang umfangreiche Studien gemacht, eine ganze Bibliothek der Zeitgenossen und sämtliche Werke Voltaires im Original gesammelt und gelesen, um gegenteilige Meinungen widerlegen zu können. Er war auch mehrmals in der Westschweiz, in Savoyen. Genaue Kenntnis der Lokalitäten ist die erfreuliche Folge. Da, wo er die Gesten des diktierenden Voltaire schildert, erkenne ich genau das Bild, das Kafka entzückt hat, als ich mit ihm im Pariser Musée Carnavalet war.

Das Fragment schließt auf einem Höhepunkt, auf dem ersten hohen C eines Teilerfolgs. Die Herzogin von Anville hat die Freilassung der beiden Töchter des Calas aus den Klöstern durchgesetzt. Sie selbst kommt nach Ferney, um es dem Alten mitzuteilen, fällt ihm um den Hals, küßt ihn, bringt endlich triumphierend die Worte heraus: »Sie sind frei.« – Voltaire küßt ihr galant die Hand, gratuliert ihr bescheiden zu *ihrem* Sieg. »Jetzt ist es wohl unmöglich, daß der Rat nicht die Revision anordnen sollte.« – In Ferney ist an diesem Abend große Aufführung im Privattheater des Patriarchen. *Semiramis.* Gäste aus Genf, aus ganz Frankreich. Voltaire als Dichter, Regisseur, ja als Schauspieler auf der Bühne. Im Saal hat sich das Gerücht von der Befreiung der beiden Calas-Töchter verbreitet. Voltaire spricht (als Hohenpriester Oroes) in Ekstase seine Verse:

> So kann das höchste Recht, wenn es ihm nötig scheint,
> Die ewge Ordnung ändern, die es niemals sonst verneint.
> Es darf sogar der Tod sein starr Gesetz erweichen,
> Der Welt und ihren Königen ein lodernd Warnungszeichen.

Ich habe mehrmals versucht, das Fragment zu beenden. Aber es geht nicht. Mir fehlt, obwohl ich Voltaire in vielem höchlichst bewundere, die Restlosigkeit und Wärme dieser Bewunderung, die meinen Bruder erfüllte. Die Art, in der mein Bruder in schrankenloser Verehrung zu Voltaire hält, erinnert in vielem an das gleiche unbegrenzte Lob, das Popper-Lynkeus ihm spendet, z. B. in seiner Schrift *Das Recht zu leben und die Pflicht zu sterben.* Ich dagegen sehe auch Flecken, wo Otto nur Licht, strömendes Licht der Menschenliebe sah. Die Art, wie Voltaire sein riesiges Vermögen erworben hat (»um unabhängig für das Wohl der Menschheit kämpfen zu können«, sagt Otto), diese Art gefällt mir nicht. Er soll ja sogar am Sklavenhandel beteiligt gewesen sein, wie ich, wenn ich nicht irre, in der Monographie von Brandes gelesen habe. – Ausgegeben hat er dann freilich dieses Vermögen auf die untadeligste Weise. Aber zusammengebracht? – Wir beide, Brüder und Freunde, haben das heftig diskutiert, als wir zum letztenmal acht Tage lang allein im Hotel an den schönen Teichen von Jevany miteinander wohnten. – Bald nachher fuhr ich nach dem rettenden Osten. Mein Bruder aber, der um seiner schutzlosen Schwiegereltern willen die dargebotene Rettung ablehnte, wurde mitsamt seiner Familie nach Theresienstadt gebracht, von da nach Auschwitz, wo er auf die schrecklichste Art durch Zyklongas gequält und erstickt wurde. Er hat in seinem Calas sein eigenes Schicksal und das Schicksal von sechs Millionen Unschuldigen vorausbeschrieben. Sogar die Wohltat einer Anklage, einer Gerichtsverhandlung blieb diesen sechs Millionen versagt. Es ging also schlimmer zu als im Fall Calas. Aber kein Voltaire kam als Retter. Es siegte das Unrecht.

Das Fragment, so scheint es mir, könnte auch in der vorliegenden Form veröffentlicht werden. Offenbar fehlt nur das sechste Kapitel. Jemand müßte einen Anhang schreiben, der die weiteren historischen Fakten in Form eines knappen Berichtes hinzufügt, nicht etwa als Dichtung, die mit all den Kenntnissen der genauen Umgebung Voltaires und im reizend intimen Erzählerton, den mein Bruder durchhält, ohnehin nicht prästiert werden kann. Die historische Darstellung dagegen wäre leicht beizubringen, da dem ersten Teilsieg Voltaires in relativ kurzer Zeit der königliche Spruch folgte, der die Wiederaufnahme des Prozesses verfügte und zur vollständigen Rehabilitation des Jean Calas und seiner Familie führte. 1662 hatte Voltaire seine Bemühungen begonnen, 1665 war das Ziel erreicht. – So zu Ende gebracht wäre das Buch ein wirksames Fanal gegen den Fanatismus (im Sinne Voltaires) und gegen alle Tyrannei aller Zeiten. –

Zur Biographie meines Bruders nur noch wenige Sätze: Daß er 1909 mit Kafka und mir den Sommerurlaub in Riva am Gardasee verbrachte. Er machte auch unseren Ausflug zum ersten Flugmeeting in Brescia mit, war der eigentlich initiative Faktor des Abenteuers und half Kafka und mir humoristisch bei unserem edlen Wettstreit, den meine Kafka-Biographie erzählt. Im Jahr darauf fuhr er wieder mit uns, diesmal nach Paris. Dann heiratete er. Das bugsierte ihn für einige Zeit ein weniges aus unseren Freundeskreis hinaus – an dem er sich dann wieder eifrig beteiligte. Seine Mitarbeit kam eine Zeitlang hauptsächlich von der naturwissenschaftlichen Seite her. Kafka liebte ihn auch als einen seines richtigen Weges bewußten, ruhig welterfahrenen und aktiv unternehmenden Menschen. Er war ein Jahr früher als wir in Riva gewesen, hatte diesen zauberhaften Teil des damals österreichischen Südtirol und den sonderlinghaft in den Bergen hausenden Dichter Dallago für sich und uns entdeckt. – Unvergeßlich bleibt mir ein sommerlich heller Tag: Franz und ich fuhren zu Besuch nach Brandeis an der Elbe, wo mein Bruder in der Garnison seines Artillerieregiments einen Übungsmonat zu absolvieren hatte. Er hatte uns eingeladen, ein Wettreiten der Reserveoffiziere mitanzusehen. Wir bewunderten seine Reitkunststücke, er gewann einen der Preise. Kafka war ja gleichfalls ein guter Reiter, sei es auch nur zivilistisch – er bewunderte Otto mit mehr Sachverständnis, als ich, ein völliger Laie, es tun konnte. Einerlei, wir bewunderten ihn und seinen Jugendübermut, wir verbrachten viele fröhliche Stunden mit ihm. Wir liebten ihn. Auch als er im ersten Weltkrieg als Hauptmann der Reserve seine Batterie (einer der wenigen Offiziere, denen das gelang) wohlbehalten vom Isonzo durch die Alpenpässe nach Niederösterreich (Wiener Neustadt) zurückführte, waren wir stolz auf seine männliche Energie. Ich habe diesen katastrophalen Rückzug, dem Bericht meines Bruders folgend, in meinem Roman *Die Frau, nach der man sich sehnt*, im Kapitel »Rockenhaus Tuch« geschildert. – Das Vaterland wußte ihm für seine erfolgreiche und mit Einsatz seiner ganzen Person durchgeführte Rettungsaktion drei Jahrzehnte später ganz wundervollen Dank: Es hat ihn in Auschwitz vergiftet, ihn und seine ganze Familie; die einzige, begabte und bezaubernd schöne Tochter Marianne wurde in Bergen-Belsen ihres jungen Lebens beraubt. Ich habe das liebe Kind heranwachsen sehen, ich habe das voll erblühte Mädchen beweint, von dem man mir erzählte, es sei in Theresienstadt durch seine Anmut und durch seine herrliche Stimme bei der Aufführung von Verdis *Requiem* (in diesem gottverdammten Todeslager) aufgefallen.

Sehr nahe stand unserem Kreise auch Dr. Friedrich Thieberger, aus berühmter rabbinischer Familie stammend, Laienprediger an den hohen Feiertagen, im Hauptberuf Gymnasialprofessor (Deutsch, Geschichte) und Philosoph. Er übersetzte als erster die Gedichte von Morris Rosenfeld sowie Georg M. Langers *Neun Tore – das Geheimnis der Chassidim*, das oben erwähnte wertvolle Buch, zu dem Gershom Scholem die Einleitung geschrieben hat (erschienen im Otto Wilhelm Barth Verlag, München 1958). Erschienen sind ferner in englischer Sprache Geschichtsstudien über den *König Salomon* (East and West Library, London 1947 – To the memory of my brother Ernest, victim of an inhuman age) und den »hohen Rabbi Loew«. Ein religionsphilosophisches Werk *Die Glaubensstufen des Judentums* gehört zu den wichtigsten Darstellungen auf diesem Gebiet. Thieberger war mit Felix Weltsch, mit Kafka und mir innig befreundet. Er starb in Jerusalem, wo er mit Weltsch und Bergmann besonders vertrauten, durch den gemeinsamen Wohnsitz erleichterten Umgang hatte. In Prag hatte er Kafka im Hebräischen unterrichtet. Ich war mit ihm in Prag wie auch bei meinen leider allzu seltenen Besuchsfahrten nach Jerusalem zu vielen Gesprächen über die wesentlichsten Dinge zusammengetroffen. So stellten wir einmal fest, daß seine (Thiebergers) Unterscheidung des Leids der Existenz vom Leid der Koexistenz (das heißt: des metaphysischen einsamen Ungenügens und der Schwierigkeiten des richtigen Lebens in der Gemeinschaft, unter den Menschen) eigentlich identisch war mit meiner Lehre von der »Zweigleisigkeit«, der Unterscheidung von »edlem« und »unedlem Unglück«. Ich erinnere mich gern daran, wie glücklich wir beide uns in der Entdeckung fühlten, daß wir beide unabhängig zu gleichen Ergebnissen gelangt waren; glücklich, da es uns beiden nicht um »Originalität«, sondern nur um die richtunggebende Wahrheit zu tun war. – Dieser edle, zurückhaltende Mensch Friedrich Thieberger ist nie genügend gewürdigt worden; aber sein gesegnetes Andenken wirkt weiter und wird einmal noch zur vollen Geltung kommen. –

Friedrich Torberg war nicht nur mein Redaktionskollege im »Prager Tagblatt«. Er war in Prag mein Freund und ist es bis heute in ungetrübter Direktheit geblieben. Ich erinnere mich gern an eine unserer frühesten Begegnungen – wenn man das Begegnung nennen kann. Ich stand am Ufer der Moldau – Torberg schwamm und strampelte im Wasser, er spielte Wasserball für »Hagibor«, unsern Sportklub, er wehrte alle Goals ab und leistete überhaupt Unglaubliches. Er mochte damals zwanzig Jahre alt sein. Welch ein Weg seither! Bezeichnet durch aufregende Bücher wie *Der Schüler Gerber hat absolviert, Hier bin ich, mein Vater, Die zweite Begegnung, Die Mannschaft, Abschied, Mein ist die Rache,* durchaus Zeugnisse einer eminenten Erzählungs- und Formungskraft, unter deren Anhauch das widerspenstige Zeitgeschehen zum lichten Kristall der Dichtung wird, und zuletzt das zusammenfassende, heiter-polemische (manchmal auch – und das mit Recht – scharf an die Waden fahrende) Potpourri seiner publizistischen Betätigung: *Pamphlete Parodien Postcripta.* Torberg ist in Wien geboren und Vorkämpfer eines sinnigen und freisinnigen Österreich. Was hat er mit Prag zu tun? Mit dem Prager Kreis? Nun, von dieser Stadt kann man aussagen, was Knut Hamsun im *Hunger* über Christiania zetert: daß sie jeden zeichnet, der eine Zeitlang in ihr geweilt hat. (»Zeichnet« im doppelten Sinn: im bösen des »Ein Malzeichen aufdrücken« und im guten der Formgebung, des Gestaltverleihens.) – Als vorsichtiger Mann habe ich mich an Torberg, meinen bewährten Weggefährten so vieler Dezennien, mit einer unverblümten Anfrage gewendet: Wie stehst du heute zu deinem Prager Erfahrungs-Intermezzo? Er hat mir darauf einen hocherfreulichen Brief geschickt, aus dem ich das folgende zitiere: »Meine Beziehung zum ›Prager Kreis‹ oder doch zu Prag. Ich habe mich niemals als Angehöriger des eigentlichen ›Prager Kreises‹ gefühlt, ja ich hätte es für eine Anmaßung gehalten, das zu tun. Aber es wäre mir eine große Ehre, wenn man mich sozusagen als ›Hospitanten‹ gelten ließe. Schließlich waren es einige sehr entscheidende Jugendjahre, die ich in Prag verbrachte, und sie haben mir einige sehr entscheidende Eindrücke vermittelt. Schließlich bin ich in Prag, wohin ich mit meiner Familie aus Wien übersiedelt war, bei der Matura durchgefallen und habe daraufhin mit der Niederschrift meines ersten Romans begonnen, des *Schüler Gerber,* dessen Manuskript von Max Brod an den Verlag Zsolnay nach Wien geschickt wurde – übrigens hinter meinem Rücken; ich erfuhr davon erst durch ein Telegramm des Verlags, das mir die Annahme meines Erstlingsromans mitteilte. Max Brod hat mich in jenen wichtigen Jahren auch sonst auf jede erdenkliche Weise gefördert und beraten und sich für mich eingesetzt, wie eben nur er sich für junge Menschen einsetzen kann. Auch eine nachhaltige Kräftigung und Vertiefung meiner (freilich schon von Wien her vorgeformten) Haltung in jüdischen Dingen habe ich in erster Linie ihm zu danken. Auch meine journalistischen Lehrjahre beim ›Prager Tagblatt‹ gingen auf seine Initiative zurück. Und daß er mir die richtige Beziehung zu Franz Kafka beibrachte – der zur Zeit, als ich nach Prag kam, nicht mehr lange lebte –, sei nur der Vollständigkeit halber erwähnt. Das alles macht mich, wie gesagt, noch nicht zu einem Angehörigen des ›Prager Kreises‹, so wenig wie meine spätere Freundschaft mit Franz Werfel, der ja seinerseits jenem Kreis nur mit Vorbehalt beizurechnen ist. Aber ich könnte mir mein Leben – sowohl in literarischer wie in persönlicher Hinsicht – ohne die in Prag verbrachten Jahre nicht vorstellen. Ich zähle sie auch heute noch, da ich nach den Wirrnissen der Emigration und des Krieges längst wieder in Wien lebe, zu den großen Bereicherungen, die mir zuteil geworden sind, und ich möchte sie weder für meine Entwicklung noch für meine Erinnerung missen.« – Eine solch ehrliche Treue zähle ich zu dem Schönsten, was mir das Leben hat widerfahren lassen.

Auch Johannes Urzidil hat mich jüngst in einem Freundschaftsbrief daran erinnert, daß sein erstes Gedichtbuch *Der Sturz der Verdammten* durch mich in die Reihe »Der jüngste Tag« bei Kurt Wolff geschleust und damit der Weg für den Autor geöffnet worden ist. Auch Urzidil hat sich ganz wundervoll entwickelt. Er ist in seinen Büchern *Prager Triptychon, Das Elefantenblatt, Da geht Kafka* (und in anderen epischen Kostbarkeiten) zum großen Troubadour jenes für immer versunkenen Prag geworden, das er in einem anderen Buchtitel *Die verlorene Geliebte* genannt hat und dem auch ich manche Träne berichtender Darstellung gewidmet habe. In Egon Erwin Kischs *Aus Prager Gassen und Nächten,* im *Mädchenhirt* wie im *Abenteuer in Prag* spukt die gleiche Fülle von Figuren sonderlinghafter Art, von Habitués der Spelunken, Bohemiens und halbirren Jugendlichen – allerdings um einige Grade ins Anrüchige, Kriminalistische, Nur-Interessante hinunterlizitiert. Das Gespenstische und Schreckhafte dieser Gegenden scheint sich Meyrink in seinem *Golem* vorbehalten zu haben, wo es bergehoch gehäuft ist; doch ich wüßte nicht, wo dieser scharfe, unheimlich wehende Luftzug eindrucksvoller fühlbar wäre als in Urzidils Meisternovelle, die vom Haus »zu den neun Teufeln« nahe der Moldauinsel Kampa handelt. – Und mehr noch, Urzidil ist weit entfernt davon, ein Prag-Spezialist sein zu wollen. Er ist durchgehends vielseitig, einer jener Dichter, die weite Sphären des Erlebens umfassen. Eine seiner ersten Erzählungen, die ich las und hütend in mich aufnahm, war die von Stifters Jugend beflügelte, mit zartem Silberstift gestrichelte Legende vom *Trauermantel.* Wie es überhaupt das »sanfte Gesetz« Stifters ist, dem Urzidil besonders gern nachhängt. In dieser frühen Geschichte wird die Liebe der Franziska Greipel besungen, geheimnisvoll, ahnungsreich, des Mädchens, das Stifter recht eigentlich sich zur Frau gewünscht hatte. Und das er nicht bekam. Von der Art, in der die stille Franziska liebte, heißt es in dem schön schwebenden Gebilde: »Sie läßt die Liebe in sich geschehen, fügsam und erwartungsvoll, das Allmähliche einer ganz tiefen, durchdringenden, verhaltenen und durchaus unbegrenzten Liebe, die mit jedem ihrer Pulsschläge alle Dinge dieser Welt anrührt, die nichts außerhalb läßt, durch nichts verändert wird.« – Es ist, als ob Urzidil mit diesen Sätzen unbewußt sich selbst charakterisiert hätte, seinen ruhigen, klaren, niemals manierierten, nie sich verrenkenden, kurz seinen dem Klassischen angenäherten Stil, der die Frucht äußerster Selbstdisziplinierung ebenso wie einer glücklichen Anlage ist. – Auch Namen sind kein Zufall, gehören zu der von Schopenhauer behandelten »anscheinenden Absichtlichkeit im Schicksal des Einzelnen« *(Parerga und Paralipomena)*, und so finde ich, daß in Urzidils Namen ein Element der höheren Ordnung liegt – denn »urzidil« bedeutet, aus dem Tschechischen ins Deutsche übersetzt, etwa: »Er hat es gut in Ordnung gebracht.« (Viele Deutsche in Böhmen tragen tschechische Namen, ja einer der deutschen führenden Politiker hieß geradezu Czech.) – Das Ordnende liegt darin, daß Urzidil *stilistisch* alle Willkür ausschaltet und daß er *inhaltlich* seinen Themen die Treue hält, nicht von ihnen abläßt, ehe er sie zu Ende ausgeschöpft hat. Wie Goethe dies vorgelebt hat. In der Stifter-Novelle läßt er zum Schluß den werdenden Dichter mit einem Mann zusammentreffen, der in Goethes Gunst stand, mit ihm verkehrt hat – und dem gleichen Goethe widmet er eines seiner schönsten Werke, das »Goethe in Böhmen« auf jene unvergleichliche Weise zeigt, in der Akribie und leidenschaftliche Intuition sich vereinen. Dem tschechischen Kupferstecher des Barock Hollar galt eine seiner ersten Forschungsarbeiten; die gleiche Persönlichkeit kehrt in der zentralen Gestalt wieder, deren bitterer Humor das Buch vom *Elefanten-Blatt* durchspült. In anderen Werken Urzidils treten nebst anderen Motiven auf: die des Böhmerwaldes, Goethe, das Folklore aus Deutschböhmen, die Größe seiner neuen Heimat Amerika, Magna Graecia, der antike Mythos. In immer neuen Verwandlungen. Möge seine »durchaus unbegrenzte Liebe« (aus obigem Zitat) noch viele solche Verwandlungen »in Ordnung bringen« und seine Sprachform, die ich schon in einem zur bibliophilen Rarität gewordenen Büchlein seiner frühen Gedichte vorfinde – es heißt *Die Stimme* – immer das bleiben, als was er selbst sie erkannt hat:

Und über uns der Berg
Tönt wie Musik uns nach.

(Das Bändchen *Die Stimme* erschien im August 1930 in Berlin in der Reihe *Die Anthologie – Lyrische Flugblätter des Kartells lyrischer Autoren und des Bundes deutscher Lyriker.*)

Will man das Gemeinsame fassen, was in dem »engeren« wie in dem »weiteren Kreise« angestrebt und zum Teil wohl auch, soweit dies in Menschenmacht steht, verwirklicht worden ist, so verläßt man mehr oder minder das Gebiet, in dem noch abstrakte Begriffe, in dem Worte gelten und den wesentlichen Kern der Dinge treffen. Man überhört ja allzu gern die Mahnung Goethes:

Als wenn das auf Namen ruhte,
Was sich schweigend nur entfaltet!

Und die andere, ebendahin zielende:

Ihr sucht die Menschen zu benennen,
Und glaubt, am Namen sie zu kennen.
Wer tiefer sieht, gesteht sich frei,
Es ist was Anonymes dabei.

Zu diesen Anonyma, die sich der Benennung und begrifflichen Klassifizierung entziehen, gehören aber durchaus die eigentlichen Werte der Kunst, die göttlich inspirierten Einfälle, sei es die in der Dichtung oder in der Musik oder in den bildenden Künsten oder die in der wissenschaftlichen Gedankenentwicklung. Wozu also eigentlich Literaturgeschichte, Kunstgeschichte usw. – wenn das Eigentliche, der Einfall, die Eingebung ja doch immer notwendigerweise außerhalb der Betrachtung und ungreifbar zwischen den Maschen bleibt? – Während die genannten systematischen Wissenschaften sich außer für das Biographische hauptsächlich für *Richtungen* der Kunst und den Zusammenhang, die Abfolge dieser Kunstströmungen, ihre Zeitgebundenheit, ihr partielles Abhängigsein vom ökonomisch-sozialen Geschehen interessieren, schlüpft das *Eigentliche der Kunst,* ihr künstlerisches Geheimnis, außerhalb solcher Betrachtungsmethoden durch.
Ein Beispiel: Man kann Dittersdorf, der 44 Opern und etwa 100 Symphonien und noch vieles andere komponiert hat, mit seinem Zeitgenossen Mozart unter den zusammenfassenden Kategorien »Rokokomusik«, »Anfänge der deutschen komischen Oper« usw. sehen und darstellen. Hat man damit das Wesentlich-Eigenartige der Musik von Mozart erfaßt – oder auch nur berührt? Nicht das,

was Mozart und Dittersdorf *gemeinsam* haben, also der Rokokostil ihrer Musik mit all den Eigenheiten, die für das Rokoko charakteristisch sind, ist wichtig – sondern gerade das, was Mozart von Dittersdorf *unterscheidet*. In diesem Unterscheiden und *nur* in ihm manifestiert sich Mozarts Genie, seine ans Übermenschliche grenzende, mit Anmut gepaarte Kraft. Dittersdorf hat ja einige ganz wackere Sachen geschrieben, wie etwa das noch heute hie und da aufgeführte Singspiel *Doktor und Apotheker*. Hört man diese Komödie mit Musik, so kann man stellenweise den Eindruck haben, man höre etwas von Mozart. Der Stil, die Richtung ist zum Verwechseln ähnlich. Statt einer Arbeit von Dittersdorf könnte in diesem Beispiel auch einer der einst berühmten Komponisten der »Mannheimer Schule«, z. B. Stamitz, figurieren. Mit ihren kleinen konventionellen Schnörkeln, den »gruppetti«, den typischen »Mannheimer Seufzern«. All das gibt es auch bei Mozart. Man glaubt, ihn zu hören, wenn Dittersdorf, Stamitz usw. erklingt. Stellenweise. Aber es ist eben nur der schwächere Mozart; ein Mozart, wie er sich manchmal in Nebenwerken gehen ließ, die stilrein sind, sonst nichts; Stücke, die er aus dem Handgelenk hingeworfen hat und an denen ihm weiter nicht viel lag. Höre ich aber »Notte e giorno faticar« aus dem *Don Giovanni* oder das geradezu unheimlich schöne Terzett (Elvira: »Ah, chi mi dice mai«) und alles übrige aus dieser Oper aller Opern – oder den *Figaro* oder die letzten vier Symphonien oder die Klavierkonzerte d-Moll (K. 466), c-Moll (K. 491) oder das zur Krönung Kaiser Leopolds II. geschriebene (letzteres vor allem, wenn es völlig, wie es sein soll, von meinem Landsmann Frank Pellig gespielt wird) – dann bin ich in einer andern Welt, dann bin ich da, wo diesen Mozart »der dämonische Geist seines Genies in der Gewalt hatte, so daß er ausführen mußte, was jener gebot«, wie Goethe schrieb. Ich bin im Nicht-Empirischen, Transzendenten, das mit jenen »gruppeti« und anderem Routinezeug nichts, aber auch gar nichts gemein hat und nur gewohnheitsmäßig den Namen »Musik« mit ihm teilt. Ich bin in eine Gegenwelt, vielleicht in das eingetreten, was die moderne Physik »Antimaterie« nennt; dort ist alles mit Vorzeichen versehen, die den unseren entgegengesetzt sind; und nicht einmal entgegengesetzt; das wäre noch zu einfach – es ist alles ganz inkommensurabel mit dem sonst uns umgebenden Sein, anders als im Alltag und nur symbolisch oder durch Paradoxe, mit verwegenster Ironie zu bezeichnen – wie etwa Michelangelo eines dieser Oxymora gern gebrauchte – man muß es nur richtig und unzynisch verstehen. Wenn ihm eine mittelmäßige Plastik gezeigt wurde, pflegte er zu sagen: »O, sehr schön! Das hat ein braver Mann gemacht! Der tut keinem weh.« Sah er aber etwas Geniales, so bemerkte er: »Das ist von einem großen Schurken!«

Das Geistige führt eben sein objektives Leben jenseits der uns gegebenen Welt, unabhängig von ihr. Es ist in erster Reihe nur für sich selbst da. Dies entspricht seiner innersten Art. In sekundärer Beziehung erst kommt seine Wirkung auf uns, unter uns in Betracht. Ein Kunstwerk ist nur dann in wahrer Liebe geschaffen, eine edle Tat nur dann richtig getan, wenn dem Autor oder Subjekt der Tat über der Freude des Anteils an jener höheren Welt, die er erlebt, der Ruhm jetzt und später gänzlich gleichgültig ist. Man muß die Probe aushalten, wenn man sich sagt: »Dieses Werk geht verloren; niemand wird jemals davon etwas erfahren, so wie wir nichts vom Inhalt der Werke wissen, die in der Maya-Schrift oder in den ungeheuren Figuren der Osterinsel auf uns gekommen sind – und dennoch ist im eigentlichen Sinn nichts verloren damit. In der geistigen Welt existiert dieses Werk. Und das fühle ich, das ist es, worum es geht, alles andere mag erfreuliche Nebenwirkung sein, die Hauptsache ist es nicht.« Das Gute, das auf Robinsons Insel getan wird (auf der Insel eines Robinson, der nicht gerettet wird, der ohne Echo stirbt), die Wahrheit im Gefängnis, die nie zu eines andern Menschen Ohr dringt – prüfe dich, ob du überzeugt bist, daß auch dies einsame, irdisch gesprochen: völlig verschwindende Wahre und Gute allen Begleitumständen zum Trotz real ist und real bleibt. Hast du diese Überzeugung, so bist du in die geistige Welt eingetreten. Hast du sie nicht, so bist du dieser Welt noch fern.

Wir fügen hier einen gleichgestimmten Satz Wilhelm von Humboldts über Schiller ein: »Es gibt ein unmittelbareres und volleres Wirken eines großen Geistes als das durch seine Werke. Diese zeigen nur einen Teil seines Wesens. In die lebendige Erscheinung strömt es rein und vollständig über. Auf eine Art, die sich einzeln nicht nachweisen, nicht erforschen läßt, welcher selbst der Gedanke nicht zu folgen vermag, wird es aufgenommen von den Zeitgenossen und auf die folgenden Geschlechter vererbt. Dies stille und gleichsam magische Wirken großer geistiger Naturen ist es vorzüglich, was den immer wachsenden Gedanken von Geschlecht zu Geschlecht, von Volk zu Volk immer mächtiger und ausgebreiteter emporsprießen läßt.«

Selbstverständlich bestreite ich nicht, daß die Klassifizierung der Musik Mozarts als Rokokomusik auch ihr Richtiges an sich hat, daß sie sogar, gleichsam in einer unteren Etage der Weltbetrachtung, sich als durchaus nützlich erweist, Interessantes über historische Zusammenhänge einer bestimmten Zeitepoche an den Tag bringt – die Frage beleuchtet, wer von wem und wann er beeinflußt worden ist, dabei den ökonomischen Verflechtungen der Kunstübung mit der damaligen Gesellschaftsordnung, mit Standesvorurteilen, großen Revenüen, mit der Kultur in Adelspalästen usw. gerechnet wird. Nur an der Hauptsache geht diese Art von Kunstforschung vorbei: an der Kunst. Am göttlichen Einfall. An der Inspiration. Das Genie wischt ihr durch die Netze.

Solche Forschung ist Richtungsforschung, niemals Erforschung des Genies. Das Geniale des Kunstwerks bleibt unbemerkt auf der Strecke, während wir genau und auf Grund mühseliger Studien darüber unterrichtet werden, daß X von Y abgeschrieben hat. Er hat eine melodische Wendung oder den häufigen Gebrauch eines bestimmten Adjektvis oder der Ausrufszeichen von ihm gelernt und entlehnt. Prachtvolle Entdeckung!

Von der wirklichen Kunstforschung dagegen, nicht von Richtungsnichtigkeiten ist die Rede, wenn Hofmannsthal in seinem höchst erkenntnisreichen Festvortrag *Shakespeares Könige und große Herren* die Bemerkung über den Brutus im 4. Akt, in seinem Zelt, bringt, über die Szenen mit Cassius und dann mit dem Knaben Lucius, die Stellen von dem verlegten Buch und von der Laute, die nicht zerbrochen werden soll. »Von solchen kleinen Zügen muß eine bis zur Anbetung gesteigerte Bewunderung Shakespeares immer wieder aufleben ... Hier kann man weinen, nicht bei Lears Flüchen – – – Denn es gibt doch in einem Kunstwerk nichts Großes und nichts Kleines; und hier, wie Brutus, der Mörder Cäsars, die Laute aufhebt, damit sie nicht zerbrochen wird, hier wie nirgends ist der Wirbel des Daseins und reißt uns in sich. Dies sind die Blitze, in denen ein Herz sich ganz enthüllt.« – Flaubert beschreibt in einem Brief das echte Kunstwerk: »Durch Ritzen nimmt man Abgründe wahr.« Das ist genau dieselbe Sache, von der Hofmannsthal spricht. Und sie scheint mir denn doch das einzig Wichtige zu sein. – Auf solche Züge (ich habe sie in meinem *Stefan Rott* »schöne Stellen« genannt und mit Hilfe zweier Notenbeispiele gegen Andersartiges abgegrenzt), auf solche Züge hinweisen, sie sammeln und allenfalls interpretieren: das wäre der rechte Weg einer neuen Kunstwissenschaft und Kritik. – Nochmals Hofmannsthal, im andern seiner unschätzbaren Shakespeare-Essays: »Wo ist eine Offenbarung des Höchsten? Eben dort, wo *Wirklichkeit* ist ... Menschen, zu allen Zeiten, suchen *Wirklichkeit* begierig überall. Bei den Geistern und

Gespenstern noch, unter deren Anhauch sich eine neue Seite ihres Selbst ihnen offenbart, im Krater der Wollust, ja am Spieltisch wie im Gebet und im Gedicht. Kaum geahnt wird die Wirklichkeit der Mitlebenden, ja noch geliebter naher Wesen, dem trägen Blick bleibt sie auch im Leiden noch verschleiert, bis sie uns plötzlich anweht: Ahnung, daß das Einmalige alles sei, nichts wiederkomme, nichts sich gleiche, *alles im Augenblicke unendlich, ungeheuer, begrifflos, vor Gott ewig.*« (Bescheidener Zwischenruf: Hier hat Hofmannsthal die beste Charakteristik dessen gegeben, was Plato »Idee« nennt, die *nie mit Allgemeinbegriffen verwechselt* werden darf, die vielmehr das augenblicklich in irisierendem Aufglänzen Vorbeihuschende des individuellen Lebens und den Allgemeinbegriff zueinanderzwingt, zusammenschmilzt, im großartigen »Zusammenfallen der Gegensätze«, der »coincidentia oppositorum« des hoch zu preisenden Cusanus.) Hofmannsthal fährt fort: »Nur in der geistigen Spannung der Leidenschaft wird das Individuelle, das Einmalige wesenhaft: Es ist das, wessen der ruhig Hinlebende sonst kaum gewahr wird.« Und dieser *Leidenschaft,* die nicht niedrig sein darf, wenn sie auch »gemeinhin dunkel und trübe erscheint«, setzt Hofmannsthal mit kühnem Griff die *Kunst* an die Seite. Beide sind vom höchsten, ersten Schöpfer entsprungen, von ihm als Schöpferisches hergeleitet manifestieren sie sich in den Geschöpfen, und sie sind es, mit denen die Geschöpfe »gegen das Chaos sich zur Wehr setzen«.

Oder, wie Goethe es in einem einzigen Satz (im Gespräch mit Riemer 1827) ausdrückt: »Der Geist des Wirklichen ist das wahre Ideelle.« – Platons Lehre in *einem* Satz!

Wenn man nun *dieses* Wirkliche darzustellen versuchte und wenn es gelänge und wenn man es auch im eigenen Existieren, im Leben ausdrücken könnte – wäre das nicht der eigentliche, der *absolute Realismus,* der auch und sogar vor allem und in erster Linie das Transzendente einbezöge, der das Göttliche darstellte und das Humane, Soziale zugleich, in ein und demselben reinen Linienzug?

Ich wage es kaum auszusprechen. Bin ich denn nicht davon ausgegangen, daß das Eigentliche keinen Namen hat, daß es nicht expliziert, nicht in Begriffe eingeschachtelt werden kann? – Es kann aber vielleicht doch von weitem angedeutet, bildlich sichtbar und fühlbar gemacht werden, es gestattet eine Annäherung in symbolischer Weise, im Gleichnis, wenn dieses Symbolhafte nach Möglichkeit die Wirklichkeitstreue und Erlebnisdichte nicht etwa aufgibt, sondern redlich, im Innersten der Seele redlich den Konturen der Realität nachfährt.

Ich glaube, daß Versuche solcher Art im »engeren« und »weiteren« der oben dargestellten Kreise gemacht wurden und daß einige von ihnen sogar gelungen sind, mit oder ohne Absicht, mit oder ohne Bewußtwerden der Absicht in den betreffenden Autoren. Darin, in diesen mehr oder minder geglückten Versuchen, sehe ich die Bedeutung der beiden Prager Kreise.

Natürlich hat es auch Mißlingen, Irrtümer, Sackgassen, Abstürze ins Nichts gegeben. Es handelt sich ja, wie man zugeben wird, um ein sehr schwieriges Unterfangen.

Worin unterscheiden wir uns von den Romantikern, auch von den Neo-Romantikern Jung-Prags (zu denen ich den späteren Rilke nicht zähle, er gehörte wohl eher zu uns)? Die Romantik will, wie auch wir es im Gefühl hatten und haben, vom Alltag, vom Gewöhnlichen, vom Unfreien (Schopenhauerisch gesprochen: vom Nezessitierten, Notwendigen, Gemußten), vom Zweckbedingten loskommen. Aber wohin? Die Parole Baudelaires war: »Irgendwohin, anywhere out of the world.« Das Wohin ist der Romantik im Herzensgrunde gleichgültig, es kann in den Sternen, es kann auch im Dreck, im Ekelhaften liegen – wenn es nur außergewöhnlich ist. Die Adepten des *absoluten oder transzendenten Realismus* suchen gleichfalls der Schwerkraft des Alltags zu entweichen, das Ziel aber ist ihnen nicht gleichgültig. Exotismus genügt nicht. Das Ziel ist fest und ein für allemal gegeben. Es ist kein Phantasma; es ist so real, daß es sogar die höchste aller Realitäten ist – das Absolutum, das Ding an sich. Gezielt wird auf nichts anderes als auf jenes Schöpferische, das Hofmannsthal als vom »höchsten, ersten Schöpfer entsprungen« erkannt hat.

Und worin liegt der Unterschied vom Expressionismus? Paul Raabe hat dieser inhaltlich nicht leicht bestimmbaren Bewegung einige außerordentlich kenntnisreiche und gut dokumentierte Bücher gewidmet. Ich entnehme einem dieser Bücher, *Die Zeitschriften und Sammlungen des literarischen Expressionismus 1910 bis 1921*, den Rückblick, mit dem Iwan Goll 1921 zusammenfassend von den Gefährten Abschied nimmt. Er formuliert: »Forderung. Manifest. Appell. Anklage. Beschwörung. Ekstase. Kampf. Der Mensch schreit. Wir sind. Einander. Pathos.« – Also mit andern Worten: Viel Lärm und keine Spur von Klarheit. Man fordert. Man schreit zumindest, wie Iwan Goll: »Forderung – Manifest.« Aber was man eigentlich fordern soll, wofür man manifestiert: das weiß man nicht. Es ist eine große Verwirrung. Und nur eines wird deutlich: die Lautstärke, mit der die beteiligten Autoren ihrer Eitelkeit Ausdruck geben. Von allen Pragern ist nur Werfel ein Opfer dieser problematischen Moderne geworden – natürlich nur eine Zeitspanne lang, bald hat er sich aus dem Tumult befreit. In der Zeit seiner Befangenheit in diesem Tumult schrieb er:

> So will ich mich denn verweben
> Ins Ewige, ins Allein!
> Auf dieser Erde eben
> Sitzen und sein und schrein!

Für diesen »sitzenden« und »schreienden« Expressionismus hatte ich nichts übrig und sagte in meinem Gedichtband *Das Buch der Liebe* der programmatischen, aber programmatisch nicht-verwirklichten, bloß als Demonstration in schönen Phrasen vordeklamierten, vorgeschriebenen O-Mensch-Beglückung meinen unversöhnlichen Kampf an, stellte das Gedicht »Wüßtet ihr, was Gefühl ist ...« an die Spitze des Buches – und verhielt mich auch diesem Gedicht gemäß, indem ich für den Aufbau von Israel, für die Rettung der Verfolgten aller Völker, für alles, was sich mir als gerecht erwies, meine ganze Kraft einsetzte, so klein sie sein mochte. In dem Gedicht, das vor der Buchausgabe in vielen Zeitschriften und Zeitungen erschien, griff ich die lieblosen Schreihälse an. Es begann:

> Ihr plakatiert euer Güte-Plakat.
> An allen Litfaßsäulen: Große Menschenliebe!
> Verbrüderung! Umarmt euch! Sonnenstaat!
>
> Wäre nur eure Unterschrift nicht so giftgrün, –
> Gern glaubt ich euch! In euren Augenwinkeln
> Wär eigensüchtig nicht dies Lächeln und Verblühn!

Dabei hatte ich eine Zeitlang selbst als so etwas wie der Expressionistenpapst gegolten. Das war freilich ein Mißverständnis exquisiten Ranges gewesen! Kurt Hiller hatte mich, als mein *Schloß Nornepygge* (1908) erschien, in schönem jugendlichen Überschwang begrüßt, eben jener Kurt Hiller, mit dessen Auftreten, mit dessen Gründung des »Neopathetischen Cabarets« im Jahre 1910 Raabe den Beginn der expressionistischen Bewegung ansetzt. »Eine neue Dichtergruppe, von Kurt Hiller organisiert, trat in diesem Jahr an die Öffentlichkeit«, schreibt Raabe, »und von hier datiert ein neues Leben, das man Expressionismus nennen kann.« Dem gleichen

Essay Raabes entnehme ich aber das Zitat aus einem Brief von mir an Dehmel, mit dem ich ihm damals das von mir herausgegebene Jahrbuch *Arkadia* (einziger Jahrgang 1913) übersandte: »Heute sende ich nun das Jahrbuch *Arkadia* an Sie ab, in dem ich einige weniger bekannte und einige ganz junge Dichter, die mir in dem Chaos der heranwachsenden Literatur durch Reinheit ihrer Werke ausgezeichnet schienen, als Einheit zeigen wollte. Allen ist wohl eine gewisse Sehnsucht nach der idyllisch-monumentalen Form eigen, und so soll mir *Arkadia* gegen die mit lasterhaftem Stolz betonte Zerrissenheit, Verzweiflung unserer Jugend Front machen, gegen eine gewisse *öde Konvention des Radikalismus*, der sich von Berliner Caféhäusern her breit macht.« – Das war meine klare Absage an Hiller, der mich (seltsame Inkonsequenz!) mit meinem damals schon von mir überwundenen Roman *Schloß Nornepygge*, in dem ich vor Inaktivität vergehe, zum Muster und Vorbild seines »Aktivismus« inthronisiert hatte. Freilich wird diese Inkonsequenz verständlicher, wenn man in Betracht zieht, daß Hillers Aktivismus gar nichts von Aktivität an sich hatte, sondern vorwiegend als literarischer Stil gemeint war. Damit will ich nicht etwa leugnen, daß Hillers beständiges Bestehen auf das »Eingreifen des Literaten in die Politik« von großer Bedeutung war und selbst als pure Proklamation praktische Folgen gehabt hat. Aber das, was ich anstrebte, war es nicht. Und als ich wirklich aktiv zu werden begann, meine echten Freunde und ich, als wir dazu übergingen, im Gegensatz zum Caféhausliteratentum, die Segnungen der schlicht zu bewältigenden Wirklichkeit (im oben dargelegten Sinn des wirklich aktiven Platon und Goethe und Hofmannsthal) zu erkennen und arbeitend zu Bestandstücken unseres Ich zu machen: da verstand mich Hiller nicht mehr, fiel von uns, von mir ab – wie ich es immer wieder erlebt habe, daß vermeintliche Freunde von mir abfielen, wenn ich, den einzig mir gemäßen Weg einschlagend, fern von allen »Richtungen« der inneren Stimme und nur ihr folgte.

Diese Betrachtung verlangt noch einen kleinen Zusatz: Außer Werfel, der *zeitweilig* der Mode des »schreienden« Expressionismus zum Opfer fiel, zeigte sich von allen Pragern nur Paul Kornfeld anfällig für diese Ästhetik der Saison. Aber Paul Kornfeld war immer belanglos, er war die Belanglosigkeit in Person. Er versuchte, es auf eine auffallende Art zu sein. Auch das gelang ihm nicht. Für ihn gilt das Brodsche Gesetz, von mir entdeckt und wiederholt empirisch bestätigt gefunden: »Je talentloser, desto expressionistischer.« – Im Nachwort zu seinem Drama *Die Verführung* (1916) steht: Der

Schauspieler »abstrahiere also von den Attributen der Realität und sei nichts als Vertreter des Gedankens, Gefühls oder Schicksals. Die Melodie einer großen Geste sagt mehr, als die höchste Vollendung dessen, das man Natürlichkeit nennt, es jemals könnte«. – Ich bin überzeugt, daß auch auf dem Boden des expressionistisch-künstlichen Aufgewühltseins geniale Momente sich ereignen können, daß Inspiration, ja ein komplettes Genie auch in diesem Milieu der auf Basis von Debatten-Ergebnissen gezüchteten Temperamentsausbrüche, vor denen der Philister wonnig erschauert, möglich ist. Warum nicht? In welchem Milieu wäre denn Genie unmöglich? Spiritus flat, ubi vult. Aber Kornfeld war allzu intensiv der Pedant in diesem Züchter-Verein, der Oberlehrer des Expressionismus. Hier stehe noch eines der Bonmots eines seiner Helden: »Alles – außer mein eigenes Schicksal – erscheint mir so unwichtig, so gleichgültig und so weit!«

Mit den Tschechen hielten wir gute Nachbarschaft und die tschechischen Dichter liebten wir; da gab es überhaupt nichts, was wie Grenze oder Absonderung abgesperrt hätte. Wir alle beherrschten die tschechische Sprache vollständig, die uns nicht weniger als die deutsche sagte. Nur Werfel, der ja bald Prag verlassen hat, da er in den Krieg mußte, der dann in Wien seinen Wohnsitz aufschlug, hatte im Tschechischen nur mittlere Kenntnisse. Aber er schrieb ein sehr schönes Vorwort zu den von Rudolf Fuchs übersetzten Gedichten des großen tschechischen Dichters Peter Bezruč. – Über meine Übersetzungen habe ich schon oben einiges angemerkt. Meine Übertragungen der Janáčekschen Operntexte und einiger Chöre (Kaspar Rucky), anderer Texte von Novák, Weinberger *(Schwanda, der Dudelsackpfeifer)*, Förster usw., die gemeinsam mit Hans Reimann durchgeführte Schwejk-Dramatisierung – das sind ja wohl bekannte Tatsachen, über die ich mich nicht zu verbreiten brauche. Jüngst hat Frau Kateřina Šulcová in Prag eine Doktorarbeit über all meine Bemühungen im Dienste der von mir heißgeliebten tschechischen Musik (und darüber hinaus der Verständigung unter den Nationen) abgeschlossen. Speziell meinen Janáček-Übersetzungen widmet sie eine dankenswerte Analyse. Ihre Arbeit dürfte, wenn das vorliegende Buch herauskommt, bald gleichfalls im Druck (tschechisch) vorliegen.

Besonders wesentlich ist mir immer (neben Meisterstücken der Prosa, wie der *Großmutter* [Němcová], den *Kleinseitner Geschichten* Nerudas) die tschechische Lyrik erschienen, die etwas von dem Wohlklang und der Naturgewachsenheit der tschechischen Musik ins Sprachliche überträgt. Die berühmten Balladen von Erben und Čelakovský, aber auch Nerudas leider weniger bekannte, von Vítězlav Novák vertonte *Ballada horská* (Ballade aus dem Bergland) kann ich nicht ohne tiefste Rührung lesen. Hier wird auf geradezu himmlische Art die Tat eines armen Kindes verherrlicht, das von der Großmutter erfragt, wie man offene Wunden heilen kann – die Großmutter nennt Wegerichblätter und die jungen Blätter der Walderdbeere – das Kind läuft aus der Hütte auf die Waldwiesen, sammelt solche Blätter, eilt dann in die Kirche, legt die Blätter auf »meines goldenen Jesulein heilige Hüfte«, umwindet seinen fiebernden Kopf – da ertönen weithin die großen Glocken über der Kirche, das Volk läuft zusammen, schlägt sich an die Brust, neigt sich vor dem Wunder. »Und bis heute haben sie in diesem Bergdorf ein Bild des Dulders ohne Wunden an der Seite, auf der Stirne.« – Wie hätte sich Goethe, der die Schaustellung von Blut und Qualen nicht liebte, an dieser Ballade gefreut!

Nun ist kürzlich eine Anthologie tschechischer Lyrik *Linde und Mohn* erschienen (siehe Bibliographie), übertragen und eingeleitet von Josef Mühlberger, die Schätze aus dem Ablauf von hundert Jahren darbietet – ein zauberhaft musikalisches Buch, dessen Lektüre zu dem Erquicklichsten und Bedeutungsvollsten gehört, das heute die sonst so schlimme Zeit zu geben hat. Von dem »Parnassien« Vrchlický wölbt sich der Bogen über Sova, Březina und Bezruč bis zu den Neuerern, inhaltlich wie sprachlich Revolutionierenden. Allen gemeinsam aber ist ein Zug der Liebe, der Verbundenheit mit dem einfachen Volk und der ländlichen Natur, ein unerschöpfliches Strömen von Hoffnung, das vielerorts in eine messianisch geschaute Zukunft der Allmenschheit mündet. Das Nationale als Ausgangspunkt froh bejaht, das Humane als Zielpunkt groß gesichtet.

> Ich bin als nichtsnutziger Reservist vom Piseker Regiment bekannt,
> einmal schlug ich das von den Österreichern gefaßte Gewehr
> gegen den Stein,
> allen guten und gewöhnlichen Leuten auf der Straße
> gab ich die Hand,
> lehr sie lieben, lehr sie: Haß muß nicht sein.

So singt der »Sänger mit der Ziehharmonika«; der Dichter heißt Jan Čarek. Schwejk als Lyriker. Sozialismus ohne Haß, ohne Klassenkampf. – Bei einigen andern bemerkt der Kommentator (Mühlberger) in seinen klugen und wissenden Anmerkungen, daß sie katholische Dichter waren oder sind, Hrubín, Deml, Durych, andere sind kommunistische Vorkämpfer wie Nezval, Šrámek, einer ein im tschechischen Kuttenberg geborener Jude Jiří Orten, in der Illegalität, zu der die deutsche Okkupation ihn zwang, ganz jung untergegangen – ein Anklang an Rilkes Elegien glänzt in seinem Werk und eine erschütternde Freude am Dasein, das ihm so weniges darreichte: »Ich will leben. Lächelt da einer? Ich kenne nichts anderes, ich habe nichts anderes gelernt.« – Einige besingen Paris, werden von Verlaine, Apollinaire, Cocteau beeinflußt (wie Jaroslav Seifert). Über einen der Begabtesten, František Halas, sagt die Anmerkung: »Unter dem stalinistischen Regime galt er als Formalist und Schädling der Partei, am Widerstand zerbrach er seelisch und körperlich.« Er sang ein Lied von seinen Kindertagen:

Verlorener Winkel im Schlaraffenland,
wo der Hausgeist Schlange in raschelnder Garbe schläft –
gebt mir ihn wieder!

Der Größten einer ist Jiří Wolker. Er starb mit 24 Jahren an Tuberkulose. In Prossnitz 1900 geboren. War am Ende seines Lebens noch mitten im Jusstudium. *Gast ins Haus* und *Schwere Stunde* heißen seine beiden Gedichtbücher. Seine »Ballade von den Augen des Heizers« erklang im Konzertsaal in der stürmischen Musik von Vomáčka, ein aufrüttelndes Oratorium sozialer Anklage. Der Stadt Prag bemächtigte sich ein Wolker-Fieber. Die Tschechen ergriff es und die Deutschen. Ich weiß nicht, ob Wolker damals noch lebte. Ich habe ihn nie gesehen. Ich weiß aber, daß eine Frau wie wahnsinnig, trunken von seinen Versen herumging, daß man sie neckte, weil jedes dritte Wort, das sie aussprach, der Name »Wolker« war – ein Name, den sie mit eigentümlichem Wälzen der Lippen schmerzlich aus dem Mund fallen ließ. Es war Grete Reiner, die Freundin meiner Frau, die kunstsinnige Übersetzerin des Romans *Schwejk,* den dann H. Reimann und ich dramatisiert haben. – Wolker wurde gleich nach Erscheinen seines ersten Buches als Genie erkannt; noch während der kurzen Lebensspanne, die ihm zugemessen war, hatte er Erfolg. Er dichtete seine Grabschrift:

Hier liegt Jiří Wolker. Dichter, konnte die Welt nur lieben,
lebt' aus der Sehnsucht nach künftig gerechteren Tagen.
Bevor er zu kämpfen begann, hörte sein Herz auf zu schlagen,
vierundzwanzig Jahre jung ist er verschieden.

Das Besondere an diesem Frühvollendeten war, daß er nicht nur die Menschen liebte (o er liebte sie grenzenlos, mit einer so naturgegebenen Wärme in seiner Brust, daß sie vor lauter Demut sich an alle unbemerkt anschmiegte – wie ein Tröpfchen Tau an einen Hirtenjungen morgens im Feld) – sondern mehr als das: Er liebte auch die Dinge, die (wie man so sagt) unbelebten Dinge. Und seine Liebe, die schon die trockenen Menschen belebt und beflügelt hatte, sie belebte und beflügelte nun auch die toten Dinge des täglichen Gebrauchs. Ich entsinne mich, vor vierzig oder fünfzig Jahren (ich bin ja schon so schrecklich alt) ein Gedicht geschrieben zu haben – es muß in irgendeinem meiner alten Reise-Notizbücher stehen, ich kann es jetzt nicht finden, ich suche es auch gar nicht – da war von einer Gießkanne die Rede, die in der Ecke eines Bauern-Hausflurs steht. »Der Anblick einer Gießkanne macht mich traurig, denn man benützt sie, doch nie wird sie mit Liebe angeschaut – niemals mit Liebe angeschaut.« So etwa hat sich das Gedicht (lückenhaft) in meinem Gedächtnis erhalten. Und nun lese ich, ganz errötend vor lauter Glück, bei Wolker klarer, aktiver, deutlicher etwas, was aus dem gleichen Gefühl entstanden ist:

Die Dinge

Ich liebe die Dinge, die verschwiegnen Gefährten,
weil alle sie schlecht behandeln,
als lebten sie nicht,
aber sie leben und schaun aus treuem Hundegesicht
uns aufmerksam an
und leiden,
weil kein Mensch zu ihnen spricht.
Sie scheuen sich anzufangen, zaudern,
schweigen, warten, schweigen,
aber sie sehnen sich danach,
sich ein wenig auszuplaudern.

Darum lieben die Dinge
und sie lieben die ganze Welt.

Selbst im elenden Zimmer eines Hotels in der Provinz, das so aussieht wie eine »alte Jungfer, die nie geliebt hat und nie geliebt worden ist«, selbst in diesem billigen Zimmer, in das er schon zu Mittag kommt, um, auf dem Bett sitzend, einsam die Nacht zu erwarten, selbst da verläßt ihn das Vertrauensgefühl nicht, mit dem etwa auch van Gogh jenen einsamen, poesielosen Sessel in den Stand der ewigen Liebe erhob, und er dichtet ein Trostgedicht für die traurigen Wände und das armselige Mobiliar.

> ... wer da so aus der fremden Stadt
> kommen könnt und lächelte und
> sagte was Gutes, Helles und Warmes,
> damit auch die traurigsten Dinge in dem Zimmer erwachten
> und merkten, daß doch nicht alles so ist, wie sie dachten.

Halt, ist das nicht Knut Hamsun, wie wir ihn ins Herz geschlossen hatten, aber Hamsun in seinen besten Momenten, ohne nordische Grausamkeit und ohne Mißtrauen gegen die allgemeine Schulpflicht und gegen den Fortschritt, Hamsun ohne den Sündenfall, der ihn in späten Jahren heimgesucht hat – Hamsun der Große? Mag sich dies nun wie immer verhalten: Nichts wird mich hindern, ein Gedicht wie »Geh, Dichter!« mit dem Preis edelster Lebensbejahung, der obersten Stufe der Humanität zu krönen.

> Geh, Dichter!
> Wirf alles ab – nur mit dem Spaten komm wieder
> und grab den Acker um vom Friedhof bis an den Horizont!
> Dort sä am Abend Liebe und Demut,
> damit der Morgen golden und leuchtend erwache,
> er bedarf keines Dichters mehr,
> denn alle Menschen
> können jetzt weinen und singen.

Es ist mir, als hätte ich etwas Ähnliches bei einem unserer Propheten gelesen. Bei Wolker steht es gleichfalls noch einmal, noch mehrmals, an anderer Stelle und mit andern Worten, zum Beispiel:

> ... und wenn es dämmert,
> kommt der liebe Gott zu uns zum Abendessen.

Es ist ein volkstümlich religiöser, jedenfalls kein mit der Gartenschere und gemäß dem Parteiprogramm zugestutzter Sozialismus, den Wolker hymnisch verkündet.

Josef Mühlberger, dem die makellose deutsche Übersetzung all der makellosen tschechischen Verse zu danken ist, gehörte in den Krisenjahren vor dem Einmarsch Hitlers zu jener kleinen Gruppe unter den Sudetendeutschen, die den Einflüsterungen des Antisemitismus und des Faschismus kräftig Widerstand leistete. Andere aus dieser Gruppe waren Walter Seidl, der große Lyriker Richard Schaukal, Rudolf Kassner, Alfred Kubin, Hans Demetz, Hans Regina von Nack, Dietzenschmidt und wohl noch einige andere, an die ich mich nicht mehr erinnere. Ihre wohltätige Trostwirkung aber lebt, sei es auch anonym, in mir weiter. Sie halfen uns Pragern, über die schlimmsten Tage hinwegzukommen. Zu dieser Gruppe kann auch der zarte nuancierte Erzähler Ossip Kalenter gerechnet werden. Er kam zwar (genaugenommen) aus Sachsen, lebte aber jahrelang in Prag und hielt mit den genannten Deutsch-Mährern und böhmischen Sudetendeutschen mit uns im aussichtslosen Kampf aus. Über Seidl und Nack werde ich noch einiges beibringen. Dietzenschmidt scheint später einigermaßen enttäuscht zu haben, er ließ sich von Goebbels zum Nachfolger Kerrs ernennen – diese erstaunliche Nachricht erhielt ich, überprüfen konnte ich sie bisher nicht. Ich ziehe es daher vor, sie zunächst nicht zu glauben. Es wäre wohl ein allzu weiter Schritt von der Verehrung für Martin Buber weg, dem Dietzenschmidt vor der Nazizeit gehuldigt hat. –

Von Mühlbergers kraftvollem *Wallenstein* war schon die Rede, auch von seinen Studien zur Literaturgeschichte. Er lebte in Trautenau, kam hie und da, selten, nach Prag, jetzt wirkt er in Süddeutschland. Ein vitaler, froher, wenn auch nicht übermütiger Mensch, ein Weiser, wie die Weisen seines geliebten Hellas waren, auf offenem Markte lehrend – und dabei in seinem tiefen, weitverzweigten Wissen hausend wie in einer wohlverteidigten Burg. Nicht ganz leicht zugänglich. Ihr müßt euch Mühe geben. – In seinem *Wallenstein* (1934) findet sich vieles, was Schiller nicht zu Ende ausgeschöpft hat; dabei glaube man nicht, daß ich Schillers Trilogie nicht unendlich liebe. Ich neige mich ehrfurchtsvoll vor Schillers alldurchdringendem Geist. Aber Mühlberger hat klüglich die Schauplätze gemieden, auf denen Schiller seinen geheimnisvoll-schwankenden Helden, diesen Hamlet des siebzehnten Jahrhunderts, ungewiß planen, leiden und stürzen läßt. Mühlberger beginnt sein Stück drei Jahre vor der Katastrophe, beginnt es in Prag im Garten des Waldstein-Palais. Es gibt keine Einheit der Zeit, keine Einheit des Ortes. Es gibt nicht das »Lager« bei Pilsen, und, ehe es zur Offiziersversammlung in Pilsen kommt (sie wird bloß in Aussicht gestellt), schon in den winterlich erstarrten bayrischen Grenzwäldern, beginnt der Abfall der Truppen. Aber statt der Einheit von Ort und Zeit herrscht in Mühlbergers Prosa, die nicht nur in dieser Hinsicht an Hauptmanns *Florian Geyer* gemahnt, bei allem Wechsel der Schauplätze und der vielen Personen (natürlich ohne Max und Thekla) eine erstaunlich festgehaltene Einheit der Stimmung und des böhmischen, genauer gesagt: des tschechischen Hintergrunds. Ein alter Diener spricht einige Worte tschechisch; nicht »Terzky« heißt Wallensteins Offizier, sondern mit dem richtigen Namen »Trczka«. Äußerlichkeiten? Man spüre doch im ganzen Ablauf der Handlung die dunkel grollende Auflehnung des tschechischen Volkes gegen Wien. Der alte Diener: »Friedland lebe, damit Böhmen leben kann.« Der Diener büßt den Ausbruch seines ehrlichen Empfindens mit dem Tod durch Gift. Eine großartige Gestalt: der böhmische Exulant. – Das Drama des Volkes, das still, schwermutsvoll, ohne chauvinistische Aufputschung gezeichnet ist, welch letztere bei einem deutschen Autor ja auch undenkbar wäre, dieses leise ergreifende Drama tritt neben das laute des Feldherrn und seiner Getreuen. Das halb unterirdische Volksdrama ist das Große an diesem Trauerspiel, das sich auf der Szene bewährt hat.

Bei der Betrachtung der Werke Mühlbergers zeigt sich überhaupt, wie wenig der Erfolg oder Nicht-Erfolg über den Wert von Kunstwerken aussagt. Viele hundert Bücher, über die heute so laut parliert wird, reichen an Können und Würde und Schlagkraft an Mühlbergers Oeuvre nicht von fern heran. Zunächst müßte man sein geschichtsmächtiges Reisebuch *Das Ereignis der 3000 Jahre* neu entdecken, das mit konzentriertestem Wissen (ist es Geschichtsforschung? ist es Novelle? Beides in einem!) eine Darstellung der letzten Lebensjahre des Leonardo da Vinci glitzern und atmen läßt, wie sich dergleichen höchst selten findet. »O Künstler, setze du fort, was Gott begonnen hat, und sei bestrebt, nicht die Werke von Menschenhand zu vermehren, sondern Gottes ewige Schöpfungen.« Worte Leonardos, von Mühlberger zitiert. Sie zeigen wohl, was hier an Gemeinsamkeit der Weltschau mit der des Prager Kreises zutage tritt. Aber da ist mehr: etwa die niederschmetternde Kurzgeschichte *Der nackte Mann vor der Kirche in Saint-Gilles*, oder der Besuch im Reich des uralten Mutterkultes auf der Insel Malta, oder eine Prosa *Kummervolle Nacht in Cosenza* (am Busento), in der Lyrik und die geschichtlichen Greuel, die namenlosen Jammerszenen des menschlichen Seins einander dicht die Hand reichen – und nochmals ein Zitat (diesmal Paul Valéry), in dem eben jener »transzendente Realismus« sich ausspricht, den ich oben im Anschluß an Platon, Goethe und Hofmannsthal als unser gemeinsames Erbteil zu umreißen versucht habe: » ... weil es mir wie eine Art Fälschung vorkommt, wenn man derart den Gedanken, und sei es der abstrakteste, vom Leben trennt.«

Doch ich breche hier ab. Lange Erfahrung hat mich darüber belehrt, wie nutzlos es ist, Empfehlungen zu verlautbaren, mögen sie noch so redlich gemeint und inhaltlich wohlfundiert sein. Sie werden ja doch meist nicht beachtet. So sollen hier nur einige Buchtitel von Werken Mühlbergers stehen: *Die Knaben und der Fluß* (Erzählung) – *Die lesenden Mönche* (Erzählung) – *Der Galgen im Weinberg* (Erzählungen) – *Griechischer Oktober* (Reise durch Hellas) – *Lavendelstraße* (Provenzalische Gedichte). Lest sie oder lest sie nicht, diese Werke des Einsamen, der die glühenden Kohlen des Lebens und Leidens und Jubelns in seiner Brust trägt: Die Werke werden bestehen und in späteren Generationen Freude und Einsicht verbreiten, wenn wir längst nicht mehr sind.

Professor Goldstücker, der Germanist in Prag, sammelt jetzt mit großer Sorgfalt alles, was von den beiden Prager Kreisen und ihren Ausstrahlungen erhalten geblieben ist. Als Beiträge zu seinem Herbarium sind die folgenden Notizen gedacht.

Da ist Walter Seidl, aus Troppau gebürtig, Sohn des im ersten Weltkrieg gefallenen österreichischen Reichsratsabgeordneten Ferdinand Seidl. Walter Seidl, mein lieber Redaktionskollege, mein Mitarbeiter im Fach der Musikkritik am »Prager Tagblatt«, sehr hübsch, sehr intellektuell, sehr blond. 1929 war er mit dem Musikerroman *Anasthase und das Untier Wagner* aufgetreten und hatte gleich einiges Erstaunen, ja Aufsehen erregt. Es begleitete ihn getreulich, als er seinen zweiten Roman *Romeo im Fegefeuer* 1933 und später den *Berg der Liebenden* veröffentlichte, auch als er zwei Dramen drucken ließ: *Welt vor der Nacht* und *Wirbel in der Zirbeldrüse*. Letzteres Stück führte in der zweiten Titelzeile die Bezeichnung »Groteske Komödie« und brachte auf Seite 5 die ebenso groteske Notiz: »Dieses Werk der Abgründe greift zeitlich vor. Aufführung, besonders auf erstklassigen Bühnen, sowie Drucklegung daher unerwünscht. Versuche, das Gedankliche zu deuten, unerwünscht. Sprechstunden für Mäzene am zweiten Werktage jedes Monats von 14 bis 14½ Uhr. Peinlichste Einhaltung der Anstellordnung geboten. Zuwiderhandelnde Mäzene bleiben unberücksichtigt. – D. V.« Welch letztere Rune nicht etwa »der«, sondern »*die* Verfasser« gelesen werden muß, denn auf dem Titelblatt war ein nie in Erscheinung sichtbar gewordener Mitautor O. W. mitgenannt. Das Ganze klingt gewaltig arrogant – und wer unseren stets sehr höflichen, charmanten Seidl persönlich kannte, sagte sich, daß hier Bescheidenheit des Privatmannes mit einer Präpotenz gepaart war, die sich eben (wie bei so manchen

Schreibenden) nur in der Einsamkeit dem Papier gegenüber, nicht im menschlichen Beisammen äußerte. Falsch geraten! Seidl war wirklich arrogant, wenn er es auch nur ausgewählten Individuen gegenüber und geschmackvollerweise selten zeigte. Vor mir (beispielsweise) erstarb er in verehrungsvollen Dedikationen, mit denen er die Widmungsexemplare seiner Bücher seitenlang ausschmückte. – Wir hatten in der Redaktion noch einen zweiten derartig arrogant-tiefbescheidenen Mann, den kleinen slowakisch-ungarischen Paul Neubauer, der mich monatelang mit einem ungeheuer dicken Roman verfolgte. Gedruckt hätte dieser Roman mehrere Bände umfaßt. Er wurde aber nie gedruckt und ich habe auch das Manuskript nie gelesen. Was mir heute recht leid tut. Denn Neubauer hatte das Pech, Jude zu sein, und wurde daher in den Hitler-Henlein-Tagen ohne weiteres glatt umgebracht. – Seidl harrte mit anerkennenswertem Mut charakterfest bei uns aus, während manche andern »Kollegen«, die gleich ihm der erlaubten Rasse angehörten, im Moment des entscheidenden Gongschlags sehr rasch von uns abfielen und zum Feind übergingen. Seidl blieb. Er hat dann in Italien gelebt und ist an einer Austernvergiftung gestorben. Seine Spur ist mir verloren gegangen.

Den Charaktervorzügen des Autors zum Trotz: Dieses Opus von der »Zirbeldrüse« gehört in das Gebiet der Dekadenz, dort, wo sie nur noch langweilig ist. Der fleißig verruchte »Tertianer« bringt es lediglich zu einer Matrize der Professorenhaftigkeit – ein Kind aus *Frühlings Erwachen,* das mit Intentionen auf ein Vorzugszeugnis allzu eifrig Krafft-Ebing und Freud verschlungen hat und nun Perversitäten vomiert. Grotesk? Nein, nicht einmal komisch, nur lächerlich. Diesem Über-Wedekind-Zwerg sind so grelle Farben angeschminkt, daß er wie ein Neuruppiner Bilderbogen für die unreifere Jugend wirkt.

Weit sensibler behandelt Seidls Jugendwerk Grenzfragen der deutsch-französischen Psyche; sein *Anasthase,* in dessen Namen das h ein Gymnasialschnitzer ist, Sohn eines französischen Vaters und einer deutschen Mutter, hat sich sein Leben lang (ein umgekehrter Jean-Christophe) gegen deutsche Musik und deutsche Erotik zu wehren. Gegen Wagnerporträts steckt er die Zunge hinaus. Und endet doch als Fremdenführer im Hause Wahnfried. Der zweite Akt des *Tristan* hat ihn (mit Recht) umgeworfen.

Im letzten, weitaus gewichtigsten und, man kann es wohl sagen, den Rang einer modernen Klassizität erreichenden Buch Seidls, das den Untertitel *Erlebnisse eines jungen Deutschen* hat *(Der Berg der Liebenden),* ist Seidl ganz überraschenderweise und offenbar nach hartem Ringen zum außerordentlichen Erzähler geworden, er hat den Weg zu Flaubert gefunden, dessen *Madame Bovary* er in einem der schönsten Kapitel seines Meisterromans feiert. Später taucht die Violinsonate von Janáček auf, und das komplizierte deutsch-tschechische Verhältnis wird in einer ganz neuen Weise durchleuchtet, in der die autobiographisch gesehenen Jahre in einer Militärrealschule, die düstere Landschaft des böhmischen Kohlenreviers, dann der Umsturz 1918, Erlebnisse in Grenoble, kulinarische Glanzlichter, sehr viel Wein, eine seltsame Ehe zu dritt, die, wie nicht anders zu erwarten, mißglückt – zuletzt die junge nationale Lebenskraft des zur Selbständigkeit erwachten Prag, die altberühmte Kleinseite, Batas Schuh-Metropole in Zlin und das tschechische Volkslied vom Blümchen an der Soldatenmütze in das »Kommende« einer besseren Zukunft weisen, in die Menschheits-Verbrüderung, während die Gegenwart in einer wüsten Gasthausprügelei erstickt.

Ich weiß: Hätte der charakterfeste Seidl länger gelebt, er hätte sich zu einem Meister hohen Ranges erhoben. Zu dieser Meisterschaft war er bereits auf dem Weg, unter Streichung seiner Jugendfanfaronnaden, die er weit hinter sich gelassen hatte. Ich traure um ihn, ein großer Künstler ist in ihm vorzeitig erloschen.

Ein anderer Redaktionskollege, doch aus etwas weiter zurückliegender Zeit, da ich im »Prager *Abendblatt*« über Theater und Musik berichtete, ist Hans Regina von Nack-Meyroser. Ein Mann, mit dem ich Pferde stehlen gehen konnte, der mit mir durch Dick und Dünn ging – und noch heute geht: hier ist glücklicherweise das Präsens angebracht, denn Nack lebt noch heute rüstig und aktiv in Wien. Ursprünglich wollte er Maler werden. Und das merkt man an mancher seiner Erzählungen, vor allem an der eigenartigen und sehr zarten *Landschaft am Weiher* (die seltsamerweise noch ungedruckt blieb, vielleicht weil sie aus Prosa und Versen gemischt ist, vielleicht weil der Autor sie besonders liebt und das Alleinsein mit seinem Werk nicht gestört wünscht). Der Prosateil ist in Form einer sehr sachlichen Expertise gehalten; an dem Bild nämlich, das diese »Landschaft mit Weiher« darstellt, ist etwas nicht in Ordnung, einen Schatten gibt es da, zu dem kein Gegenstand gehört, der ihn werfen könnte. Ein Professor wird aufgefordert, über diese einigermaßen gespenstische Anomalie sein Gutachten abzugeben und tut es mit allem Raffinement, mit allen kunsthistorischen und technischen Kniffen des Metiers. Doch das Resultat der wissenschaftlichen Untersuchung ist unbefriedigend, und da setzt die Dichtkunst ein, die eigentliche Geschichte des Bildes entfaltet ihre mythischen Farben. – Nack hat ja auch mit einem Märchenepos *(Rübezahl)* und mit Gedichten *Zeit und Weg* begonnen, ist dann zu abenteuerlich bunten Romanen übergegangen. Seine Theaterstücke und Filme haben die Bretter und die Leinwand belebt; ein satirisches Lustspiel, das gegen das Starsystem der Bühnen lachend angeht *(Die Opuntie)*, haben wir gemeinsam verfaßt und an vielen Orten die Persiflage dessen, was sonst auf diesen Theatern sich abspielt, also das »Theater des Theaters«, genußvoll gemeinsam mitangesehen. Bei einem andern Stück *(Alarm im Radio)* war mein Bruder Nacks Mitarbeiter. – Gern denke ich an seine weltabgeschlossene stille Wohnung auf dem Prag-Smichover Quai, an seine liebenswürdig gütige Mutter, an unsere Ausflüge nach Podbaba und Rostok. Wenn ich nach Wien komme, erneuern wir in endlosem Gespräch die alten Tage des bedingungslosen Zueinanderhaltens. Und wenn ich die »Prager Nachrichten« aufschlage, diese in München erscheinende einzigartige und unersetzliche Monatsschrift, die in staunenswerter Fülle Erinnerungen aus dem alten Prag und Böhmerland bringt, dann suche ich immer zuerst eine der witzigen Kurzgeschichten von Nack (siehe oben die Dietzenschmidt-Anekdote, die aus einer solchen stammt) und freue mich, an seiner Freundeshand in die unverfälschte Prager Atmosphäre mit einem frohen Aufatmen zurückzukehren.

Ein Prager Roman ist auch *Kinder einer Stadt*, das Werk des sehr begabten Hans Natonek, der später das Schicksal der Emigranten in seinem symbolkräftigen *Schlemihl*, einer Art von Chamisso-Biographie, höchst dichterisch gestaltet hat. In der Sammelschrift *Das jüdische Prag* (1917) ist er durch eine besonders echt empfundene und zur richtigen Erkenntnis hinneigende Prosaskizze *Ghetto* vertreten, in der er zeigt, wie der Sohn eines entjudeten »freidenkerischen« Vaters bei einem Zufallsbesuch in der alten Prager »Judenstadt« von atavistischen Strömungen seines tiefsten Seelengrundes überwältigt wird – neben Kafkas *Traum* wohl der bedeutendste Beitrag dieser merkwürdigen Anthologie, über der Ahnungen eines baldigen Abschieds liegen. Natonek selbst starb im südamerikanischen Exil. Eine Zeitlang war er mir sehr nahe gewesen. – Erbitterte Feindschaft herrschte zwischen ihm und Richard Katz; der Grund dieses Zerwürfnisses ist mir längst entglitten. Ich las und lese die Bücher der beiden Gegner mit der gleichen, immer lebendigen Gemütsbeteiligung. Bei Katz kommen zu den lockenden Farben seiner Reiseschilderungen und seiner Prager Erinnerungen (z. B. an die beiden Brüder, den Graphiker Orlik und den Schneider Orlik), zu all diesen gut erzählten Lebensbildern, die ich denen seines sensationslüsternen Rivalen Egon Erwin Kisch weit vorziehe, auch sehr besinnliche kulturpolitische Überlegungen, bei denen die Weite des Horizonts überzeugend wirkt.

Egon Erwin Kisch, unser »Egonek« – als Menschen hatte ich ihn außerordentlich lieb. Ich war seit früher Jugend mit ihm »per du«. Als er aus dem serbischen Krieg verwundet heimkehrte, war ich einer der ersten, die angstvoll ins Karolinenthaler Krankenhaus eilten, um ihn zu besuchen. Er erzählte mir, frisch vom Zapfen, daß ihn ein Kommandant vor die Reihen des Regiments gerufen habe. Kisch hatte aus dem Feld an eine Redaktion eine Kritik über meinen eben erschienenen *Tycho Brahe* geschickt. Darauf war ein Telegramm der Redaktion eingelangt: »Brodartikel eingetroffen.« Der Kommandant schnauzte: »Kisch, Sie handeln also mit Brotartikeln.« Er hatte Mühe, sich vom Verdacht des Kornwuchers zu befreien. – Es gab keinen besseren Witzeerzähler als Kisch. Der Schriftsteller Kisch aber mit seiner inneren Unsicherheit, seinem hemmungslosen Geltungsbedürfnis, seinem peinlichen Ehrgeiz ging mir auf die Nerven. Selten wurde ich beim Erlebnis einer Dichterpersönlichkeit so hin- und hergerissen, zu Abneigung und zu Zustimmung gezerrt, wie gerade bei Egon. Daß seine Reportagen auf Grund umfassender Sachstudien geschrieben waren, daß er das Talent hatte, vieles zu sehen, was andere nicht sahen, daß überdies ein heißes Mitleiden mit den Allerärmsten in ihm nach Ausdruck drängte: das alles (und vieles andere Lobenswerte) erscheint mir ebenso unbezweifelbar wie Tausenden seiner Bewunderer. Aber seine Eitelkeit verdarb – nicht alles, aber vieles, was volle Anwartschaft darauf hatte, zum überlebenden Bestand der Prager Literatur zu zählen. Es bleibt immer noch genug übrig, um Büchern wie *Schreib das auf, Kisch* (Tagebuch aus dem 1. Weltkrieg) oder *China geheim* oder *Die Abenteuer in Prag* ihren bleibenden Wert zu sichern. Und die Geschichte von der *Galgentoni* hat echte dichterische Größe – ein Gegenstück zu *Liliom*, dem Stück, das mit seiner poetischen Substanz im Schaffen Molnars ähnlich einsam dasteht. Wie schade, daß Kisch in vielen seiner Bücher das, was er in der kriminalistischen Welt, im Dirnenmilieu usw. erlebt hat oder erlebt zu haben fingiert, immer mit dem Blick auf den Effekt hin schreibt: Wie werden die reichen Prager Bürger, die Abonnenten des deutschchauvinistischen Bougeoisblattes »Bohemia« (für das Kisch jahrelang arbeitete), über meine Verruchtheit staunen! Dieses Schielen auf den Eindruck hin ist das eigentlich unkünstlerische Element im Werk Kischs. Die Form der Reportage hat gewiß ihre Lebensberechtigung, ihre Entelechie kann hohe Kunst werden; wie etwa Flauberts Briefe aus Ägypten oder *Par les champs et par les grèves* beweisen. Aber wenn der reklamehafte Unterton durchdringt: Ich werde euch schon noch imponieren! – dann verflüchtigt sich alle Kunst, dann blickt menschliche Kleinlichkeit durch die Maschen des noch so glänzenden Gewebes. Man vergleiche nur die stimmungslos roh, wenn auch mit vielen Details erzählte letzte Geschichte im oben genannten Buch *Les aventures de Bassompierre à Prague* mit dem thematisch verwandten, knappen Bericht Mühlbergers »Das Haus Bassompierre in Carpentras« *(Das Ereignis der 3000 Jahre)*, um den Unterschied zwischen einem echten Dichter und einem Zweckschriftsteller, mag er noch so »rasend« sein, an den Fingern abzählen zu können. Merkwürdig, wie köstlich und frisch der Humor aus dem lebenden Menschen Kisch sprudelte ... und wie ranzig manchmal (nicht immer) dieser Humor riecht, wenn er auf bedrucktem Papier steht. Ein ödes Wortspiel wie das vom »Großherzog«, der gar nicht »großherzig« ist, hätte sich Kisch im Sprechen nie gestattet. Es blieb dem lobhudelnden Emil Utitz (siehe Bibliographie) vorbehalten, diesen Wortwitz als Zeichen von Kischs Humor anzuführen und sogar noch breit und platt zu interpretieren, indem er (Utitz, nicht Kisch) schreibt: »Vom Großherzog sollte man besondere Großherzigkeit erwarten. Dem ist aber im allgemeinen nicht so.« Welch ein Stil! Utitz lobt auch in folgender Art: »So lebendig ist alles erzählt und dabei kurzweilig amüsant.« Als ob es auch »langweilig Amüsantes« gäbe! Ich hätte meinem lieben Egonek einen besseren Biographen gewünscht als Emil Utitz, den Anpassungsvirtuosen, der vom brentanischen Theismus seiner Prager Zeit den Weg über manche saisonbedingte Meinung an Universitäten in Deutschland zur Metamorphose in den kommunistischen Atheismus fand. Jedermann hat natürlich das gute Recht, seine Meinung auf Grund neu geprüfter Überzeugung zu ändern. Nur wenn diese Änderung den Änderungen der Machtverhältnisse genau parallel geht, dann darf man sich wohl einigen Verdachts gegen die Ehrlichkeit des geschickten Variationsschlieferls nicht ganz entschlagen. – Will man wissen, wie Kisch vom Standpunkt seiner Partei aus gewürdigt wird, so scheint mir das im bibliographischen Anhang zitierte tschechische Buch eine verläßlichere Informationsquelle.

Hier möchte ich auch (wenigstens dem Namen nach) der Autoren Louis Fürnberg und Weißkopf Erwähnung tun, die jedoch mit dem engeren und weiteren Prager Kreis kaum einen Berührungspunkt gehabt haben und deren Werke ich leider nur flüchtig kenne. Da aber dieses Buch nur jenen Schriftstellern gilt, die mit den beiden Prager Kreisen in Beziehung getreten sind, ist die Lücke wohl entschuldbar und mag von andern Historikern ausgefüllt werden. – Was Louis Fürnberg anlangt, so habe ich übrigens, während dieses Buch entstand und ich öfters in meiner Bibliothek Nachschau hielt, eine Überraschung erlebt. Ich stieß auf ein Jugendwerk Fürnbergs: *Das Fest des Lebens*. Es ist mit einer Widmung »dankbarer Verehrung« an mich versehen und von einem beigelegten Brief introduziert, der mit den Worten beginnt: »Ich habe all die Jahre das Glück gehabt, mich Ihrer Aufmerksamkeit zu erfreuen, und Sie gehörten zu jenen, die meine ersten Versuche in der Öffentlichkeit mit Ihrem großen Wohlwollen begleitet haben.« In diesem Ton geht es weiter. Tatsächlich hatte ich, wenn ich mich richtig erinnere, einige Gedichte von Fürnberg im »Prager Tagblatt« gebracht. Doch das im Jahr 1939 erschienene Buch mit dem Fanfarentitel *Das Fest des Lebens* konnte keinen erhebenden Eindruck auf mich machen, denn das Leben war gerade damals, da die Drohung des Nazi-Einfalls in Böhmen unter uns als Tagesgespräch umging, alles andere als festlich. Viel eher paßte auf dieses Leben, wie es damals seine Schmerzensfalten wie Schlingen um uns zusammenzog, der allessagende Heine-Vers: »O schöne Welt, wie bist du abscheulich.« Der Brief mit seinen faden Komplimenten an mich trug das Datum: 10. Feber 1939. Er war also kaum einen Monat vor meiner Flucht aus Prag geschrieben. – Heute, da ich das Buch in wesentlich besserer Stimmung vor mir habe, bemerke ich ein nicht geringes Talent Fürnbergs, mit Symbolen anmutig zu spielen, nach Melodien Jean Pauls an den Lago Maggiore, auf die Isola Bella (die damals aber auch – die Wahrheit zu sagen – unter faschistischer Herrschaft stand) zu entweichen und, weit entfernt von jedem Sozialismus, dem nur ein paar Pflichtsätze gewidmet sind, sich seines jungen Eheglücks zu erfreuen. Später habe ich ihn dann in Palästina gesehen; es hat sich aber kein Kontakt zwischen uns entwickelt. –

Trefflichere Reportagen über Prag, dabei weit geschmackvoller im Ton und ebenso tatsachendicht wie die berühmten Paradestücke von Kisch, sind die *Prager Begegnungen* von Gustav Janouch, dessen *Gespräche mit Kafka* den Wert der *einzigen ausführlichen* Aufzeichnung eines Zeitgenossen neben meiner Kafka-Biographie beanspruchen können. In diesen *Begegnungen* gibt es eine erschütternde Geschichte, in der Janouchs Vater und der kommunistische Dichter Stanislav Neumann, ferner Kafka in seinem Amtslokal (im Hause Pořič Nr. 7) mit zwingender Gewalt ganz lebendig werden. Andere Erzählungen gelten dem Prager tschechischen Volksschriftsteller Kuděj, dann dem Komponisten des »Befreiten Theaters«, Jaroslav Ježek (und nebenbei dem großartig gezeichneten Original eines Prager Grobians als Gastwirt – leider habe ich diesen Herrn Eretschek nie kennengelernt). Ježeks überraschende und geniale Gedanken über Musik schreibt Janouch nieder, so wie er die Gespräche mit Kafka aufgezeichnet hat. Ich finde, daß man diese wahren Eckermann-Taten, für die Janouch ein besonderes Talent hat, bisher nicht genügend gewürdigt hat. – Eine besonders spannende Novelle befaßt sich mit einem Hochstapler und Zechpreller, der in der Nazizeit dem Feind Detektivdienste leistete, dem Verfasser aber, der im Gefängnis in Hungerstreik trat, mit Traubenzucker aushalf und das Leben rettete. Eine zwielichtige, labile, bis zum Schluß rätselhafte Gestalt. – Daß in der letzten Erzählung des Buches nun gar auch noch Jaroslav Hašek, der Dichter des Schwejk, mit seinen seltsamen Zechkumpanen in persona auftritt und in Tun und Reden auf das erstaunlichste quicke Gestaltlichkeit erlangt, macht die *Begegnungen* als Dokumentation zu einem wichtigen deutschen Gegenstück von František Langers Autobiographie, die (1963 erschienen, siehe Bibliographie) vorläufig nur im tschechischen Original vorliegt. –

Prag ist auch die wundervoll echt gezeichnete Landschaft im letzten Roman, den Leo Perutz hinterlassen hat: *Nachts unter der steinernen Brücke.* Ich hörte Perutz selber Teile dieses ergreifenden Buches still und ohne die geringste In-Szene-Setzung vorlesen – in einem der ständigen intimen »Kulturabende«, die meine Schwägerin Nadja Taussig seit 25 Jahren bis heute in ihrem Heim in Tel Aviv veranstaltet. Es kam mir manchmal vor, besonders solange auch noch Felix Weltsch dort vortrug, als lebten letzte Ausstrahlungen des literarischen Prag in Tel Aviv auf. Die Sonne Prags geht im Mittelländischen Meer unter. –

In Tel Aviv lebte Perutz betont im Exil. Er wartete auf die Rückkehr der Habsburger. Es war schwer, mit ihm ins Gespräch zu kommen. Die Vorbedingungen seiner Weltanschauung waren so verschieden zu denen, die wir erarbeitet hatten, daß man den Eindruck hatte, man müsse einen Urwald ausroden, ehe man mit ihm, dem völlig Einsamen, zusammentraf. Aber er war stets liebenswürdig, sehr kultiviert, hörte an, gab Auskunft – auch dies ist ja eine Art, sich hinter tausend Mauern zu verstecken. Die Bücher von Leo Perutz *Die dritte Kugel* (um den Conquistador Cortez), *Turlupin* (aus dem Zeitalter Richelieus), *Der Marques von Bolivar* (Guerillakrieg Spaniens gegen Napoleon) sind Muster wirksam aufgebauter und mit höchster Kunst geschriebener Romanhistorien. Perutz ist in Prag geboren, lebte aber fast immer in Wien, hatte kaum Verbindung mit uns. Erst in Tel Aviv habe ich den sonderlinghaften, von schwerem Gedankenreichtum erfüllten, auch mathematisch stark interessierten Mann kennengelernt. –

Stärker waren die persönlichen Bindungen, die wir mit Meir Marcell Färber (aus Mährisch-Ostrau) hatten. In jüngster Zeit habe ich aus einem sehr lebhaft geschriebenen spanischen Reisetagebuch, das er in mehreren Zeitschriften veröffentlicht hat, viel erlebt. Die ganze ruhmreiche Geschichte des spanischen Judentums steigt in den Kunstdenkmälern und Erinnerungsstätten auf, die Färber beschreibt. Ein großes Kapitel der jüdischen Historie ist dort für immer geschlossen. Wie in Prag. Die Landschaft aber, in der einst all das Präzise philosophischer, religiöser und dichterischer Werke entstanden ist, nebst dem spanisch-arabischen Milieu, das zweifellos vieles in diesen hebräischen, zum Teil auch arabisch verfaßten Schöpfungen mitbeeinflußt hat, wird von Färber ganz konkret gepackt, in vielen Details uns vor Augen gestellt. Nachdenklichen Spanien-Reisenden können diese Essays viel Wichtiges erschließen, an dem sie sonst wohl vorbeigehen. So wie schon früher manches Buch Färbers (z. B. *Dr. Emil Margulies, ein Lebenskampf für Wahrheit und Recht)* oder die geschichtliche Darstellung *Das Parlament Israels* (1958) uns bedeutsame Eindrücke verschafft hat.

Da wir nun bei der Geschichtsschreibung angelangt sind, wäre noch vieles über die wissenschaftliche Literatur einzuschalten, die in Prag blühte und uns nahestand oder doch stärkstens auf uns gewirkt hat. Hier müßten, außer den wissenschaftlichen Klassikern der Weltliteratur wie Kant, die wir verehrten, drei Namen an der Spitze stehen: Popper-Lynkeus, Alfred Weber und Ehrenfels. Der große Wiener Soziologe Josef Popper-Lynkeus (nebenbei bemerkt, in dem tschechischen Landstädtchen Kolin bei Prag geboren), dessen soziales Programm »Einordnung eines allgemeinen Nährzwangs behufs Sicherung eines Existenzminimums (in natura) in die heutige Volkswirtschaft der freien Konkurrenz« ihm, nach seinen eigenen Worten, »noch immer, und immer mehr, als die einzige praktische Lösung der sozialen Frage« erschien. – In vielem andern, was mir zu rationalistisch erscheint, lehne ich ihn allerdings ab. Als Beispiel dessen, was an der ehrwürdigen Gestalt Poppers mangelhaft ist, zitiere ich die nachfolgende Anekdote aus den *Gesprächen,* die Theorien à la Malthus bei dem sonst so menschenfreundlichen Popper als Hintergrund hat. »Adolf Gelber beginnt von seinem Enkerl zu erzählen, bricht aber plötzlich ab mit den Worten: ›Aber – Sie können ja kleine Kinder nicht leiden!‹, worauf Popper: ›Das ist nicht der Fall, daß ich kleine Kinder nicht leiden kann, sondern sie sind mir vollkommen gleichgültig.‹« Zur Malthus-Theorie Poppers vergleiche man Poppers These in der *Allgemeinen Nährpflicht* (Seite 749): »Wenn sich nun wegen drohenden Mangels an unentbehrlichen Nahrungsmitteln die Notwendigkeit ergibt, eine Bevölkerungszunahme zu verhindern, so werden Neugeburten der kinderreichsten Mütter von Staats wegen sofort getötet« – und die ganze Debatte über diese Frage, die auf Seite 75 bis 77 der *Gespräche* zu finden ist. Hier zeigen sich deutlich die Grenzen einer rationalen, nicht genügend ehrfürchtigen Denkungsart nach dem Vorbild Voltaires. Wie immer das von Popper-Lynkeus aufgeworfene Problem zu lösen wäre: kaltblütig erwogener Kindermord kann niemals als Lösung gelten.

Von unseren Universitätsprofessoren fesseln mich immer noch wie am ersten Tage die in die Zukunft weisenden Denker Alfred Weber – und der geniale Schöpfer der »Gestalttheorie«, Christian von Ehrenfels. Über beide und ihren Einfluß auf uns habe ich in meiner Selbstbiographie ausführlich berichtet. Hier sei hinzugefügt, daß der Sohn, Umar Rolf Ehrenfels, gegenwärtig in Heidelberg wirkend, in wichtigen Stücken die Arbeit seines hochbedeutenden Vaters fortsetzt. Von seinen Büchern sei *Mother-right in India* (Bombay 1941), von seinen Essays der letzte, *Nord-Süd als Spannungspaar* (»Antaios«, Band VII, Juli 1965), angeführt.

Prag als die Musikstadt par excellence hat auch Musikwissenschaftler von hohem Rang hervorgebracht oder zur Reife ausgebildet: so den schon genannten Richard Batka. Ferner die Musikkritiker Erich Steinhardt, Felix Adler und den heute in Amerika wirkenden Paul Nettl, dessen Studien über Mozart und seine Zeit, über die Prager jüdische Musikantengilde usf. zu den besten Leistungen auf diesem Gebiete zählen. Eine besondere Stellung nimmt der junge hochbegabte Gelehrte Othmar Reich ein, der grundlegende Forschungen auf dem Gebiet der Musiktheorie begonnen hat, die aber infolge ungünstiger Geschicke (Losreißung vom Prager Mutterboden durch den Nazi-Einfall, dann ein Abenteuern im Untergrund in Frankreich, zuletzt ein tödliches Autounglück in Amerika) nur teilweise abgeschlossen werden konnten. Es liegt eine größere Arbeit vor: *Das Qualitätsproblem der Psychologie und seine Lösung. Eine musikpsychologisch-psychologische Abhandlung* (137 S., Prag 1933); ferner drei Essays, die gleichfalls für den Ernst und die außerordentlich strenge Methode des Verfassers zeugen. Hier geht es 1. um einen besonders wertvollen Extrakt aus einer Rede, die Reich in Paris auf dem »11. Internationalen Kongreß für Philosophie« (Congrès Descartes) gehalten hat (1. bis 6. August 1937) und die das Thema *Das psycho-physische Problem der Wahrnehmungspsychologie im Lichte biologischer Betrachtungsweise* scharf angeht – 2. um einen Zeitschriftenabdruck aus

»Acta Musicologica« X, III, S. 118 bis 129: *Was ist eigentlich das Material der Musik?* (Ein Beitrag zum Materialproblem der Musikwissenschaften), mit sehr geistvollen und meines Erachtens zutreffenden, neuen Distinktionen – 3. um einen gewissermaßen »leichteren« Beitrag in der »Schweizerischen Musikzeitung« vom 1. April 1938 *Petranu contra Bartok*, aus dem hier einige Zeilen des Schlußresümees zitiert seien, um von dem hohen, reinen Charakter des Forschers wie von seiner durchsichtig klaren Schreibweise eine Probe zu geben: »Der wissenschaftliche Streit zwischen Petranu und Bartok fußt sachlich auf der Tatsache, daß die rumänische und die ungarische Volksmusik in ihrem heutigen faktischen Stand eine gewisse Basis an gemeinsamen Elementen aufweisen. Der Versuch, festzustellen, was an diesem heute beiden Nationen gemeinsamen Volksliedmaterial nun ursprünglich rumänisch bzw. ungarisch ist, sowie der ganze hiemit verbundene Fragenkomplex nationaler Charakteristiken, ist wissenschaftlich nicht nur berechtigt, sondern auch unbestreitbar von Interesse. Es muß aber ausdrücklich betont werden, daß diese besonderen spezialwissenschaftlichen Probleme heute keineswegs etwa schon geklärt oder auch nur einer partiellen, wissenschaftlich befriedigenden Lösung zugeführt sind, ja daß man sich eigentlich noch nicht einmal über die Methoden klar ist, mit denen sie angegangen werden müssen. Was hier bisher existiert, sind nur Vorarbeiten, die somit keineswegs etwa schon zur Proklamierung feststehender Ergebnisse oder gar zu voreiligen, aber dafür sehr weitreichenden Folgerungen berechtigen. Dringend not tut vielmehr weitere, unvoreingenommene, ruhige, objektiv-sachliche Forscherarbeit. – Eine solche kann aber ausschließlich vom Standpunkte subjektiv, insbesondere auch national oder politisch desinteressierter wissenschaftlicher Erkenntnissuche, streng innerhalb des Rahmens der entsprechenden Wissenschaften, und mittels rein wissenschaftlicher Methoden vorgenommen werden.«

Das Hauptwerk Reichs wendet sich gegen die Theorien von Stumpf und Brentano und stellt sich vollständig auf den Boden der Ehrenfelsschen Gestaltqualität, wobei allerdings die Namen seiner Schüler (Wertheimer, Köhler – gegen beide polemisierend) angeführt werden, nicht der des Begründers dieser Theorie. Und wobei leichte, offenbar ungewußte Berührungen mit der von Felix Weltsch und mir erarbeiteten »Gesamtanschauung« *(Anschauung und Begriff)* gleichsam im Vorbeigehen auftauchen. Der gemeinsame Boden der »Gestaltqualität« macht sich geltend. Das Ergebnis der Hauptarbeit ist zum Teil in folgenden Sätzen des »Extraktes« niedergelegt: »Ungestaltetem physikalischem Reizgeschehen, und höchstwahrscheinlich ebenfalls ungestaltetem psychophysischem Geschehen, entspricht bewußtseinsmäßig unmittelbar gestaltetes Wahrnehmungserlebnis (eine Gestaltqualität). Ferner: Das gestaltete Wahrnehmungserlebnis (die Gestaltqualität) dürfte allem Anschein nach irgendwie gedächtnismäßig verankert sein.« Das Durchstudieren dieses Hauptwerkes, in dem u. a. die früher häufig angenommene Parallelität des Reiches der Farben und der Töne mit sinnreichen Gründen abgelehnt wird, ist ziemlich anstrengend. Doch die Mühe lohnt. –

Es ist in diesem Buch keine Vollständigkeit angestrebt. Daher erwähne ich nur kurz Karl Kraus, der aus der böhmischen Kleinstadt Jičin (dem Gitschin Wallensteins) stammte, sonst aber kaum Beziehungen zu Böhmen hatte, außer solchen polemischer Natur. Sein Wohnort wurde von früher Jugend an Wien. Kraus kam nur zu Vorträgen nach Prag und hatte hier (auch unter den Tschechen) viele begeisterte Anhänger.

Mit den Autoren aus Mähren bestanden enge Beziehungen. Ludwig Winders wurde schon gedacht. Ernst Weiß, der besonders mit Baum und Kafka in freundschaftliche Verbindung trat, erschütterte uns durch sein in Rußland spielendes Drama *Tanja,* dessen denkwürdige Premiere im Prager Landestheater stattfand. Über seinen ersten Roman *Die Galeere* findet Mühlberger Worte, die sehr an das erinnern, was ich (viel später) als »transzendenten und humanen Realismus« beschrieben habe. Mühlberger sagt in seiner *Dichtung der Sudetendeutschen* (1928/29) über *Die Galeere:* »Schon hier die Überwindung aller naturalistischen Technik, die Bemühungen, das Reale lichtumwittert vom Unendlichen zu sehen; der Wille, vor der krassesten Wirklichkeit wegen ihres undeutbaren Kernes in Ehrfurcht zu verharren. Im Balzac-Roman (*Männer in der Nacht* von Weis) entfaltet sich dann dieser magische Realismus ganz.«

Aus Mähren kamen Hermann Ungar und Max Zweig. – Nach Hermann Ungar wurde ich eine Zeitlang viel gefragt; man suchte Stoff für Dissertationen. Ich mußte auf all die Anfragen erwidern, daß ich mich an Ungar nicht erinnern kann. Er verkehrte im »Prager Tagblatt«, da hat er aber einen so unbedeutenden Eindruck auf mich gemacht, daß ich alles vergessen habe. Auch ein Trotzki-Drama *Der rote General,* das ich einst in Berlin gesehen habe, ist fast spurlos in mir verschwunden. Neulich kam mir sein Buch *Knaben und Mörder* in die Hand. Es hat, obwohl es viel gelobt wird, nur die Marke der Nullität, des Plumpen und Konventionellen, der herkömmlich gemalten Minderwertigkeitskomplexe usw. bestätigt. Obwohl das vorliegende Exemplar mir als »dem Förderer, Lehrer und Gesinnungsgenossen in dankbarer Verehrung« gewidmet ist (Ungar war Zionist). – Zufällig stoße ich nun in dem hier oft zitierten Essay von Hans Tramer *Prague – City of Three Peoples* (Seite 334) auf eine Bemerkung, laut der ich mich einmal bei Siegmund Kaznelson, als er die Redaktion der »Selbstwehr« führte, für Gedichte eingesetzt habe, die mir Ungar von der Front zugeschickt hatte. Kaznelson hat sie abgelehnt. Es scheint also doch einst eine engere Verbindung zwischen Ungar und mir bestanden zu haben. Sie ist meinem Gedächtnis entschwunden.

Max Zweig, ein Vetter Stefan Zweigs, ist 1892 in Prosnitz geboren (also in derselben Stadt wie Wolker). Er doktorierte in Prag, lebte dann in Berlin, ist seit 1938 in Palästina. Ich lernte ihn in Prag kennen, doch zu einem richtigen freundschaftlichen Verkehr kam es erst im »Lande der Väter«. Die Habimah spielte seine *Marannen* mit größtem Erfolg mehr als hundertmal, dann zwei weitere Stücke *(Saul* und *Morituri). Saul* erhielt 1957 den 2. Preis der Festspielgemeinde Bregenz. Bregenz und das Wiener Burgtheater spielten den in seinen Konflikten vorbildlich plastisch gemeißelten und dabei sehr menschlichen, ergreifenden *Franziskus.* Leider fand die Aufführung in einer Art von künstlicher Oratorienform statt. Sie war trotzdem sehr wirksam. Doch die eigentliche naturnahe Aufführung des naturnah empfundenen Stückes steht noch aus, wie mir scheint. Das sehr scharf pointierende, Eheprobleme wie auch religiöse Tiefen erschütternd durchdenkende Drama *Tolstois Gefangenschaft und Flucht* wurde vom österreichischen Rundfunk gesendet. Zehn Dramen erschienen in einer zweibändigen Ausgabe. Das Schaffen Max Zweigs entwickelt sich weiter mit Kleistscher Strenge, in logischer Knappheit der Diktion, mit oft höchst aktueller Thematik. Es findet seinen vorläufigen Gipfel in dem neuen, noch unaufgeführten Stück *Die Entscheidung Lorenzo Morenas.* Ein großer Schriftsteller wird, ähnlich wie Gerhart Hauptmann, vom Faschismus verlockt und mißbraucht; im letzten Moment erkennt er seine Fesseln und sprengt sie, das Martyrium auf sich nehmend (also doch anders als Hauptmann). Dieses Stück auf der Szene zu sehen, wird ein befreiendes und sühnendes Ereignis sein!

Noch viele nahen, eine lange Reihe. Da sind die Lyriker Oskar Senski (Oskar Kohn) und Ottokar Winicky, die ich im Jahrgang 1928 der Zeitschrift »Witiko« finde. Beide habe ich gekannt und in ihrem Wert erkannt. Die historischen Romane Ernst Sommers öffneten große Ausblicke, sie wurden wie so vieles andere von der braunen Schlammflut verschlungen. Historische Romane schrieb auch Desider Zador, der in Mährisch-Ostrau Generalsekretär der zionistischen Landeskommission war und den ich gut kannte. Er lebt jetzt in Israel und hat vor kurzem einen Kreuzfahrerroman publiziert, der als reifes Werk alle Versprechungen einlöst, die er als jugendliche Begabung gegeben hat. Die jüdischen Lyriker Viktor Fischl-Dagan und František Gottlieb (beide in tschechischer Sprache schreibend) sind ihrer Gedankenfülle und Formvollendung wegen beachtenswert. Sie sind weiterhin tätig, Dagan als Diplomat des Staates Israel; beide kannte ich noch in meiner Prager Zeit. Auch die aus Preßburg stammende Alice Schwarz zählt hierher, deren anschaulich realienerfüllte Erzählweise (*Schiff ohne Anker* u. a.) erst in ihren Israel-Jahren voll emporgeblüht ist. – Von seinem ursprünglichen Israel-Ziel abgelenkt erscheint der wichtige Lyriker Rudolf Fuchs, dem ich namentlich in seinen ersten zwei Gedichtbüchern *Die Karawane* und *Der Meteor* nahe war. Eines seiner Gedichte ist mir gewidmet, in einem andern, »Nach Osten gesungen«, hieß es: »... und bin in Kanaan fortan kein Fremder mehr!« Doch später veröffentlichte er (1928) das sehr problematische »Massendrama in 26 Szenen«: *Aufruhr im Mansfelder Land.* Es geht um Max Hölz und die Leunawerke. Die Ereignisse des Jahres 1921 im Bergrevier. Zu einer wirklichen dramatischen Konzentration wie etwa in Hauptmanns Meisterwerk, den *Webern,* reicht die Kraft nicht. – Unsere persönliche Beziehung blieb die alte, trotz seiner veränderten politischen Einstellung. Im »Prager Tagblatt« arbeiteten wir Tür an Tür. Hatten manchen erregten Disput in jenen brennenden Zeiten, in denen man sich entscheiden mußte. Sein bedeutendstes Werk sind seine wundervoll treuen Bezruč-Übertragungen. Noch 1941 sandte er mir seine in London gedruckten *Gedichte aus Reigate* (»Dank der Gunst eines Freundes als Manuskript in 150 unverkäuflichen Exemplaren gedruckt«). Da steht der ergreifende »Brief an Petr Bezruč«, der die Fluchterlebnisse des Autors im Gespensterlicht festhält. Da gibt es die Verse, die »Flandern in Not« und »Warum nahmst du dir das Leben, Majakowskij?« heißen. Das letzte Gedicht des Bändchens nehme ich (vielleicht zu Unrecht) als persönlichen Gruß. Es ist »Schwanda, der Dudelsackpfeifer« betitelt – die Oper dieses Namens (Worte von Kareš, Musik von Weinberger) hatte ich textlich umgearbeitet und übersetzt. So fanden Fuchs und ich zuletzt doch wieder zueinander. – Einem sinnlosen Straßenunfall im Londoner Nebel fiel der Dichter zum Opfer.

Im »Prager Tagblatt« war auch Otto Roeld (Rosenfeld) Stammgast und Mitarbeiter. Sein kleiner Roman *Malenski auf der Tour* schildert in distanziert geklärter Prosa, von Kafka beeinflußt, die

Leiden eines Geschäftsreisenden. Was »portalscheu« ist, habe ich in diesem kühl berichtenden, innerlich aber blutenden Buch zum erstenmal gelesen: die Schüchternheit eines »Vertreters«, dessen Aufgabe es mit sich bringt, daß er in wildfremde Geschäftslokale (und zwar nicht als Käufer) einzudringen hat und den trotz jahrelanger Routine immer noch vor diesem Schritt über die Schwelle maßlose Angst befällt. Roeld will, wie er selber in knappem Schlußwort sagt, »das unerforschte Abenteuer der (Natur und wahrem Wesen) entrückten Alltäglichkeit« beschreiben. Doch wenn dem Menschen »die Kraft fehlt, bleibt ihm Anteilnahme versagt«. Ein zweiter »Odradek«, erstaunlich realistisch durchgeführt.

Im »Prager Tagblatt« gab es auch noch den fein lächelnden, schrulligen, durchaus eigenwillig beobachtenden Max Heller. Vielleicht sind nur Glossen von ihm in den gespeicherten Jahrgängen zu finden, vielleicht sind sie gar nicht gezeichnet. Das gleiche gilt von den Beiträgen Franz Lederers. Im Zimmer von Rudolf Thomas war oft auch der junge, blasse Komponist Hans Krása anzutreffen, über dessen Orchesterlieder ich im *Prager Sternenhimmel* berichtet habe. Seine Kinderoper *Brundibar* (Text des tschechischen Schriftstellers Hoffmeister, der dem Tode entrann) bildete in Theresienstadt bei vielen Aufführungen die Freude der Inhaftierten, ähnlich wie meines Bruders Lustspiel *Das Ei des Columbus*. Die Partitur der Krása-Oper ist erhalten. Ebenso ein Film der Oper. – Ich müßte auch noch Emil Faktor (Redaktion der »Bohemia«) und seine Gedichte *Was ich suche* erwähnen, die meiner Jugend voranstrahlten. Dann Faktors Freund Josef Adolf Bondy, dessen Lyrik zu Unrecht vergessen ist. Beide Freunde verließen Prag, gingen als große Redakteure nach Berlin. Ferner Camill Hoffmann (»Die Vase«, »Adagio stiller Abende«, wundervolle Übersetzungen Baudelaires wie »Ein König gleicht mir, doch verregnet ist sein Reich« – es ist das die tiefsten Abgründe aufreißende Gedicht »Spleen«), Camill Hoffmann, einer der wenigen, dem ich Förderung verdanke – er empfahl meinen Einakter *Die Höhe des Gefühls* dem Staatstheater in Dresden, das dann die Uraufführung brachte. Es war mein erster Schritt auf die Bühne.

Eine Tragikomödie *Satanas obenauf* (Verlag Fr. Khol, Prag 1929) und eine größere Novelle *Die Verklärung* (Verlag der »Wahrheit«, Prag 1930) sind das einzige, was von dem jungen Dichter Hans Klaus übrig geblieben ist. Experimentierende Werke: die Novelle unter Meyrinks Einfluß, Milieu eines verwahrlosten Adelspalastes (Kleinseite), unheimlich wirtschaftet ein Arzt, der ein Sadist ist und den seine Frau, vor Ehrfurcht ersterbend, immer mit Sie anredet.

Einsam in seiner sofortigen Vollendung ohne sichtbare Vorbereitungsstufe steht ein anderer junger Poet (und Musiker), Hermann Grab, mit seinem einzigen Buch *Der Stadtpark* da. Nur 110 Seiten. Aber was für Seiten! Daneben entsinne ich mich noch einer Flüchtlingsnovelle von Grab, die in Lissabon spielt, *Ruhe auf der Flucht.* Ich las sie einmal in der »Neuen Rundschau«. Diese beiden Werke – nicht viel, aber es genügt für die Unsterblichkeit. Sie sind von natürlichster Frische, dabei klug inmitten allen poetischen Impaktes, durchdacht, von souveräner Architektur – in jeder Hinsicht non plus ultra. Auch ein Essay von Grab hat sich erhalten. Ich werde noch auf ihn zu sprechen kommen. Man hat Grab mit Kafka, mit Proust verglichen. Die Wahrheit besagt ganz schlicht, daß er ein völlig Eigener ist – obwohl er selbstverständlich bei manchem Meister gelernt hat, was erlernbar ist. Aber die Hauptsache kommt (ich bin fast müde, dieses Selbstverständliche zu wiederholen) aus geheimnisvollen Quellen emporgeschossen, unbegreiflich, ewig entrückt, heilig. Grab weiß einem Teil unserer Erdenwelt neue Bedeutung abzugewinnen, und zwar auf eine Art, die den rätselhaften Kern der Menschen und der wie Menschen lebenden Dinge (unbewußte Querverbindung zu Wolker?) sichtbar macht. A priori glaubt man, in die viele banale Literatur von eh und je verfangen, daß ein solch neuer Zugang zum Weltmittelpunkt gar nicht mehr möglich ist. Ist er dann im Werk eines Dichters gegeben, und zwar auf eine anscheinend leichte, rasche, selbstverständliche, durchaus nicht forcierte oder manierierte Art gegeben, wie dies eben in der Art der echten Kunst liegt, die aus dem Vollen (ex plenitudine) schafft: dann hat man plötzlich das beglükkende Gefühl, daß es noch tausend andere solche neue Zugänge gibt, die auf die einfachste Art zu entdecken sind – man muß sich nicht einmal sehr anstrengen dabei, muß nur auf das einzig Wesentliche achten, dann ergibt sich das Neue unerschöpflich ganz von selbst. Diese Art der Betrachtung und Darstellung kommt bei Hermann Grab zur zartesten und nobelsten Wirkung. Mit all ihrem sensationellen Schnaufen und Rasen finden andere, von Eigenliebe geblendet, solch erhellende und frei entriegelnde Zugänge nicht.

Es handelt sich im *Stadtpark* um den Herbst des Jahres 1915 und den folgenden Winter. Der Weltkrieg im Hintergrund. Armut und Tod strecken ihre Spinnenarme aus den Vorstadtquartieren ins Quartier der Reichen. Der Sohn einer Klavierlehrerin fällt an der Front. Die Klavierstunden werden eingestellt. »Jetzt kann man doch nicht an Klavierspielen denken.« Der Hausbesorger Knobloch spricht mit der Köchin davon, daß der Zucker rar wird. In den Vororten gibt es Hunger und die Leute frieren. Manche wohnen in einem Kellerloch, eine Familie mit vier Kindern in einem einzigen Zimmer. »Manchmal glauben wir ganz plötzlich zu erfahren, daß die Wirklichkeit, die wir mit dem Rohmaterial unserer Sinneseindrücke aufgebaut haben, nur eine zufällige sei, und indem wir mit den alten Bausteinen eine neue Wirklichkeit vor uns erstehen lassen, kommen wir ...« Ja, wohin kommen wir? In mehrfach gespiegelte Welten, in denen aus kleinsten Ursachen große Wellen der Leidenschaft und des Nachdenkens hervorgehen, und zwar auf die unbeschwerteste Weise, die dabei doch den gegebenen Rhythmus des von vielen Geheimnissen belasteten Lebens aufs getreulichste nachbildet. – Der Knabe Renato Martin steht im Mittelpunkt. Er dürfte 13 oder 14 Jahre alt sein. Denn er lernt im Gymnasium schon Griechisch. Und im alten Österreich begannen diese Studien in der dritten Klasse des Untergymnasiums, in der Tertia. Der Stadtpark, in dem er mit seiner englischen Gouvernante Miß Florence spazieren geht (die das kontinentale Leben barbarisch und eigentlich unfaßbar ungesittet findet), der Prager Stadtpark lag im Millionärsviertel, in dem auch Werfels Familie wohnte. Renato verliebt sich in die kleine Gérard, deren gleichfalls englische Gouvernante mit Miß Florence befreundet ist. Die Gérard-Gouvernante war einmal im Hause des Herzogs von Teck in »Stellung« gewesen. Dadurch ergibt sich eine vage Verbindung mit dem englischen Königshaus, die Renatos Phantasie beschäftigt. Den Gegensatz bilden die soliden Prinzipien der Eltern, des Herrn Martin und seiner Frau. Von Mama Gérard aber sagt man, sie sei »eine Frau von schlechtem Ruf«. Das entzückt Renato. »Und als einmal jemand gesagt hatte, es sei nicht klar, wovon Frau Gérard denn eigentlich zu leben habe, da hatte Renato es begriffen: Man mußte sich in ungeordneten Geldverhältnissen befinden, um einen so schönen roten Mantel zu tragen wie Marianne, um eine Haut zu haben, die an den Schläfen durchsichtig war, und glashelle Augen.« Und es wird ihm selbstverständlich, daß auch der englische König und alle großen Männer, z. B. Richard Strauss, in solch ungeordneten Geldverhältnissen leben. – So weit, so gut. Aber ein Mitschüler Felix taucht auf und wird zum Nebenbuhler. Die kleine Szene, in der Marianne Gérard und Felix, durch Vermittlung von Renato, Bekanntschaft machen, behielt Renato »sehr lange und auch noch in viel späteren Jahren im Gedächtnis. Sie hatte sich erhalten in Gestalt einer jener Momentaufnahmen, die unser Geist vielleicht recht wahllos produziert, deren Aneinanderreihung aber das Album ergibt, das wir gelegentlich durchblättern und das wir für unser Leben halten.« Von dieser Begegnung an verändert sich alles. Ob es sich um Kindernachmittage im Hause Gérard oder bei Martins Eltern handelt, bei denen Renato sich von Blamagen bedroht fühlt, oder um patriotische Schulfeiern, bei denen lebende Bilder gestellt und unter erbaulichen Sprüchen Nägel in den »Wehrmann in Eisen« eingehämmert werden. – Dieser Felix ist ein Filou, er liest schon Tolstois *Krieg und Frieden,* während der kleine, wenn auch gleichaltrige Renato noch bei Hauff hält und Marianne vergebens damit unterhalten will, daß er ihr den Inhalt des »Freischütz« erzählt. Da gibt es eine zauberische Szene auf dem Eisplatz. Marianne erscheint in einem neuen Kleid. Sie »war kein Kind mehr, sie war ein junges Mädchen. So war auch sie mit dem Geheimnis angefüllt, das am Rande des Eislaufplatzes nistete und aus dem das neue Jahr heraufzusteigen schien. Aber nicht allein das neue Jahr. Denn riesenhaft und schwarz und löcherig wälzte sich der Krieg herauf. Er hatte schweigend zugesehen, wie vor der Festung Przemysl mit einem Mal vierzigtausend Russen umgekommen, die runden Gesichter mit den braunen Käppis in den Schlamm gesunken waren.« Der Junge beginnt zu weinen. Die Gouvernante schimpft. »Ach, Miß Florence, es kommt doch ein neues Jahr!« heult er. Und der Schlittschuhmeister: »Das sind diese verzogenen Kinder. Die wissen nie, warum sie weinen sollen.« – Mit einer ritterlichen Tat für den Rivalen, den er nicht einmal haßt, endet das beinahe ereignislose Buch, das aber mehr als irdisches Ereignis, das transzendente Wirklichkeit ist. –

Die Familie Grab gehörte zu den reichsten patrizischen Familien Prags. Sie war so reich, daß sie sogar getauft war – was in Prag in gewissen jüdischen Kreisen als die höchste soziale Stufe galt, die man erklimmen konnte, im übrigen aber am Bekanntenkreis und am Habitus der auf solche Art Ausgezeichneten nichts oder nur wenig änderte. Eine Kusine des jungen Grab war (oder ist) mit Richard Strauss' Sohn verheiratet. Wie sie die Nazizeit bestanden hat, mag man in Klaus Manns *Wendepunkt* nachlesen. Hermann Grab kam sehr oft zu mir in mein Bürostübchen im »Prager Tagblatt«, er war schlank, mittelgroß, blond, mit sehr angenehmen, ein wenig mädchenhaften Gesichtszügen, ein wenig befangen, sehr höflich und äußerst gepflegt. Er zeigte mir Stücke des werdenden Buches, ich ermunterte ihn. Einmal war ich auch bei ihm zu Gast, in der väterlichen Villa draußen. Da seine Eltern verreist waren, konnte ich meine Freundin mitbringen, Annerl. Sie war entsetzlich primitiv, ganz ungebildet, aber blendend schön – was lange Zeit hindurch meines Unglücks Grundmelodie blieb. Der Besuch war, mit Grabs Einverständnis, als kleines Ablenkungsmanöver für meine Sorgen, als Erleichterung gedacht. Er gelang durchaus, Annerl benahm sich sehr manierlich, störte unser Gespräch nicht, stellte sich reizend so an, als ob sie ihm folgte, machte gelegentlich kleine witzige Bemerkungen. Witzig und aufgeweckt war sie ja, ein wildes, unversnobtes Naturkind. – Ein Diener mit weißen Handschuhen brachte den Tee, Sandwichs, Gebäck. Likör hatte ich bei den sorgfältigen Vorbesprechungen mit meinem jungen Freund ausdrücklich verboten, bei Likör pflegte Annerl jedes Maß zu verlieren. Es ging aber alles gut ab. Grab spielte sehr schön eine Fuge aus dem *Wohltemperierten Klavier*. Annerl bemerkte, daß sie gern noch den neuesten Jazz hören möchte: »Regentropfen – die an mein Fenster klopfen.« Grab lehnte äußerst liebenswürdig ab, hatte zwei, drei gute Ausreden. Dann bat er uns in den Garten, der eigentlich ein großartiger Park war. Nun ereignete sich etwas, was ich bis heute nicht erklären kann, mir seither auch niemand zu erklären fähig war. »Fällt Ihnen nichts auf?« fragte mein Gastgeber. Ich blickte mich um. Der Park hatte drei Terrassen, die unterste grenzte an einen Teich. »Ja, gewiß. Es ist genau der Park, den ich in meinem *Stefan Rott* beschrieben habe. Genauso und nicht anders habe ich mir ihn vorgestellt.« Dieser Roman war im Vorjahr erschienen und wurde von Hermann Grab sehr bewundert, der sich überhaupt gern als meinen Schüler bezeichnete. Doch das ist ebensowenig entscheidend wie die Tatsache, daß in seine besondere Technik manchmal Proustsche Aspekte hineinspielen, daß die Alleen seines Stadtparks sich zu den Dimensionen der Champs Elysées weiten. Wichtig ist, wie ich immer wieder ausführe, die Kunstlehre des Unabhängigen, nicht der Abhängigkeiten. Siehe das oben über Mozart und Dittersdorf Gesagte, ausführlicher in *Diesseits und Jenseits*, Band II, Seite 105 ff. – Wie dem auch sei: in der Villa Grab war ich zum erstenmal. Wie konnte ich also . . .? Übrigens war der Park vor vielen Jahren angelegt worden. Also kein Zusammenhang. Oder doch ein rein spiritueller, okkulter, für den die Bestimmungen von Zeit und Ort nicht gelten? Wir sprachen lange, nach allen Richtungen hin untersuchend, und schlossen mit dem Vers: Der Casus macht mich lachen.

Das Lachen aber vergeht einem, wenn man Grabs anderes nachgelassenes Werk in sich aufnimmt. Die Erzählung *Ruhe auf der Flucht* (in der »Neuen Rundschau« Herbst 1949 veröffentlicht, nebst einer sehr richtigen Würdigung des Dichters von T. W. Adorno). Hier tragen die Grazien selbst, wiewohl sie entzückend, wie eben Grazien, geblieben sind, auf den zarten Wangen deutlich den hippokratischen Zug. Wir sind in Lissabon, aber diese schöne, südlich-klar linierte Stadt ist zur Station für die aus Frankreich flüchtenden Emigranten geworden. Alle wollen nach Amerika, sei es der Norden, sei es der Süden des Kontinents. Ein Erfinder wird vorgestellt. Er sieht wie in einer Vision, daß der Präsident Roosevelt nur auf einen Knopf zu drücken braucht, »um für Herrn Müller eine Flucht von Laboratorien mit Angestellten und ungeahnten Utensilien zu eröffnen. Der Präsident würde überdies den Erfinder schon von weitem erkennen und würde ausrufen: ›Das ist ja der Ingenieur Müller, auf den haben wir schon lange gewartet.‹« – Leider fehlt nur eines: das Visum. Der Konsul der USA ist der Allmächtige über das Leben und den Tod der von Hitlers Meute Gehetzten. Das gleiche Milieu wie in dem (viel späteren) Erfolgsoperchen von Menotti, im *Konsul*, nur ungleich ironischer, ungleich geistvoller, mit einem bittersüßen Einschuß Maupassant. Eine großherzige Mondäne gibt sich zu demselben Opfer her, das bei Maupassant eine kleine Dirne bringt. Nur ist es dann doch ganz anders, die Rettung kommt um eine Nacht zu spät. Der gute alte Herr, der den symbolischen Namen »Ehrlich« führt, muß sterben. Das Opfer für ihn, von dem er nichts ahnte, ist vergebens gebracht. Die bedeutungslose Figur eines Operettenkomponisten dagegen ist unter den Geretteten. »Seine hohe Gestalt und seine Adlernase hoben sich mächtig und berühmt vom Wolkenhimmel über dem Atlantik ab.« – Und man ballt die Fäuste vor ohnmächtigem Zorn und fühlt heiße Tränen über das Gesicht hinabfließen.

Zweifellos war Grab vom Schicksal dazu ausersehen, der Führer der nächsten Prager literarischen Generation zu werden. Nicht gerade als Führer promulgiert und feierlich an die Spitze gesetzt; so wie ja auch die Konvergenzpunkte, zu denen die vorangegangenen Generationen oder Halbgenerationen hintendierten und die man etwa mit den Namen Salus, Leppin, Rilke, Meyrink, Kafka, Brod, Werfel, Urzidil bezeichnen könnte, keiner ausdrücklichen Hervorhebung und Ernennung bedurften, um wirksam zu sein. In dieser Art wäre gewiß auch Hermann Grab wirksam geworden. Aber bei Grab erwies sich das Gegenschicksal als die stärkere Macht, es ließ das Hakenkreuz in Prag einmarschieren. – Hermann Grab gelangte nach New York. Was aus seiner Familie geworden ist, weiß ich nicht. Vielleicht hat er in Amerika nicht mehr lang gelebt. Er hat mir nie geschrieben. Er soll in New York (so sagte man mir) Klavierstunden gegeben haben, krank und arm gestorben sein. Jene Klavierstunden, denen er in seinem *Stadtpark* eine so wichtige, mannigfach abschattierte Reihe von Beschreibungen als Staffage der Begebenheiten zuteilt. Ich kann mir Hermann Grabs hilfloses, wohlerzogenes Lächeln denken, wenn ihn in der großen harten Weltstadt keiner richtig sah, keiner ihm half. –

Ich will hier noch, wie oben angekündigt, auf den einzigen Essay zurückkommen, den Hermann Grab meines Wissens hinterlassen hat, dieser ganz Große, wie ich ihn im vollen Bewußtsein meiner Verantwortlichkeit nenne. Er ist 1934 in dem mir gewidmeten Sammelband *Dichter Denker Helfer* unter dem Titel *Die Schönheit häßlicher Bilder* erschienen und ist von einer Hellhörigkeit, die ich zur Zeit seines Erscheinens gar nicht verstanden und daher auch kaum beachtet habe, wie ich leider gestehen muß. Zur Erklärung: *Über die Schönheit häßlicher Bilder* nannte ich eines meiner Essaybücher, das 1913 erschienen ist. Grab schreibt: »Der Impressionismus läßt sich als die letzte Vorpostenstellung begreifen, von der aus die Welt noch in unmittelbarer, sozusagen naiver Weise angeschaut wird. Und von hier aus wird der Expressionismus als der Augenblick der Auflösung dieser äußeren Welt begriffen werden. Im Surrealismus dagegen werden wir jene Position erblicken, welche die aufgelöste äußere Welt nurmehr spielerisch zu rekonstruieren weiß (mit allem Todesernst allerdings, der solchem Spiel zu eigen sein kann). Nehmen wir nun diesen Entwicklungslauf als gültig, dann werden wir sagen müssen, das Buch, von dem wir sprechen, habe sich mit aller Radikalität in seine Linie gestellt (ist also in jener radikalen Weise aktuell gewesen, die allein die Überaktualität von Kunst verbürgt). Auch wird man sagen müssen, Max Brod habe mit erstaunlicher Wachheit, die Spanne der expressionistischen Auflösung überspringend, sich geradewegs in jenes Entwicklungsstadium gestellt, das in der nachimpressionistischen Welt jedenfalls als das avancierte und offenbar auch als das historisch gewichtigere sich behauptet.« –

Um der allzu billigen Symbolwirkung zu entgehen, die entstehen würde, wenn ich die Ausstrahlungen der Prager Dichtergruppe mit einem »Grab« schließen lasse (das klänge so dissonant wie ein ungewollter Reim, der sich durch Zufall und Unachtsamkeit in eine sonst gute Prosa einschleicht) –: um also diesem Mißton zu entgehen, lasse ich noch einige Zeilen über ein tapferes Gedichtbuch folgen, das Georg Mannheimer 1938 in Prag (Verlag Neumann und Co., Prag-Karlín) herausgegeben hat. Mannheimer war Herausgeber einer Prager Zeitschrift »Die Wahrheit«, die bis zum letzten Augenblick gegen den Faschismus gekämpft hat. So heißt denn auch sein Buch *Fünf Minuten vor Zwölf*. Es trägt ein schönes Titelbild von Friedrich Feigl, den ich aus der Zeit der »Acht« hochschätzen lernte und der heute in London lebt, ein Bruder unseres Ernst Feigl, der im »Prager Tagblatt« sehr ergreifende Gerichtssaalberichte schrieb. Häufig nahm er die Partei des Angeklagten, immer die der Menschlichkeit, des bedrückenden Milieus, das die Armen schuldig werden läßt. Die Berichte waren berühmt, stellten eine besondere Ehre für das Blatt und seine Chefredakteure Dr. Blau und Rudolf Thomas dar, die diesen nicht-rasenden Reporter gegen alle Angriffe hielten. Doch Ernst Feigl hätte ebenso und mehr noch durch seine Lyrik berühmt sein sollen (die von Kafka geliebt und empfohlen wurde und die mit ihrem Autor auf der Strecke geblieben ist). Der Bruder Friedrich Feigl, der in jüngster Zeit durch ein nach dem Leben gezeichnetes Kafka-Porträt in kühner Strichführung bekannt wurde, hat auf das Titelblatt zu Mannheimers Gedichten einen Mann gestellt, dessen Gesicht Entsetzen zeigt, während er warnend auf die XII in den Titelworten hindeutet. Im Hintergrund schlägt ein schwarzer Blitz ein. Das Ganze ist in seiner Komposition mitreißend, einfach richtig. Es kann gar nicht anders dastehn. Es hat die edle innere Notwendigkeit hoher Kunst. Für den, der miterlebt hat, was die Komposition Friedrich Feigls bedeutet, treten nochmals die schrecklichen Tage des Wartens ins Gedächtnis – die Tage, unmittelbar ehe der »Prager Kreis« gesprengt wurde. Mannheimer sagt: »Und wer den Tod im Nacken spürt – der hat nicht Lust zu singen.« Muteinflößend will Mannheimers Versbuch wirken. Es gelingt aber nicht ganz. Und wir wissen ja auch, daß Mannheimer im Kampf um seine »Wahrheit«, um die Wahrheit der freien Welt gefallen ist. – Nein, es hilft nichts. Wie ich mich auch wenden mag: mein Buch kann nicht anders schließen als mit einem Grab.

Doch wir wollen leben, nicht gestorben sein. Und so sei das letzte Wort dieser Schrift: daß ich zwei Bücher zur Neuauflage (allenfalls als Taschenbücher) empfehle – den außerordentlichen Roman von Otto Roeld *Malenski auf der Tour* – zugleich als interessanten, dem gleichen Erdboden entstammenden, wenn auch aus ganz anderem Material gebauten Kommentar zu Kafkas *Odradek* – und Hermann Grabs Erzählungen *Der Stadtpark* und *Ruhe auf der Flucht*.

BIBLIOGRAPHIE

Die Werke der in diesem Buche behandelten Autoren werden hier, von Ausnahmen literaturhistorischen Charakters abgesehen, nicht einzeln aufgeführt. Ebenso auch nicht allgemein gebräuchliche Literaturgeschichten, Standardwerke wie zum Beispiel die Schriften Nadlers.

Balleydir, Alphonse: *Histoire des Révolutions de l'Empire d'Autriche, années 1848 et 1849.* Brüssel 1853

Bergmann, Hugo: *Der Begriff der Verursachung und das Problem der individuellen Kausalität:* In: Logos. Bd. 5 (1914). H. 1

—: *Der Kampf um das Kausalgesetz in der jüngsten Physik.* 1929

—: *Das philosophische Werk Bernhard Bolzanos. Nebst einem Anhang: Bolzanos Beiträge zur philosophischen Grundlegung der Mathematik.* Halle 1909

Bibliothek deutscher Schriftsteller aus Böhmen. Hrsg. im Auftrage der Gesellschaft zur Förderung deutscher Wissenschaft, Kunst und Literatur in Böhmen. Bd. 1—50. Prag, Tempsky 1894—1960. [Bd. 26 nicht erschienen]

Briefe an Auguste Hauschner. Hrsg. von Martin Beradt und Lotte Bloch-Zavřel. Berlin 1928

Brod, Max: *Diesseits und Jenseits.* Bd. 1. 2. Winterthur 1947

—: *Jules Laforgue, Pierrot der Spaßvogel.* Neudruck Frankfurt a. M. 1965

—: *Prager Sternenhimmel.* Neudruck Hamburg 1966

—: *Adolf Schreiber. Ein Musikerschicksal.* Berlin 1921

—: *Streitbares Leben. Autobiographie.* München 1960

—: *Über Franz Kafka.* Frankfurt a. M. 1966. (Fischer-Bücherei. Bd. 735)

Castle, Eduard: *Der große Unbekannte. Das Leben von Charles Sealsfield — Karl Postl.* Wien 1952

Das jüdische Prag. Eine Sammelschrift. Prag 1917

Demetz, Peter: *René Rilkes Prager Jahre.* Düsseldorf 1953

Dichter Denker Helfer. Max Brod zum 50. Geburtstag. Hrsg. von Felix Weltsch. Mährisch-Ostrau 1934

Eisner, Pavel: *Vom Jahre 1848 bis zu unseren Tagen.* Prag 1932. (Separatabdruck aus: Československá vlastivěda [Tschechoslowakische Heimatkunde]. Bd. 7)

Fuchs, Rudolf: *České a Německé básnictví v Československu (Tschechische und deutsche Dichtung in der Tschechoslowakei).* Prag 1937

Gebser, Hans: *Rilke und Spanien.* Zürich 1940

Haas, Willy: *Literarische Welt.* München 1960

—: *Der junge Max Brod:* In: Tribüne. Jg. 3 (1964). H. 10

Hamšík, Dušan und Alexej Kusák: O *zuřivém reportéru E. E. Kischovi (Vom rasenden Reporter E. E. Kisch).* Prag 1962

Herder-Blätter. Faksimile-Ausgabe zum 70. Geburtstag von Willy Haas. Hrsg. von Rolf Italiaander. Hamburg 1962

Horb, Max: *Bilder-Album. Prag 1908.* (Privatdruck)

Janouch, Gustav: *Gespräche mit Kafka.* Frankfurt a. M. 1951

—: *Prager Begegnungen.* Leipzig 1959

Jellinek, H.: *Histoire de la Littérature Tschèque. Des Origines à 1850.* Paris 1930

Kafka-Symposion. Berlin 1965

Franz Kafka 1883—1924 (Illustrierter Katalog der Berliner Ausstellung. 16. 1.—20. 2. 1966)
Kestenberg-Gladstein, Ruth: *A Voice from the Prague Enlightenment.* London 1964. (Publications of the Leo Baeck Institute. Year-Book 9)
Kolman, Arnošt: *Bernard Bolzano.* Berlin 1963
Krolop, Kurt: *Ein Manifest der Prager Schule.* In: Philologia Pragensia. Nr. 4 (1964)
Langer, František: *Byli a bylo (Sie waren und es war).* Prag 1963
Lessing, Theodor: *Der jüdische Selbsthaß.* Berlin 1930
Linde und Mohn. Tschechische Lyrik. Übersetzt, eingeleitet und erläutert von Josef Mühlberger. Nürnberg 1964
Mühlberger, Josef: *Die Dichtung der Sudetendeutschen in den letzten fünfzig Jahren.* Kassel 1929
—: *Marie v. Ebner-Eschenbach.* Eger 1910 (Sudetendeutsche Sammlung. Bd. 14)
—: *Adalbert Stifter.* Mühlacker 1966
Musil, Robert: *Rede zur Rilke-Feier in Berlin am 16. Januar 1927.* Berlin 1927
Popper-Lynkeus, Josef: *Gespräche. Mitgeteilt von Margit Ornstein und Heinrich Löwy.* Wien 1924
—: *Das Recht zu leben und die Pflicht zu sterben.* 4. Aufl. Wien 1924
Raabe, Paul: *Expressionismus. Der Kampf um eine literarische Bewegung.* München 1965
—: *Die Zeitschriften und Sammlungen des literarischen Expressionismus. 1910—1921.* Stuttgart 1964
Rubaschoff, Salman (= S. Shasár): *Erstlinge der Entjudung.* (Einleitung zu: Drei Reden von Eduard Gans.) In: Der Jüdische Wille. Berlin 1918/19
Schreiber, Adolf: *10 Lieder.* Berlin 1921
Springer, Anton Heinrich: *Geschichte des Revolutionszeitalters 1789—1848, in öffentlichen Vorlesungen an der Prager Universität.* Prag 1848
Straub, Julian: *Hieronymus Lorm.* München 1960
Tichý, Josef: *Rok 1848 v Obrazech (Das Jahr 1848 in Bildern).* Prag 1948
Torberg, Friedrich: *Mit der Zeit — gegen die Zeit. Eingeleitet von Herbert Eisenreich.* Graz 1965
Tramer, Hans: *Prague — City of Three Peoples.* London 1964. (Publications of the Leo Baeck Institute. Year-Book 9)
Truhlář, Antonín: *Výbor z literatury české (Auswahl aus der tschechischen Literatur).* 3. Aufl. Prag 1898
Urzidil, Johannes: *Goethe in Böhmen.* Zürich 1962
Utitz, Emil: *Egon Erwin Kisch, der klassische Journalist.* Berlin 1956
Vom Judentum. Ein Sammelbuch. Hrsg. vom Verein jüdischer Hochschüler Bar-Kochba in Prag. Leipzig 1913
Wehl, Fedor: *Alfred Meißner.* Leipzig 1892
Weltsch, Felix: *Gnade und Freiheit.* München 1920
—: *Das Wagnis der Mitte.* Neudruck Stuttgart 1965
Wertheimer, Marga: *Arbeitsstunden mit Rainer Maria Rilke.* Zürich 1940
Wiegler, Paul: *Geschichte der deutschen Literatur.* Berlin 1930
Winter, Eduard: *Bernard Bolzano und sein Kreis.* Leipzig 1933
—: *Die historische Bedeutung der Frühbegriffe Bernard Bolzanos.* Berlin 1964. (Sitzungsberichte der Deutschen Akademie der Wissenschaften zu Berlin)
Wolkan, Rudolf: *Geschichte der deutschen Literatur in Böhmen und in den Sudetenländern.* Augsburg 1925

BILDNACHWEIS

Auguste Hauschner: Entnommen dem Buch *Briefe an Auguste Hauschner*, Berlin 1929. – Franz Kafka als Student und Hansi: Auf der Rückseite die Worte in Frauenschrift: »Zur freundlichen Erinnerung von Deiner Hansi Julie Szokoll / u. Kafka Franzi / u. Kolli.« – Felix Weltsch: Aufnahme von Ilse Ester Hoffe. – Eine Ansichtskarte Kafkas (Schloß Friedland): Der Text auf der Rückseite dieser Karte ist in den *Briefen* veröffentlicht. – Alle Fotos außer Hauschner: Archiv Dr. Max Brod, Tel Aviv.

PERSONENREGISTER